改訂版 日本語教育に生かす
第二言語習得研究

迫田久美子 著

アルク

◆改訂について

本書はアルクより2002年に刊行された『日本語教育に生かす 第二言語習得研究』を改訂したものです。改訂にあたって、より広い領域の新しい研究事例・モデル・文献・情報を取り入れ、「付録2」の「キーワードおよび関連用語」を大幅に加筆しました。

はじめに

　本書は2002年に刊行した『日本語教育に生かす　第二言語習得研究』の改訂版である。18年の時を経て、日本を取り巻く社会も日本語教育の現場も大きく変化した。大学進学予備校や大学に在籍する留学生への日本語教育から、日本社会や経済を担う外国人就労者とその家族、日本人との結婚などによる地域在住の外国人への日本語教育へと、その多様性は時代の流れと共に拡大の一途を遂げている。また、日本語の教え方も文型のドリル練習から、タスク中心のコミュニカティブで学習者主体の教授法へと変化していった。

　変化する日本社会の多様なニーズや教授法の一方、変化しないものもある。それは、日本語学習者の誤用と彼らの習得過程である。最近公開された日本語学習者の発話データ (I-JAS 第7章参照) にも「おもしろい<u>の</u>先生 (国内自然環境のポルトガル語話者)」「とても<u>寂しいだった</u> (海外教室環境のハンガリー語話者)」のように、18年前と同じタイプの誤用が見られる。時代を経て教え方や教材が変わっても、学習者の学んでいくプロセスは変わっていないことに驚かされる。そして、それが筆者の第二言語習得研究への興味と関心を大きくし、その謎解きの世界へと導いてくれた。

　本書は、現在日本語教育に携わっている方々、これから日本語教育に携わりたいと思っている方々、また第二言語習得に興味を持っているが専門的には勉強したことがない方々を対象にして、第二言語習得研究の内容を概略的に紹介し、その世界の広がりと深さを感じていただきたいという目的で書いている。

　改訂にあたり、心掛けたことは以下の3点である。
1. 　参考となる文献や研究事例の新しい情報を取り入れる。旧情報の一部を残しつつ、新たなデータを整理して加える。
2. 　第二言語習得理論については、掲載する理論を整理し、新しいモデルを加えたり、より詳細な情報や事例を加えたりして、わかり易く提示する。
3. 　「指導の効果」や「学習者コーパス」など、第二言語習得研究に関連するより広い領域の研究や情報を新たに加える。

　2002年の最初の出版から13版を重ね、多くの方々から「授業で読みました」「大学院入試の勉強に使いました」という言葉をいただき、感謝すると共にさらに研究を進めて、日本語学習者の習得に関する新たな事実を明らかにしたいという気持ちが強くなった。18年経っても研究の謎は深まり、疑問は増えていくばかりである。数学者の広中平祐は、著書の中で「生きていることはたえず学んでいることである」と書いている。本書に登場する多くの日本語学習者や教師仲間との出会いから多くのことを学び、それが本書の最初の出版のきっかけとなった。この度の改訂版の執筆にあたり、18年間歩んできた研究の道を振り返り、気付いたこと、考えたこと、そして学んだことを加筆させていただいた。

　改訂版の執筆にあたって、多くの方々からご支援いただいた。客観的な視点と鋭い洞察力でコメントをくださった教師仲間の後藤美知子先生、吉野邦美先生、統計に関する助言をくださった柳本大地先生に感謝の意を表したい。そして、何年も前から改訂版の制作を提案し、辛抱強く待って、長い校正作業の道のりを最後のゴール地点まで伴走してくださったアルク編集部の田桑有美子さん、曖昧な内容を出典から調べ直して的確な助言や修正案を提示し、改訂作業の道標としての役割を担ってくださった編集者の堀田弓さんと編集部の皆さまに深くお礼を申し上げたい。そして、2002年、初版のきっかけを作ってくださった元アルク日本語事業部の西岡暉純氏に改めて感謝の気持ちをお伝えしたい。

2020年3月
迫田久美子

本書での用語や記号の扱いおよび留意点

1. 各章の最初に、章の概略と共にいくつかの質問とキーワードを提示する。質問の答えやキーワードの意味を考えながら読み進めてほしい。章の最後に、まとめとして最初の質問への回答を示す。

2. 「習得」という用語は、特別に比較する場合を除いては「学習」と区別しない。「獲得」という場合もあるが、本書では同義に扱う。

3. 「第二言語習得」と「外国語習得」も特別な場合以外は区別せず、「外国語習得」は「第二言語習得」に含める。

4. 「学習者」は教室指導を受けている学習者だけを意味するのではなく、就労や結婚などの理由で目標言語圏に居住し、自然環境で言語を習得している人々も含む。

5. 日本語学習者の例文は、筆者（および筆者の研究ゼミ）の調査データおよび公開されている学習者コーパス（第7章参照）からの引用であり、実際の学習者が産出したものである。学習者データの記載および引用表記のないものは筆者の作例である。筆者の作例で、誤用を意図した場合には「＊」の記号を付けたが、学習者の産出した例文には「＊」は付けていない。それは学習者の言語体系（中間言語 第2章参照）を積極的に認める筆者の考え方による。

6. 日本語学習者のレベルの記述と判定に関して、レベルの記載がある場合は記載通りに用い、それ以外の筆者のデータの場合は、筆者が判定している。いずれもデータ収集時に用いた判定基準に従っており、複数の日本語教師と相談のうえ判定した場合もあれば、客観テストを行って判定した場合、OPI（Oral Proficiency Interview 第6章参照）に基づいた場合もあり、すべてが統一的な判定方法を用いているわけではない。

目 次

第二言語習得研究はなぜ必要か

◆第1章のポイント

　ここでは、第二言語習得研究とは、母語以外の言語がどのように習得されるのかについての研究であることを紹介し、その習得過程で出てくるさまざまな誤用は決して回避すべきものではなく、教師や研究者にとって重要な意味を持っていることを述べる。次のような疑問を考えながら読んでいただきたい。

　　1. 母語と母国語は同じ意味か。
　　2. 教師は、学習者の誤用からどんなことがわかるのか。
　　3. 学習者にとって誤用は大切か。

◆キーワード
　第二言語と外国語　　JFL と JSL　　エラーとミステイク

1.1　第二言語習得研究とは

　第二言語学習者はその成長の過程で、何度も間違う。(1)〜(3)の文章は、日本語を第二言語とする学習者からの例であるが、どこが誤用かわかるだろうか。( )内に、学習レベルと学習者の母語を示す。

　　(1) わたしは　ははの　JANET です。　　　　　　　　(初級・英語話者)
　　(2) シュウジンです。カンゴクから来ました。　　　　(初級・韓国語話者)
　　(3) 先生、今日、私は宿題をしてしまいました。　　　(中級・英語話者)

　（1）は、アメリカで日本語を学んでいる高校生の作文テストに出てきた文で、「は」と「の」を入れ間違えた例である。正しくは、「私の母はJANETです」という意味であった。（2）は、「シュウジン」「カンゴク」と発音しているので、つい「えっ?」と思うが、家族の紹介場面なので、「主人です。韓国から来ました」という意味である。（3）は、アメリカ人女性が意気揚々と授業に来て、開口一番、こう言った。聞いてみると、「先生、"I have done the homework today." の意味ですよ」と言う。"have done" =「～てしまう」との偏った理解から誤用を産み出したといえる。このように、学習者の誤用には、さまざまな種類と状況があり、日常のクラスでの発見が第二言語習得研究の出発点になることも多い。

　第二言語習得の話に入る前に、「第二言語」や「第一言語」、「母語」、「母国語」、「外国語」などの用語について話をしよう。

　親は子供が誕生したときから、その子がまだしゃべらなくても話し掛けながら育てていく。そして、初めて言葉らしい音を発したときは、「あ、『ママ』って、言ったわ!」「ほら、『パパ』ってしゃべったぞ」と親はその成長を喜ぶ。このようにして、両親から最初に習得した言語を「第一言語」または「**母語**」[注1]という。

　「**母国語**」という言葉もあるが、母語と母国語はどう違うのだろうか。最初に両親から学んだ言語が母語であるのに対して、母国（国籍がある国）で最も多く使用されている言語を母国語という。従って、通常、日本に住んでいる日本人の場合、母国語も母語も日本語であるが、日本の国籍を持っていても家庭内で日本語が日常的に使われていない場合は、母語が日本語とは限らない。次のようなケースでは、母語と母国語が異なる。

【ケース1】	【ケース2】
父親：日本人　母親：中国人	父親・母親：ブラジル人
家庭での会話は主に中国語	家庭での会話は主にポルトガル語
子供の国籍：日本	子供の国籍：アメリカ
↓	↓

（注1）本書では、母語と第一言語を特に区別せず、同じ意味で使用する。

母語：中国語 　　　　　　　　　母語：ポルトガル語
母国語：日本語 　　　　　　　　母国語：英語

　母語は第一言語ともいうと述べたが、第二言語は一般的に母語または第一言語の次に習う言語を指す。スイスのホテル従業員などは何カ国語も話せるので、その場合は第三言語、第四言語が存在するが、第二言語習得研究は、それらの言語も含み、言い換えれば、第一言語以外の言語の習得を研究対象としている。従って、日本人が中学校・高等学校などで習う外国語（一般的には英語）の習得も一般的には第二言語習得研究の中に含まれる。

　しかし、研究の内容、分野によっては、第二言語と外国語が区別される場合がある。例えば、学習環境の影響を研究する場合では、特に第二言語と外国語という用語を次のように区別して使う。第二言語とはその言語がその社会で生活およびコミュニケーションの手段として使用される際の言語を指し、外国語とは目標言語圏（目標の言語が一般的に話されている国々）以外の国で学校教科や学問の一部として学ぶ際の言語を指す。日本語を例にとれば、日本に住んで生活の手段として習う日本語を JSL（Japanese as a Second Language：第二言語としての日本語）といい、海外で外国語科目として習ったり日本で短期滞在中に習ったりする日本語を JFL（Japanese as a Foreign Language：外国語としての日本語）という（p.95）。

【ケース３】　　　　　　　　　　　【ケース４】
日本に住んでいる中国人が日本での進　中国に住んでいる中国人が学校で教
学や就職のために日本語を学ぶ場合　科として日本語を学ぶ場合
　　　　　↓　　　　　　　　　　　　　　↓
日本語：第二言語　　　　　　　　　日本語：外国語
JSL (Japanese as a Second Language)　JFL (Japanese as a Foreign Language)

　しかし、第二言語習得研究という学問分野では、ケース３もケース４も含めて研究の対象としており、特に学習者の生活および学習環境の違いについて研究する場合以外は、あまり区別はしない。

　第二言語習得研究の分野で、第二言語や外国語は、学習目標となる言語という意味で、母語に対して目標言語（Target Language：TL）とも呼ばれる。第二言語習得研究とは、学習者が目標言語をどのように習得していくのか、その習得に影響を与えるのは何か、教え方で違いが生まれるのか、学習者の母語は習得に大きな影響を与えるのか、第一言語習得と習得プロセスに違いがあるのかなど、第二言語の習得にかかわるさまざまな事象の研究である。

　本書では、日本語を第二言語（外国語）として学ぶ学習者たちの文法の習得を中心に紹介しながら、第二言語習得研究の話を進める。

1.2　学習者の誤用

　次の（4）（5）は日本で学校に通わないで日本語（JSL）を習得しているマレーシアの初級レベルの学習者（Az：30代の男性）の会話例である。NSは母語話者（Native Speaker）を表し、（＝）は筆者の解釈を表す。

（4）NS：何時に起きましたか。

　　　Az：おそいよ、5時……**だから**、つかれた。

　　　（＝疲れていたから5時に起きました。）[注2]

　　　（中略）

　　　ねむいくない、**だから**、しごとの、工場の仕事、リラックス。

　　　（＝工場の仕事はリラックスしてできるから、眠くない。）

　　　　　　　　　　　　　　　　　　　　　　　　　　（滞日期間8カ月）

（5）Az：きのう、すごい、**わすれた**。

　　　NS：何を忘れました？

　　　Az：No, わす、**わすれた**、**つかれた**。

　　　NS：ああ、つかれた、はい。　　　　　　　　　（滞日期間8カ月）

（注2）学習者（Az）は、新聞配達をしているので通常は午前4時に起床する。

第二言語学習者は、赤ちゃんが一度も転ばずに歩けるようにはならないのと同様、誤用を犯さないで上手になることはない。専門的には、誤用には「**エラー**」と「**ミステイク**」という種類がある。「エラー」とは、その事柄に関して一貫して間違う場合であり、上記でいうと（4）の例である。彼は「だから」を「なぜなら」の意味で用いており、後の文で理由を述べる誤用を犯している。それに対して（5）の例のように、体調が悪かったり、緊張したりしてうっかり言い間違う一過性の誤用を「ミステイク」という。第二言語習得研究の対象となるのは、一般的にはミステイクではなくエラーである。しかし、学習者の発話や作文資料などの1つの誤用だけでエラーかミステイクかの判断を下すのは、困難である。その学習者の資料で同様の誤用がないかを細かく観察したり、本人に誤用の修正ができるかどうかを確かめたりしなければ、どちらかを判定することは難しい。

　日本語学習者の誤用をもう少し詳しく見てみよう。
　次の資料は、アメリカの大学で約3年間、日本語（JFL）を学習し、留学のために来日した学習者（Ch：20代の男性）の来日直後のインタビューの発話である。この場合、NSは母語話者で学習者の日本語教師でもある。(A)～(H)は、後で説明する個所を表す。

　　NS：いつ日本においでになりましたか。
　　Ch：あーのー、あ、**くげつ、ようかに、あー着いた。**(A)
　　NS：えーと、日本の生活はどうですか。忙しいですか。
　　Ch：うーん、いそがしい、**楽しかったです。**(B)
　　NS：あの、大体何時ごろ起きるんですか。
　　Ch：**あーのー、なんじごろ……**(C)
　　NS：おきますか。朝は何時ごろ起きますか。
　　Ch：あーうーん、**7時半ぐらい。**(D)
　　（中略）
　　NS：アメリカでは日本料理は食べましたか。
　　Ch：はい、食べました、でも、あのー、日本ではもっとおいしい、アメリ

　　カは　ちょとおかしい、ちょとちがう。(E)

NS：あ、違うんですか、例えばどんなものが違う？

Ch：あのー、お茶、あのー、アメリカではとっても**弱いです (F)**、でもー。

NS：弱いというのは？

Ch：よわ、あのー、**weak tea (G)**、あのー、でも、日本ではとってもおいしい。

NS：あー、お茶がまず違うんですね、ほかに料理で違っていますか。

Ch：あのー、うーん、miso-soup も、あー、日本ではたくさん**物が入る (H)**、でも、アメリカでは味噌、とか豆腐だけ。

NS：あーそうなんですか。

　この発話資料から、どんなことがわかるだろうか。

　まず、多様な誤用が見られることがわかるだろう。母語の英語もところどころ登場する。NS は文で質問しているが、Ch は文や単語で答えている。

　では、Ch の発話を詳しく見てみることにしよう。

(A) の部分：発音の誤用と文体の使い方が不適切

　「くがつ」を「くげつ」と発音している。また、NS は「おいでになりましたか」と丁寧体で聞いているのに、「着いた」という普通体で回答している。ここは、「9月8日に参りました」か、「着きました」と答えてほしいところである。ただし、過去形を使っている点は正しい。

(B) の部分：接続助詞を使えず、単文を並列

　NS が「忙しいですか」と聞いているのに対し、「いそがしい」とほぼ繰り返しのように答えた後、「楽しかったです」と付け加えている。「忙しいです。でも楽しいです」または「忙しいですが楽しいです」という接続詞を使った表現が望ましい。

(C) の部分：聞き取りに問題

　全体的に言いよどみが多く、教師の「何時ごろ起きるんですか」が理解できず、「なんじごろ～」の部分を繰り返して NS の質問を聞き返している。

(D) の部分：応答が不適切

そこで教師が改めて「何時ごろ起きますか」という教科書的な表現に変えると、すぐ応答できた。しかし、回答は「7時半です」という文形式ではなく、「7時半ぐらい」と単語で答えている。

(E)・(F)・(G) の部分：発音と使用語彙の誤用

　「ちょっと」が「ちょと」と不自然な発音になっている。アメリカの日本料理が日本のものと異なっていることを伝えたかったのだが、「ちょっとおかしい」を使って、不自然な表現となっている。「味が少し違っている」とすべきところを「strange＝おかしい」となったと推測される。「弱い」や「weak tea」のような表現は、日本語では「味がうすい」となるべきところを「weak＝弱い」と、そのまま和訳したものである。また、NS が「弱いというのは？」と追及したところを英語に言い換えている。

(H) の部分＝アスペクトの誤用

　「たくさんの具が入っている」とすべきところを、「物が入る」と述べ、結果の状態を示す「〜テイル」の習得が不十分であると推測される。

　このスクリプト（発話資料）を見て、面白いことに気が付く。「〜です」は使用されているが、「〜ます」は使用されていない点である。「楽しかったです」「弱いです」は出ていても、「着きました」となるべきところを「着いた」、さらに「違います」や「入っています」とやはり「〜ます」を使うべきところが「違う」「入る」となっている。Chは、「です」はなんとか使えても、動詞の活用形の習得がまだ十分でない可能性が考えられる。

　短い会話の1コマであるが、来日直後のChの日本語には、(6)のような特徴があると考えられる。

> (6) a.　言いよどみが多く、聞き取りや発話に時間がかかっていることから、会話に慣れていない。
>
> 　　 b.　母語である英語の助けを借りてしまうことから、語彙が不足している。
>
> 　　 c.　学習者の発話には、名詞一語文や単文が多いことから、接続表現を使って長い文章をまだ作ることができない。

1.3 誤用の重要性

　このように第二言語学習者の誤用にはさまざまな種類があり、それぞれの誤用は私たち教師に重要なメッセージを伝えている。

　誤用の重要性を主張したのは、イギリスの言語学者、コーダー（P. Corder）である（Corder 1967, 1971, 1981）。彼は、誤用は決して悪いものではなく、必然的に出てくるものであるとし、次の三者にとって重要な役割を果たしていると述べた（Corder 1967）。

　1人目は、研究者である。言語習得を研究する学者にとって、学習者の誤用の産出は彼らの学習困難点を探すことにつながり、誤用の変化は習得過程の解明につながる重要な問題を意味する。また、言語学の研究者にとっては、学習者が産み出す誤用は「なぜ、そう言えないのか」「なぜ、そう間違えるのか」という面からその言語の規則を解明することに直結する。

　例えば、ある中国語話者の「先生、お弁当を買ってきてさしあげましょうか」という発話がなぜ誤用なのかを即座に回答できるだろうか。「あげる」の丁寧な表現は「さしあげる」であるのに、なぜ目上に対して「買ってきてさしあげましょうか」という文が不自然なのだろうか。それは、目上に対して「何かをしてあげる」という言語行動が失礼にあたるため、「あげる」を「さしあげる」という謙譲語に変えても誤用になるからである。これらの誤用は授受表現の形式だけでなく敬語行動の問題が関係している。このように出現した誤用がなぜ誤用になるのかを分析し、説明することにより、言語研究が進められ、日本語のさまざまな規則が解明される場合も多い（森田 1985, 佐治 1993, 水谷 1994）。

　誤用の恩恵を受ける2人目は、学習者自身である。あるオーストラリア人留学生の話である。ホストファミリーのお母さんから食事の準備中に「ニンニク、食べられる？」と聞かれて驚いたそうだ。返答に困って「あのー、ヒトのニクですか」と言うと、お母さんのほうがさらに驚いたそうだ。「ニンニク」を「人肉」と間違えたのだが、この失敗がなければ、当分ニンニクの正体はわからなかっただろう。間違って初めて気付くのである。学習者は自

分なりに言葉の使い方を試すことで、その使い方を検証しているが、誤用を犯すこともある。言い換えれば、誤用を産出することで習得を促進しており、誤用は成長の証しであるとも考えられる。つまり、誤用を産むことは学習者にとって必然的なプロセスなのである。

　誤用が意味を持つ3人目は、教師である。教師にとっても、誤用は重要である。それは、学習者の現在地—何がわかって、何がわかっていないか—がわかるからである。

　例えば、本書の最初の誤用例を取り上げて考えてみよう。例（1）「わたしは（→の）ははの（→は）JANET です」の誤用を産出した学生の作文で、ほかの誤用を見てみる。ほかに同様の誤用があるかどうかを見ることで、これが単なる言い間違いの「ミステイク」なのか、一貫して間違える「エラー」なのかの判断をしなければならない。その上で、もしエラーだったら、いろいろな処置を考えなければならない。まず、（1）の誤用例から、この学生は日本語の文に助詞「は」と「の」を使うことはわかっているが、それぞれの助詞の使い方が理解されていないことがわかる。

　さらに、教師は誤用からその原因を考えなければならない。使用されていた教科書には、2～4課までで（7）のような文型が使われている。

（7）わたしは　ゆうこ　です。　　　　　　　　　　　　　　（第2課）

　　　Hose くん、たってください。　　　　　　　　　　　（第3課）

　　　Hose くん、きょうは　わたしの　たんじょうび　です。（第4課）

　　　じゅうしょは？　High Street の二十四ばん。　　　　（第4課）

（『きもの1』McBride 1990[注3]）

　このように教科書では正しく紹介されていても、学習者が「わたしは～」と「わたしの～」の区別を十分理解していない場合、「わたし＋は」の名詞句を固まりで覚えたり、「～は～の～です」の文型を固定化して覚えたりする場合がある。助詞の使用に混乱を来したケースだと思われる。教師が日本語学習者は「は」は「が」としか間違えないと思っていると、このような誤

用の原因を見落としてしまう。

　さらに、誤用の原因と背景がある程度察知できたら、教師はその手当てを考える必要がある。まず「は」と「の」の意味と機能を理解させる。(8)を参考にして、「は」は前の名詞句と後ろの名詞句をつなぐ役割を持つこと、「の」は名詞句の一部になることを理解させる。その上で、学習者の進度やレベルに応じて、教室活動の中で「の」が(9)のようにさまざまな機能で使われることを理解させる。

(8) わたし　は　ジョンです。
　　 わたしの母　は　メアリーです。
　　 母　は　英語の教師です。

(9) これ　は　わたしの本です。　　　　　　　　　　　　　　(所有)
　　 わたし　は　ウエストスクールのジョンです。　　　　　(所属)
　　 あの絵　は　バラの花です。　　　　　　　　　　　　　　(性質)
　　 こちら　は　社長の田中さんです。　　　　　　　　　　　(同格)

　学習者への手当て、処置が考えられたら、次は教えるときの工夫を考えなければならない。だからといって、「は」と「の」の助詞について、詳しく講義や説明をするのではなく、(8)や(9)の例をコミュニケーション活動に取り入れ、「の」と「は」はどうも使い方が違うようだと、学習者に気付かせるように導くことが大切である(注4)。

　このように、教師は誤用によって学習者の現在地と原因の推測、そしてその対処の仕方、治療法さらに予防法まで考えることができる。その意味で、誤用は教育の分野で非常に大きな意味を持つといえる。

(注3) 使用されたテキストは『きもの1・2』(McBride, H. 1990, Melbourne: CIS Educational) などで、『きもの1』の第1課はあいさつ表現、第3課で「kootoをかしてください」、第4課で「わたしもたんじょうびです」などの文も出現している。

(注4) 小林 (2001) に「は」と「の」の混同の誤用とその指導の工夫についての記述がある(pp.72-73)。

1. 母語と母国語は同じ意味か。

　母語とは、両親から学んだ最初の言葉のことであり、国籍のある国で最も使用されている言語を母国語という。従って、同じ意味ではない。

2. 教師は、学習者の誤用からどんなことがわかるのか。

　教師にとっては、学習者自身の状況が理解できる材料となり、原因の背景を推測することによって、対処の仕方や指導法まで考えることができる。このように日本語学習者の習得にかかわる研究は、誤用も含め、日本語教師や日本語教育にとって非常に重要な意味を持つ。

3. 学習者にとって誤用は大切か。

　重要である。なぜなら、誤用は学習者自身が立てた目標言語のルールの仮説を検証していることの証しであり、誤用を産出しながら習得を進めているからである。

第 2 章

第二言語習得研究の発達

◆第2章のポイント

　ここでは、第二言語習得研究の歴史的な背景を概観する。第二言語習得研究の出発点は外国語教授法と密接にかかわっており、1950年代の教授法ではいかにすれば学習者の誤用を排除できるかに注意が払われたが、次第に誤用の重要性が認識され、誤用の分析研究が行われるようになった。その結果、母語の違いにかかわらず第二言語学習者特有の言語体系が存在することが主張され、習得過程の研究が始まった。

1．対照分析研究とはどんな研究か。
2．誤用分析研究の問題点は何か。
3．中間言語という名称の意味と命名者は？

◆キーワード

中間言語　過剰一般化　化石化

2.1　対照分析研究

　第二言語習得研究は、外国語教育の分野から始まった。1950年代に盛んに用いられた外国語教授法のオーディオ・リンガル法では、学習者の誤用をできるだけ排除して、いかに学習者の運用能力を効率的に伸ばせるかに焦点があてられ、さまざまな練習方法が開発された。以下にその例を挙げて、解説する。

　（1）は、昭和46年（1971）に発行された英語の会話のテキストの一部である。（　）の補足および「→」は、筆者による。

19

（1）INSTRUCTOR（教師の発話）　　RESPONSE（学生の反応）

See you later.　　　　→　　　See you later.

tomorrow　　　　　　→　　　See you tomorrow.

this afternoon　　　　→　　　See you this afternoon.

（中略）

on Saturday　　　　　→　　　See you on Saturday.

(Brown 1971: 44)

このように、学習者は教師（INSTRUCTOR）から与えられた句を刺激として受け、それを適切な位置に代入して、すばやく応答することを練習する。これは、刺激に対し自動的に目標言語で反応するような習慣を付けるために考えられたものであり、代入練習と呼ばれる**パターン・プラクティス**（文型練習）の一種である。

また、発音に関して（2）のようなペアの語を用いた練習が盛んに行われた。

（2）Here is a <u>vase</u>. Here is a <u>base</u>.　　　**vase** / **base**

I see <u>them</u>. I see, <u>then</u>.　　　　　　　**them** / **then**

It's <u>wrong</u>. It's <u>long</u>.　　　　　　　　　**wrong** / **long**

これは、**ミニマル・ペア**（最小対）と呼ばれ、1つの音素を入れ替えることで意味がまったく異なる語を対比して練習し、音と意味を学習させる方法である。この場合は、/v/ と /b/、/r/ と /l/、/m/ と /n/ の対立の練習である。

これらの練習は、オーディオ・リンガル法の教授法で盛んに用いられた方法であるが、この背景には**行動主義心理学**と**構造言語学**の理論が反映されていた。

オーディオ・リンガル法の研究者[注1]は、効果的な教授を展開するための前提として、（3）のように述べている。

（3）外国語学習は、基本的に、習慣形成の機械的な過程である。（中略）

　外国語の習慣は、誤りをおかすことによってではなくて、常に正確な反応をすることによってきわめて効果的に形成される。

（リヴァース 1967: 17-18）

　この習慣形成という考え方は、刺激を与えて正確に反応させる習慣を作ることが重要であるとする行動主義心理学の考えに起因している（Skinner 1957）。さらに、言語を科学的に分析、記述することを目的として発達した構造言語学という言語学の理論からも影響を受け、（1）で示したようなパターン・プラクティスや（2）のミニマル・ペアの口頭練習方法が考えられた。このようにして、オーディオ・リンガル法は、構造言語学の分析的な考え方に基づいた練習法を使って、行動主義心理学に基づいた強化や繰り返しによる習慣形成を目指したのである（Fries 1945, Lado 1957）。

　このような背景を持つオーディオ・リンガル法は、学習効果を上げるためには、誤用を産出させないようにすること、それには母語と目標言語の対立を徹底的に研究すること、つまり両言語の違いを研究し、それを明確にすることによって、パターン・プラクティスやミニマル・ペアに反映させることが重要だと考えた。これが、**対照分析研究**の始まりである。例えば、日本語には /v/ と /b/、/r/ と /l/ の音の区別がないので、これらの発音が英語を学習するときの学習困難点となると考えられ、この違いを徹底的に練習させることで音声の誤用をなくすように指導していった。

　最初にも述べたが、オーディオ・リンガル法や対照分析研究では、誤用に対する見方に大きな特徴がある。それは、「誤用は、排除すべきものである」という点と「誤用は、母語と目標言語の違いから生まれる」という点である。この考え方は、行動主義心理学からきており、誤用は学習者が持っている古い習慣（母語）が新しい習慣（第二言語・外国語）を獲得する際に、母語の干渉（interference）として影響を与えてしまうために起きると考えた。従って、母語と第二言語・外国語の違いが大きいと習得は困難であり、少ないと容易であると考えた。このような対照分析研究に基づいた考え方から、さまざま

（注1）リヴァース, W.（著）五十嵐（訳）(1967) を参照。

な予測が立てられた。以下の（4）〜（6）は日本語と英語の対照分析研究に基づいた日本人の英語学習の困難点に関する予測例である。

（4）日本語の発音には /θ/ の音がないので、発音が困難だろう。
（5）日本語には定冠詞 the や不定冠詞 a がないので、習得が困難だろう。
（6）日本語は主語がない文が多いので、日本人は英語で作文を書く場合や発話する場合に英語の主語を省略するだろう。

　果たして、これらは予測どおりだったのだろうか。結果からいうと、（4）は予測どおりに、日本人の英語学習者には Thank you. や think の /θ/ の発音が難しく、習得が困難であった。しかし、（5）と（6）に関しては予測どおりではなかった。

　（5）の定冠詞・不定冠詞は、母語に定冠詞・不定冠詞やそれに相当する品詞があるかないかにかかわらず、日本人以外の多くの英語学習者にとっても習得が困難であった。また、（6）の主語省略に関しても、予測は当たらなかった。アメリカで勉強している日本人大学生の英語作文のデータを調べた結果、9割以上の文に主語の脱落は見られなかったことが報告されている（Krahnke, Krahnke and Nishimura 1993）。このような結果から、対照分析研究はその理論的基盤の信頼性を失っていった。

　対照分析研究の問題点を整理しよう。

①対照分析による予測が、必ずしもそのとおりにならなかった。（5）と（6）の予測が当たらなかったように、ほかの言語でも予測どおりにならなかったという事実が報告された。

②母語の異なる学習者から同種の誤用が観察された。この事実は、誤用は母語の干渉であるとする対照分析の理論では説明できない。

③母語と目標言語の言語的な相違の大小が習得に影響すると主張していたが、その相違とは何を基準としているか不明。

これらの問題点から、次第に対照分析研究は下火となり、言語研究の流れは学習者の誤用を収集して、その分析から新たな論を展開する**誤用分析研究**へと移っていった。

2.2 誤用分析研究

対照分析で立てられた予測が必ずしもそのとおりにならない実例として、母語が異なった学習者から同じような誤用が出てきたことを先に述べた。そこで研究者たちは誤用に目を向けるようになり、誤用を収集して、その原因を研究するようになった (Buteau 1970, George 1972, Dulay and Burt 1972)。

対照分析から誤用分析へと研究の流れが変わっていったことで、大きく変化したことの1つは、誤用に対する見方である。対照分析では、誤用はできるだけ排除して、誤用を生じさせないように正確な表現を産出できるような訓練が重視された。しかし、誤用分析では、誤用は必然的なものとしてとらえられた。つまり、学習者は自分たちが立てた仮説を、産出することで検証しており、それが間違っていれば誤用となる。(7) は、子供と母親の会話である。

（7）Mother : Did Billy have his egg cut up for him at breakfast?

Child 　　: Yes, I **showeds** him.

Mother : You what?

Child 　　: I **showed** him.

Mother : You showed him?

Child 　　: I **seed** him.

Mother : Ah, you saw him.

Child 　　: Yes, I **saw** him. （Corder 1967 : 167-168, 下線太字は筆者による）

この会話の中で子供は showeds、showed、seed と3回の誤用を産出している。これらの使用の過程で、子供が saw にたどりつくまでのルール変更

の様子が観察される。これと同様のことが、第二言語学習者にも起きている。(8)は、教師と学習者の会話である。Cy は韓国語話者の日本語学習者。[　]は筆者の補足。

 (8) Cy：**たたがられました**。

   NS：えっ、なぁーに？

   Cy：**たたがられました**。

   NS：「たたく」があれ［動詞の辞書形］だから、たたかれました。

   Cy：あー、**たたかれました**、それで、このことはあったから、わたしはこれ［叩いた先生が］嫌いになりました。（中略）先生が、**おかれ、おきます**。

   NS：おこります。

   Cy：はい、**おこります**。　　　　　（初級・韓国語話者、迫田 1998 : 325）[注2]

 Cy は、高校時代の教師の話をしているが、動詞の活用がまだ不安定なため、「叩かれました」については「たたがられました」と、「怒ります」については「おかれます」「おきます」と誤用となっている。しかし、(7)も(8)も子供や Cy 自身が何らかの動詞活用のルールを設定していることがわかる（子供の場合は「showeds」や「seed」、Cy の場合は「たたがられました」や「おきます」）。彼らはある動詞が浮かぶが、その活用を十分理解していないために、何らかの形式を仮説として立て、それを検証しているのである。

 日本語学習者の発話では、自分で自らの発話に注意を向け、誤用をチェックしながら話を進めている場合も多い。(9)(10)のように、彼らは自分の立てた仮説を自分で検証し、正しい形式を選択しながら習得していく。

 (9) 父がいま、**年がほんとに高いです**、**年が多い**です。

            （初級・韓国語話者、迫田 1998 : 326）

 (10) **教えるするは**、**教えること**は、好きじゃない？　ですか？

                （中級・英語話者）

　このように、学習者は誤用を産出しながら、少しずつ習得を進めているといえる。従って、誤用を産出しないで習得が進むのは不自然であり、誤用は決して回避させるものではないといえる。

　誤用にはいくつかの分類方法がある。第1の分類は、第1章で述べたミステイクとエラーである。ミステイクは単なる言い間違いで、本来は正しく使えるけれども、体調が悪かったり、つい忘れたりして、間違ってしまう場合の誤用であり、エラーはどの場面や環境でも、一貫してその間違いが生じる場合の誤用である。

　第2の分類は、「**グローバルエラー**」と「**ローカルエラー**」である。その誤用が大きな支障となって、文の意味が理解できないような場合の誤用をグローバルエラーといい、文の理解にはほとんど影響しないような誤用をローカルエラーという。(11) と (12) では、どちらがグローバルエラーで、どちらがローカルエラーだろうか。

> (11)　今、もし、日本人、あい、会いました、Tちゃん（娘の名前）の、ぜんぜん、
> 　　　マレーシアでは**ぜんぜんはな、話じゃないよ**。（＝今、日本人に会うと、
> 　　　Tちゃんはマレーシア語をぜんぜん話さない。）
>
> （初級・マレー語話者）
>
> (12)　Az：**今日、私の仕事、ちょっと、ちょっと、待って、お子さん、ダ**
> 　　　**ルメシアンの話、かわりのテープ、トトロのテープ、トトロ、**
> 　　　**as long as、皆さん is、あー幸せ**
>
> （初級・マレー語話者）

　答えは (11) がローカルエラーで、(12) がグローバルエラーである。

　第3の分類は、「**言語間エラー**」と「**言語内エラー**」である (Richards 1971)。言語と言語の間に問題があって生じる誤用、つまり母語の影響によって起きる誤用を言語間エラーといい、学習している言語の中で活用を間違えるなど

（注2） 迫田 (1998) では、学習者CHとなっている。第1章の学習者Chと区別するために便宜上、Cyとしている。

の誤用を言語内エラーという。(13) が言語間エラーで、(14) が言語内エラーである。(下線筆者)

(13) **前に、駅、**会いましょう。(前に = in front of)

(KY^(注3) 初級中 ENM 02・英語話者)

(13) **前に、駅、**会いましょう。(前に = in front of)

(KY(注3) 初級中 ENM 02・英語話者)

(14) どこ、住ん**でいますですか**。　　　(KY 初級上 ENH 01・英語話者)

　誤用分析が盛んに行われていくうちに、誤用分析にもさまざまな問題点が見えはじめた。その中で最も決定的な問題点は、「誤用の判定」と「**回避**」の問題である。「誤用の判定」の問題とは、研究者間で「誤用」の判断が常に一致するとは限らないことである。(15) の太字部分は誤用だろうか、あるいは、誤用ではないだろうか。

(15) 日本の**女**と友達になりたいです。　　　　　(初級・韓国語話者)

(16) 私は**日本語の授業を楽しみました**。　　　　(中級・英語話者)

　(15) は「女」ではなく、「女の人」が適切であるが、誤用とするかどうかは意見が分かれるかもしれない。また、(16) は、「日本語の授業は楽しかったです」か「楽しく日本語の授業を受けました」かが自然な言い方であろうが、文法的には間違いとはいえない。しかし、(15) も (16) も誤用と判定するか、何の誤用と判定するかを決めるのは困難であり、複数の判定者の間で違いが出てくる可能性がある。誤用の判定に違いが生じると、必然的にその分類の妥当性に問題が出て、結果も疑わしいものになる。特に、数量的に処理している研究 (p.150) ではまったく結果が異なったものになる場合もある。

　さらに、誤用分析では「回避」を扱うことができないという致命的な問題が生じる。回避とは、学習しても使い方がよくわからなかったり、自信がなかったりするために、あまり使わない状態のことをいい (p.83)、日本語教育では、「**非用**」とも呼ばれる (水谷 1985)。誤用分析では発話に現れなかった場合は何も検討できない。(17) は、接続詞が上手に使えないために、単文をつないで発話している例である。

(17) 一緒に庭で遊びます。大丈夫ですか。（＝一緒に庭で遊んでも、いい
　　　ですか。）　　　　　　　　　　　　　（KY　初級上ENH 01・英語話者）

　これは、一般的には誤用としては扱われない。従って、誤用だけを対象に
して分析をすると、表面には出ていない学習者の問題点が明らかにならない
という問題が生じる。さらにいえば、誤用が生じていないからといって、正
しく使えるとは限らないのである。

　このように考えると、誤用のみを分析する誤用分析研究には限界があるこ
とがわかる。そして、その問題点が解決されないまま誤用分析研究は次第に
衰退していった。その後、誤用だけでなく正用も含めて学習者の言語体系を
探るという中間言語研究が盛んになっていった。

2.3 中間言語研究

　誤用分析の限界が明らかになると、回避などの問題を解決するために、誤
用だけでなく正用も併せて観察し、学習者の言語全体を研究の対象として扱
う必要性が出てきた。セリンカー（L. Selinker）は、母語が異なる学習者から
同じような誤用が産出されたことから、第二言語学習者には母語に影響され
ない、共通の言語体系が存在すると考えた。彼は、学習者は学習者特有の言
語体系「**中間言語**（interlanguage: IL）」を持っており、習得の段階に応じて
その体系は変化すると主張した（Selinker 1972）。1960年代後半から70年代初
めにかけて、セリンカー以外の研究者たちもこの点に気付き、学習者特有の
言語体系として（18）に掲げるような名称を発表している。

(注3) KYコーパスとは、OPI (p.160) によって収集された発話データを文字化したコーパスのことで、
　　収集した鎌田修・山内博之の両氏の頭文字から命名されている。レベルは初級5人・中級10人・上
　　級10人・超級5人で、中国語・韓国語・英語の3カ国語の母語話者、計90人分の発話資料を有す
　　る。初級・中級・上級レベルにはそれぞれ上・中・下の下位レベルがある。本書でKYコーパスのデー
　　タを使用する際には、下位レベルおよびデータ番号も併せて記載する。
　　※KYコーパスのデータの問い合わせ先：山内博之（yamauchi-hiroyuki@jissen.ac.jp）
　　※品詞や意味分類のタグを付与した「タグ付きKYコーパス」も公開されている：
　　　http://jhlee.sakura.ne.jp/kyc/corpus/

(18) 近似体系 (approximative system)　ネムザー (W. Nemser 1971)

　　　過渡的能力 (transitional competence)　コーダー (P. Corder 1967)

　　　特異方言 (idiosyncratic dialects)　コーダー (P. Corder 1971)

　いずれも、学習者特有の言語体系を指す。セリンカーが中間言語という名称を用いたのは、学習者の言語が目標言語とも母語ともどちらの体系にも属さない、異なった体系を示していることに起因する。

　中間言語は習得段階に応じて変化していく体系なので、母語を手掛かりとして目標言語へと向かっていくさまざまな段階の、ある時点での言語体系を指す場合（一時点における中間言語）と、その連続体としての言語体系を指す場合とがある。(19) は、それを図に表したものである。

　(19)　中間言語の2つの意味

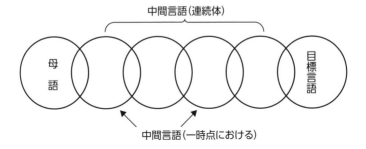

　中間言語を理解するために、中間言語の特徴とその要因の2つの点から説明する。(20) はこれまでに示された特徴のまとめである (Ellis 1985, 1994, 山岡 1997)。

　(20) a.　中間言語には体系がある。

　　　 b.　中間言語は、新しい形式や規則を容易に適用し、修正され、発達していく。

　　　 c.　中間言語は同一個人の学習者の同じ時期に、異なった形式が存

在する。

 d. 中間言語の発達過程において、化石化（ある項目が誤用のまま
  改善されないで残る現象）が見られる。

　これらの特徴の中でも、「**化石化**（fossilization）」は中間言語の大きな特徴
であり、なぜ化石化が起きるのか、また、どのような化石化が起きるのかと
いう点は重要な関心事である。
　次に、中間言語を産み出す要因として、セリンカーによる化石化の5つ
の原因を示す。

①言語転移（language transfer）

　学習者の母語（または既習の言語）が第二言語（または次に学習する言語）
を習得する場合に何らかの影響を与えることを**言語転移**という。対照分析研
究では、母語が第二言語学習に悪い影響を与えると考えたため「母語の干渉」
という表現を用いた。しかし、言語転移にはプラスに働く場合もあると考え、
その場合を「正の転移」、マイナスに働く場合を「負の転移」と呼ぶ。セリ
ンカーは、ここでの「言語転移」を、化石化、あるいは誤用の要因として挙
げているので（Selinker 1972）、この場合は「負の転移」を指す。
　具体的に（21）の発話例を見てみよう。

 （21） たぶん、みんなが**好き、聞きます、私とZさん**（Zさん＝私の妻）。
   （＝多分、みんなは私とZさんのことを聞きたがるでしょう）
   （Probably everybody wants to hear about me and Z.）

             （初級・マレー語話者）

　日本語がマレー語（または英語）の語順—SVO（主語・述語・目的語）の順
序—で発話されている例である。母語や既習言語が、次に習う言語、つま
り日本語に影響していると考えられる。このような現象を言語転移という
（p.82）。

② 過剰一般化（overgeneralization）

過剰一般化は、過剰般化あるいは過般化とも呼ばれる。言語内エラーの一種で、ある 1 つの規則を別の場合へも適用できると考えて広く一般化することである。例えば、英語学習者が動詞の過去形に関して、不規則活用の動詞 "go" や "teach" に規則活用を当てはめて "goed" "teached" としてしまう場合である。日本語の場合でも（22）のような例が多く見られる。

(22) ［昼食の寿司は］少し**高いだった**。しかし、とても**楽しいだった**。

（初級・スペイン語話者）

これは日本語の作文の例であるが、「高かった」「楽しかった」とすべきところを「高いだった」「楽しいだった」と書いている。この学習者はこの文の前に「タコの寿司は大好きだった」という表現を使っており、ナ形容詞の過去形を作る「だった」の形式をイ形容詞にも用い、一般化している可能性が高い。

③ 訓練上の転移（transfer of training）

訓練上の転移とは、学校や言語教室などで教師の指導や練習が、学習者の習得にマイナスに影響することをいう。（23）のような教師と学習者の練習は、学習者の日本語習得にどのような影響を与える可能性があるのだろうか（Ｓ１、Ｓ２、Ｓ３はそれぞれ異なった学習者を表す）。

(23) 教師：Ｓ１さん、Ｓ１さんは夏休みに<u>何がしたいですか</u>。
　　 Ｓ１：<u>私は夏休みに中国に帰りたいです</u>。
　　 教師：はい、じゃ、Ｓ２さんは夏休みにどこかへ行きたいですか。
　　 Ｓ２：はい、<u>私は夏休みに大阪へ行きたいです</u>。
　　 教師：はい、じゃ、Ｓ３さんは海へ泳ぎに行きたいですか。
　　 Ｓ３：はい、<u>私は夏休みに海へ泳ぎに行きたいです</u>。

この練習から、次のような 2 種の誤用または不自然な表現が生じる可能性

がある。それは、1つには教師に対して「先生は、海へ泳ぎに行きたいですか」という発話が出ること、もう1つには学習者が何に対しても「私は〜」のようにすべての文に主語をつけて話したり、相手の発話すべてを繰り返して応答してしまうことである。「〜たい」という表現は、話し手の願望を表す形式であり、聞き手に質問の形式で尋ねることはできるが、目上の人には一般的に使うことはできない。友達や家族には「コーヒー、飲みたい？」とは言えるが、先生や社長に向かって、学生や従業員が「＊先生（社長）、コーヒーが飲みたいですか」とは言えない。一般的には、「先生（社長）、コーヒーはいかがですか／お飲みになりませんか」のほうが自然であろう。しかし、(23)のような練習をしているとこのような誤用が生じかねない。また、「私は〜」という表現も教室場面では相手の質問文を部分的に繰り返すことは許容されても、実際の場面では不自然な表現となる。

④学習ストラテジー（learning strategy）

　学習ストラテジーは学習方略ともいい、学習効果を高めるための学習者の具体的な行動、あるいは態度のことである（p.112）。しかし、ここでは化石化の原因としての学習ストラテジーなので、不適切な行動だったり、適用の仕方が間違っていたりする場合の学習ストラテジーのことを指す。具体的な例を見てみよう。

　ある英語話者が日本語を覚える際に「ありがとう」は「ARIGATOO」と発音し、"alligator"（アリゲーター：小型のワニ）の発音に近いので日本語の感謝の表現は「ワニ」と覚えていた。そして、実際に日本人にお礼を言う場面になったときに「ワニ」を思い出して、"Crocodile!"（クロコダイル：大型のワニ）と発話してしまった。これは、学習ストラテジーの中の記憶ストラテジーが不適切に作用した例である。

⑤コミュニケーション・ストラテジー（communication strategy）

　コミュニケーション方略ともいい、学習者が自分の知識や能力が足りなかったり、言葉や表現が思い出せなくてコミュニケーションに支障を来したりした場合にとる行動や態度のことである。

コミュニケーション・ストラテジーも、学習ストラテジーと同様、誤用を産み出す場合だけでなく、習得を進める場合もある。パラフレーズ（言い換え）は、学習者が目標言語で単語を知らない場合に知っている単語で言い換えて内容を伝えることである。例えば、"vacuum cleaner"（電気掃除機）がわからないときに "it sucks in air"（空気を吸い込むもの）と言い換え、知っている単語を活用したり、文で説明したりすることで習得を促進する。誤用や化石化に結び付くのは、"I play golf."（ゴルフをする）が言いたいときの動詞がわからないので "I golf." と動詞を回避してしまう場合などが考えられる。日本語学習者の場合では、「は」と「が」の区別がとても困難なので、どちらか迷う場合はすべてに「は」を使用するか、(24)のように格助詞をあまり使わないでコミュニケーションする場合などが考えられる。[　]、(　)は筆者補足。

　(24) ハルピン、<u>きゅうく</u>［中国のこと］のハルピン（から）、ここ（に）、来
　　　ました。　　　　　　　　　　　　　（KY　中級下CIL 02・中国語話者）

　第二言語学習者に特有の言語体系が存在するとして研究を進めた中間言語研究は、学習者の習得過程の解明という目標を掲げ、それまでの記述研究から実験研究、そして理論研究から実証研究（p.149）へと発展していった。その点で、中間言語研究が第二言語習得研究において果たす役割は大きかったといえる。しかし、中間言語研究にも問題点がないわけではなかった。その1つは、「中間言語」という用語である。この用語は、研究者によってさまざまな使われ方をしたため、共通の理解が困難になり、中間言語という用語を使う必然性が失われていった。もう1つは、中間言語の実体の曖昧さである。第二言語習得研究はその実体を明らかにすることが目的ではあるが、実体が可変的であり、とらえにくいため、中間言語という用語を使用することに疑問が生じてきた。

◆第2章のまとめ

（章はじめの質問の回答部分をゴシックで示す）

対照分析研究	誤用分析研究	中間言語研究
発展の時期と背景		
1940〜50年代、行動主義心理学や構造言語学を背景に発展。	1960年代後半から70年代初めにかけてコーダーの考えを背景に発展。	1970年代初めから80年代、**セリンカー**の考えを背景に発展。
内容		
外国語学習の困難点は、母語と外国語の違いが影響していると考え、効果的な指導を検討するために、両言語を比較対照し、類似点や相違点を明らかにする研究が盛んになった。	誤用分析によって、学習者の誤用の原因や指導法の改善を検討する。誤用は回避すべきもの、という考え方から、誤用は必然的なものであり、誤用を犯すことで習得は進んでいくという考え方への転換が特徴である。	**中間言語研究では、第二言語学習者特有の可変的な言語体系を中間言語と規定して研究が進められ**、それまでの記述研究から学習者の習得過程の解明を目的とした実験研究、そして理論研究から実証研究へと発展していった。
問題点		
1. 予測した仮説が外れた。 2. 母語の違う学習者から同種の誤用が出現した。 3. 言語の相違の度合いが主観的である。	1. **誤用の判定が困難である。** 2. **誤用だけの分析には限界があった。** 3. **回避した項目は分析できない。**	1. 中間言語の定義について、研究者間で共通理解が得られなかった。 2. 実体が明確でないため、中間言語と呼ぶ必然性がない。

第3章

第二言語習得の理論・モデル

◆第3章のポイント

　第二言語学習者の習得過程が研究されるようになり、多くの習得理論が発表された。チョムスキーの普遍文法を基盤にする理論、習得にはどの言語でも一定の順序があるとする理論、最近では言語処理や認知能力の観点からの理論も登場している。ここでは、その中のいくつかを紹介する。

　1．第二言語習得の理論にはどんな考え方があるのか。
　2．第二言語習得の過程には一定の共通した順序や段階が存在するのか。
　3．インプットは第二言語習得にどのような影響を与えるのか。

◆キーワード
　普遍文法（UG）　　モニター・モデル　　インプット仮説
　用法基盤モデル　　コンペティション・モデル

3.1　普遍文法理論 (Universal Grammar Theory)

　普遍文法理論は、1960年代にチョムスキー（N. Chomsky）が、母語の習得に関して新たな見解を示した理論である。1950年代、学習は刺激と反応によって起こると考えられ、習慣形成が習得を促進すると考えられたことは先に述べた。対照分析研究の時代には、外からの刺激、インプットが習得に直接結び付く要因だと考えられていた。ところが、チョムスキーは、その考え方に真っ向から異論を唱え、もし、子供が親のインプットだけで習得を進めるのなら、英語圏の子供から、以前の例にあった "I seed（→ saw）him." や "I goed.（→ went）" のような誤用は出てこないはずであると主張した。なぜ

なら、彼らの親からのインプットには上記のような誤用が存在しないからである。このように、従来の刺激と反応の考え方を否定し、人間の生得的に備わっている言語獲得装置（Language Acquisition Device: LAD）すなわち、普遍文法（Universal Grammar: UG）によって言語が習得されると考えた（Chomsky 1965, 1980, 1981）。

　普遍文法理論の根拠として、チョムスキーたちが主張したのは、学習者たちが受けるインプット、つまり入力データが満足できるものではないという点であった。「刺激の貧困性」と呼ばれるその問題点は、次のような内容を含んでいる。

　学習者である幼児が接触する入力データには、（i）彼らがその言語を習得するのに必要とされる十分な情報はなく、（ii）それを補充するための「**否定的証拠（negative evidence）**」[注1]が与えられていないということを問題としている。例文を挙げて説明しよう。（1）（2）それぞれの2つの文を比べてほしい。＊は非文であることを示す。

（1）a. We gave the answer to the girl.
　　　　（私たちはその女の子に答えを教えた。）
　　 b. We explained the answer to the girl.
　　　　（私たちはその女の子に答えを説明した。）
（2）a. We gave the girl the answer.
　　 b. ＊ We explained the girl the answer.

　英語母語話者の幼児は、（2b）のような誤用を犯さない。動詞 "give" の場合だとなぜ（2a）のように "the girl" が "the answer" の前に来ることが可能だとわかるのか。なぜ動詞 "explain" の場合はその移動ができないということを知っているのか。この2つの動詞の制約を、幼児が周囲のインプット、

入力データから学習することは不可能であろう。可能な場合があるとすれば、幼児が実際に（2b）のような発話をして「それは違うよ」という否定的証拠が与えられた場合が考えられるが、実際には周囲はほとんど幼児の誤用を訂正しない、つまり否定的証拠を与えない。これらのことは、インプット、入力データには幼児が言語を習得していくための十分な情報がないことを意味している。

さらに、インプットである周囲の成人の自然な発話は、必ずしもすべてが文法的な文ではなく、ねじれ文もあれば口語的に簡略化した文もあり、幼児が言語を発達させる手本としては、その質がよくないという問題もある。

このように、量の面でも質の面でも「不十分な刺激」から、幼児がその言語体系を習得するのは困難であるとして、チョムスキーは幼児や言語学習者においては生得的に言語獲得装置（LAD）が存在し、その言語特性が作用して学習が可能になると唱え、この言語特性を普遍文法（UG）と呼んだ。

では、生得的にすべての人間が普遍的な文法を保持しているのであれば、さまざまな国の幼児がそれぞれ違った言語を発話するのはどう説明するのであろうか。普遍文法理論では、その点について「**パラメータ**（parameter）」の考え方を導入して説明している。普遍文法の中心である「**普遍原理**」とは、すべての個別言語にあり、習得の中核となる文法のことを指す。さらに「パラメータ」とは、普遍原理に付随して、その原理の作用の仕方を規定するものである。「パラメータ（の値）が設定された」ということは、言語習得がどんな文法体系の言語の方向に進むかの方向性が決まることを意味し、「核心文法（core grammar）」[注2]が形成される。さらに発達が進んで、個々の周辺の文法が加わるとそれぞれの言語の体系をなす「個別文法」が形成される。このプロセスをわかりやすくまとめると（3）のようになる。

では、パラメータの設定を具体例で説明しよう。例えば、ある言語の主語が省略できるかできないかということを決定するパラメータを「pro-脱落パラメータ（pro-drop parameter）」という。この観点で見ると、世界の言語は「省略できる」言語（［＋pro-脱落］、例えばスペイン語・日本語など）と「省

（3）普遍文法の発達段階

段階	言語発達の時期	構成	文法	状態
1	誕生前の段階	普遍文法	普遍原理 ＋ パラメータ （未設定）	どの子供もみな同じ状態。
2	誕生して、親の言葉に触れた段階	核心文法	普遍原理 ＋ パラメータ （設定後）	ある言語の基本的な文法が形成される。
3	さまざまな細かい規則が習得される段階	個別文法	核心文法 ＋ 周辺文法	ある言語の文法体系が形成される。

略できない」言語（［－pro-脱落］、例えば英語・フランス語など）に分けられる。つまり、pro-脱落パラメータは、日本語環境で育ったら、［＋pro-脱落］の値に設定され、アメリカで生まれて英語環境で育ったら、［－pro-脱落］の値に設定されると考える。

　このように人間は生得的に普遍文法が備わっており、インプットが引き金となってさまざまなパラメータがどちらのタイプを取るかによって、その言語の基本的な文法が設定されるとする。

　第一言語習得の基盤である普遍文法は、第二言語の習得に影響を与えるのだろうか。

　第一言語と第二言語の習得プロセスが似ているかどうかは、普遍文法が第一言語にも第二言語にも作用しているかどうかを検討する手掛かりとなり、母語のパラメータと第二言語のパラメータの値が異なっていれば、母語のパラメータが影響するのかどうかを分析し、母語のパラメータの作用について言及できる。このような観点から、これまで多くの研究が行われてきている（Hilles 1986, Cook 1988, White 1985a, 1985b, 1989, 2003, Schachter 1988, 1989, Hirakawa 1990, Flynn 1989, 1991, 町田 2000, Guasti 2002, Whong, Gil and Marsden 2013）。

(注2) 核文法と呼ぶ場合もある（クック1993, ラーセン-フリーマン＆ロング1995）。

普遍文法理論の第二言語習得研究の調査は、多くの場合、あまり時間をかけないで直感で判断させる文法性判断テスト (p.159) が多い。なぜなら、彼らが調査対象としているのは、「言語運用」ではなく「言語能力」であり、学習者の内在する能力を引き出すことを目的としているからである。普遍文法理論の場合、「言語能力」(「I-言語」とも呼ばれる)(注3)とは、母語話者が母語について持っている知識で、それを基に文法的に正しい文章を無限に創造できる能力のことを指す。それに対して、「言語運用」(「E-言語」とも呼ばれる)(注4)は、母語話者が持っている言語能力がさまざまの要因 (その場の状況や話し手の心理的・肉体的な状況) に影響を受けながら行う言語使用のことを指す。

　この普遍文法理論のアプローチにも、いくつかの問題点がある (Cook 1985, クック 1990, 小池ほか 2004, 和泉 2016a, 石川 2017)。

　まず、方法論の矛盾が挙げられる。先述したように、普遍文法理論の習得研究で対象としているのは、学習者に内在する言語能力であって、それをどう使うかに関する言語運用ではない。しかし、実際の調査では学習者が何らかの形で言語を運用しない限り、データは得られないことになる。つまり、運用を通してでしか、言語能力は測定できないのである。このことは、測定したいものを測定できないという問題を引き起こすことになる。

　第2には、普遍文法理論の普遍原理やパラメータ原理に関する問題である。習得研究で取り上げられるこれらの原理が非常に限られた範囲の内容である点と、その内容自体が複雑なために調査対象となる学習者はある一定のレベルになるまで調査ができないという点で問題である。普遍文法理論で扱われる原理は、「母は私がだれと映画に行ったのかと尋ねた」のような埋め込み疑問文や「ご飯を食べている子が泣いています」のような関係節などを対象としており、これらの文法性判断や作文を調査するには、幼児や入門レベルの学習者を対象には調査ができず、ある程度の発達した段階まで待たなければ、その原理の作用の検証は困難である。

第3には、普遍文法理論が第二言語習得にも適用できるかどうかという問題である。この理論は、第一言語を対象として考えられた習得理論であり、そのまま第二言語にも適用可能かどうかは現段階では明らかになっていない（石川 2017）。この点についても研究者によって考え方が異なり、普遍文法の考え方が全面的、あるいは部分的に利用できると考える研究者もいる。またその場合に第一言語の影響はどの程度あるのかなど、意見が分かれている。

3.2　モニター・モデル (Monitor Model)

　モニター理論とも呼ばれ、1970年から80年代初めにかけて、言語習得の分野に大きな影響を与えた理論である。クラッシェン（S. Krashen）は、1970年代に発表された形態素の習得順序の研究（Dulay and Burt 1973, 1974）とタスクの違い（読むテスト／書くテスト）によって習得順序の結果が異なっていたという研究（Larsen-Freeman 1975）に興味を持ち、第二言語習得の基本的な考え方として、5つの仮説を示した（Krashen 1976, 1981, 1985）。

3.2.1 ｜ 5つの仮説

①習得－学習仮説（Acquisition-Learning Hypothesis）

　「習得」（acquisition）とは、赤ちゃんが無意識に言葉を覚えていく過程と同様に、意味に焦点を当てて自然なコミュニケーションの結果として無意識に言語を覚えていくことをいう。それに対して「学習」（learning）とは、文法形式を意識的に学んだ結果として起きるものであり、「習得」と「学習」は互いに独立したもので、影響し合うことはないと説いた。つまり、学校などで目標言語の文法を勉強しても、無意識にスムーズにその言語を使えるようにはならないと考えた。これが**習得－学習仮説**である。

(注3)　「I-言語(I language)」の「I」とは、「内在化された (internalized)」とか「内包的な (intensional)」という意味を含んでいる（白畑 2001: 126）。

(注4)　「E-言語(E language)」の「E」とは、「外在化された(externalized)」と「外延的な (extensional)」という両方の意味を持つ（白畑 2001: 126）。

② 自然順序性仮説（Natural Order Hypothesis）

　異なった母語の学習者を対象として、別々の地域で英語の習得状況を調査した結果、彼らが習得した英語の形態素順序には相関が見られた（Dulay and Burt 1974、本書 p.69）。この結果から、クラッシェンは、大人でも子供でも、母語の違いがあっても、どこでだれに教わっても、第二言語習得には一定の普遍的な順序が存在すると考えた。この考え方を**自然順序性仮説**という。

③ モニター仮説（Monitor Hypothesis）

　モニターとは、チェックすることである。先の「習得－学習仮説」で述べたように、「学習」した知識は「習得」された知識にはならないとしたが、「学習」した知識は、ある程度の時間が与えられた場合に自分の発話や作文をチェックする役割を果たすという考え方である。言い換えれば、学習した文法知識はある条件のもとで、モニターとして働くと考えた。ある条件とは、(ⅰ)「十分な時間がある」(ⅱ)「言語活動の焦点が意味でなく、形式にある」(ⅲ)「その規則を知っている」の３つである。

　具体的に考えてみよう。私たちの生活の中でも経験することだが、いきなり外国人に英語で話し掛けられた場合と英語のテストの場合とでは、英語の形式が異なることがある。外国人に話し掛けられた場合は、それに答えることに集中するため、過去形にするのを忘れたり、複数の "s" を付けなかったりして、文法的な正確さが欠けた文を作ってしまうことが多い。それに対して、英語の会話のテストや英語で文章を書く場合などは、文法形式を正しくすることに注意が向けられるため、時間がかかっても正しく英語を使おうとする。この正しく使おうとする機能がモニターと呼ばれるものであり、学習によって得られた知識は、このモニターの際に働くと考えた。この考え方を**モニター仮説**という。

④ インプット仮説（Input Hypothesis）

　インプット仮説は、**入力仮説**ともいい、言語習得を促進するためには、理解可能なインプット（comprehensible input）を十分に受けることが必要であるという考え方である。インプットとは、学習者に何らかの形で入ってくる

目標言語の情報のことであり、教師から教えられた知識であったり、周囲の人々の会話であったり、テレビなどから流れる目標言語の会話、読んだ本や新聞の内容などである。理解できないインプットとは、聞いたり読んだりしても理解できないほどに難しいインプットのことで、学習者には雑音にしかなり得ず、習得に結び付かない。それに対して、理解可能なインプットとは、学習者の現在のレベルより少し高い段階のインプットのことを指し、「i＋1」（アイ・プラス・ワン）のインプットであるとしている。「i」というのは現在の学習者のレベルを指し、「＋1」はそれより少し高いレベルを表す。

　この理解可能なインプットは、モニター・モデルの中でも重要な考え方で習得促進の基盤となっている。つまりクラッシェンは、習得を促進するためには、話すより理解するほうが大切であると考え、後に理解可能なインプットを十分に与えることを中心とした言語教授法 (p.42) を唱えた (Krashen and Terrell 1983)。

⑤情意フィルター仮説（Affective Filter Hypothesis）

　学習者がインプットを効果的に取り込むためには、動機や自信などが影響を与えると考え、動機が欠如していたり、自信がなく不安な状態であったりすると習得に障害になるとした。この心理的に障害となる壁のことを情意フィルターと呼び、動機づけが高く、自信があり、不安のないリラックスした状態だと情意フィルターの心理的な壁が低く、多くのインプットが取り入れやすくなり習得が進むと考えられ、反対に自信がなく不安な状態であると情意フィルターの心理的な壁が高く、インプットが取り入れられにくいために習得が遅くなると考えた。この考え方を**情意フィルター仮説**という。

3.2.2 ｜ ノン・インターフェイスとインターフェイスの立場

　クラッシェンは「習得−学習仮説」で、意識的に学習した知識は無意識に習得された知識にはならないとし、両者は交わることがなく、まったく独立した過程であると主張した (Krashen and Scarcella 1978)。つまり、学校で文法知識を勉強しても、実際には話せるようにはならないとする考え方で、これ

をノン・インターフェイスの立場(non-interface position)という。これに対して、学習も習得も互いに交わる、つまり、勉強で得た意識的な学習の知識も習得に影響を与えるという考え方をインターフェイスの立場(interface position)という。この考え方の立場には弱い立場と強い立場があり、学習した知識が部分的に習得に影響を与えると考える場合を「弱いインターフェイスの立場」といい、学習した知識が全面的に習得に作用すると考える場合を「強いインターフェイスの立場」という。弱いインターフェイスの立場の研究者たちは、練習を重ねることによって学習された知識が自動的処理の段階(よく考えなくても反射的に応答できる段階)に移行できると考えた。インターフェイスとノン・インターフェイスの問題は、教室指導の効果の有無にかかわる問題だとして、その後多くの研究者によって研究が行われた(McLaughlin 1978, Seliger 1979, Stevick 1980, Sharwood-Smith 1981, Bialystok 1982)。

3.2.3 | ナチュラル・アプローチ

　モニター・モデルがほかの第二言語習得理論と異なる大きな特徴に、理論を教授法に発展させた点がある。クラッシェンとアメリカのスペイン語教師のテレル(T. Terrell)は、モニター・モデルの5つの仮説に基づいて、聴解優先を特徴とする**ナチュラル・アプローチ**(Natural Approach)を提唱した(Krashen and Terrell 1983)。

　子供が第一言語を覚える際には話す前に十分な聴解力をつけ、その後、次第に話せるようになるという自然な言語習得の在り方からナチュラル・アプローチと命名されている。ただし、同様の考え方で19世紀後半に発展した教授法「ナチュラル・メソッド」[注5]とは異なる。クラッシェンたちが提唱したナチュラル・アプローチとは、聴解優先という点は同じであるが、ナチュラル・メソッドのほうは具体的な指導法が明確であるのに比べ、ナチュラル・アプローチは考え方を提示するのにとどまっている。

　ナチュラル・アプローチの重要なポイントは(4)の6点である(Krashen 1982: 127, 訳は筆者による)。

（4）　a.　学習内容が理解可能である。

　　　　b.　学習内容が学習者にとって関連があり、興味深い。

　　　　c.　学習内容が文法中心に配列されていない。

　　　　d.　学習者に十分な量の言語情報を与える。

　　　　e.　情意フィルターが下がっている。

　　　　f.　コミュニケーションのための会話のストラテジーを与える。

　上記のポイントの（4e）の「情意フィルターが下がっている」という点は、早い段階で話させて不安を与えたりしないこと、誤りを無理に訂正しないこと、不安や恐怖を与えないように配慮することなどが含まれている。また、（4f）の「会話のストラテジー」というのは、母語話者との自然な会話を維持するためのさまざまな方法のことであり、会話の切り出しやターン（発話順番）のとり方や聞き返しの表現などのことを指している。

　考え方が単純でわかり易く、言語教授法まで発展したモニター・モデルは多くの人々に受け入れられたが、いくつかの点で問題が指摘される。ここでは、主な点を3つ挙げる。

　第1点は、習得‒学習仮説である。前にも述べたように、クラッシェンは習得と学習が別個の過程であるとして、学習は習得の助けにはならないと主張したが、この点で多くの教育者や研究者から批判を浴びた。まず、インターフェイスの立場の研究者から批判が起き（Gregg 1984）、さらに根本的な問題として習得と学習の過程を区別することとその検証に疑問が出された（McLaughlin 1978, Seliger 1983）。

　第2点は、モニターの機能に関する問題である。学習された知識はモニターとして機能するというクラッシェンの主張に対し、習得された知識もモニターとして機能するとする指摘がなされたり、たとえ学習された知識によっ

（注5）ナチュラル・メソッドの代表的なものとしては、ベルリッツ・メソッドやグアン・メソッドがある。これらのメソッドは、文法訳読法への批判から、言語教育の中心を「話す・聞く」活動に置き、幼児の言語発達に基づいて、「話す」前に十分に目標言語を聞かせ、幼児の発達順序をモデルとして開発された教授法で、後に続くオーディオ・リンガル教授法へとつながっていった。

てモニターしたとしてもそれが形式上の正確さにつながらないとの指摘もなされた。また、別の研究者からはモニターが発話や作文などの表出活動のみを対象とし、「聞くこと」「読むこと」などの受容活動について言及していない点に批判が出た。また、モニターは統語面（文法的な事項）に限定されているが、語彙や発音などへも調整を働かせているという指摘もなされた。

　第3点の問題は、インプット仮説で取り上げられた「i＋1」である。まず、「i＋1」とは具体的に何を指すのか、どのように「i＋1」の内容を規定するのか曖昧である。また、理解可能なインプットを与えるだけで、なぜ習得が促進されるのかの証明ができない。インプットが与えられるというのは、学習者にとって受動的な作用であるのに対し、習得を示すのは能動的な活動である。この2つの間にどのようなプロセスがあるのかを示すことができないと批判された（McLaughlin 1987）。

　また、インプット仮説への批判から、スウェイン（M. Swain）は出力（アウトプット）の重要性を指摘し、習得の促進のためには、理解可能なインプットだけでなく、理解可能な出力（comprehensible output）も重要であると主張した（Swain 1985）。理解可能な出力とは、対話者に理解できる発話で文法的に正確な発話のことを指し、理解可能なインプットだけでなくアウトプットを表出することが習得につながると唱えた。この考え方をインプット仮説に対して、**アウトプット仮説**（Output Hypothesis：出力仮説）と呼ぶ。

3.3　用法基盤モデル (Usage-Based Model)

　トマセロ（M. Tomasello）は、普遍文法理論の生得的な言語習得の考え方に異を唱え、言語習得とは他者とのコミュニケーションを通して、子供が受ける多くのインプットの用例からさまざまなことを学ぶプロセスであると考え、**用法基盤モデル**を主張した。この理論も普遍文法理論と同様、第一言語習得を対象として発達した。用法基盤モデルの考え方は、「言語は社会におけるコミュニケーションなしに発達しない」とする点に特徴があり（馬場・新田 2016）、子供が行う他者とのコミュニケーションが言語習得の鍵である

と考える。具体的な行為として、「**共同注意**（joint attention）」「**意図の読み取り**（intention reading）」「**パターンの発見**（pattern finding）」がある。

　「共同注意」とは、子供が言葉を発する以前に、大人が子供とコミュニケーションを交わす際に、大人が視線や手や指を使って、子供と共通の対象物を特定したり注意を向けさせたりする行為のことである。何度も繰り返していくうちに、子供は伝達の内容が明確になり、事物だけでなく出来事や行為に対しても言葉と結び付けていくようになり、行為の意図を理解していく。これが「意図の読み取り」である。さらに、子供は大人が意図して行った行動を模倣したりするようになる。トマセロは、こうしたプロセスが言語によるコミュニケーションの発達の基礎となり、言語習得につながると考えた（Tomasello 1992, 1999, 2003, 2008）。

　用法基盤モデルにおける言語習得で重要なもう1つの能力は、「パターンの発見」である。子供は視覚的、聴覚的なパターンを発見する能力が早い段階で発達する。視覚的には、生後まもなくの乳児でもすでに母親の顔が認識できるようで、視覚によるパターン認識力は高い。また、聴覚的なパターンもさまざまな周囲のインプットから聞きなれた音韻刺激のパターンを聞き取ることができるようになる。そして、インプットの中から意味のある言葉を抽出し、意味と形式をマッピングする（1対1で関連づける）ようになり、言語習得に結び付けていく。

　筆者の知り合いの4歳の幼児が長い連結車の電車で遊びながら、その電車に対し「のびいでんしゃ」と言った。「大きい」「小さい」「重い」などの形容詞のパターンから、長い状態を表す「伸びる」という言葉に「い」をつけたのではないかと想像し、「のびるい」ではなく、「のびい」と語尾の「る」を「い」に変化させるパターン認識力に驚かされた。

　トマセロは、子供の構文発達の研究から、子供は周囲のインプットから、具体的な動詞ごとに島を形成し、インプットの頻度が高くなると、互いの島の類似性などのパターンに気づき、一般化して構文を習得するようになると考えた。これを「**動詞の島仮説**」という。

　「動詞の島仮説」や「パターンの発見」で重要になるのが、インプットの頻度であり、2つのタイプの頻度がある。1つは、トークン頻度（token frequency）で、1つの言語対象（例えば　音、語、句、文など）が産出された回数の合計である。もう1つは、タイプ頻度（type frequency）で、パターンでまとめられる個別の言語対象の種類の合計である。前者は述べ語数、後者は異なり語数の考え方に類似している。

　動詞の島仮説で考えると、子供はある構文のトークン頻度が高くなることによって1つの構文パターンを形成する（例えば「さ、ミルクを飲んで」）。さらに、異なるタイプ頻度の構文パターン（「ミルクを持って」「ミルクを取って」）が現れると、「ミルク＋他動詞て形」の構文を一般化し、文法構文が形成されると考えられる。

　この理論では、音の習得から複雑な構文の習得に至るまでを連続線上において、同じメカニズムで言語発達をとらえられる（小柳 2016）という点で優れており、チョムスキーの抽象的な言語獲得装置の考え方に異論を唱え、言語習得は一般的な認知学習と同じメカニズムで習得されると主張した点で多くの研究者の支持を得ている。日本語の習得研究でも、橋本（2009, 2011）が幼児の第二言語習得に関して、用法基盤モデルに基づいた研究を行っている。

　しかし、用法基盤モデルは本来第一言語習得を説明する理論であるため、この考え方がそのまま第二言語習得にも適用されるのか、すでに認知的な発達を遂げている成人の第二言語習得をこのモデルで説明できるのか、第一言語の影響はどうかなどの疑問が残る（小柳 2016）。

3.4　コンペティション・モデル (Competition Model)

　ベイツとマクウィニー（E. Bates and B. MacWhinney）によって提唱された**コンペティション・モデル**は競合モデルともいわれる。このモデルは、第二言語学習者の言語能力がどのように運用に結び付くかということを説明している（Bates and MacWhinney 1981, 1987, 1989）。このモデルでは、学習者は1つの文の中にあるさまざまなキュー（ヒントまたは手掛かり：例えば、「語順」や「有生かどうか（注6）」といった語の意味特性など）を相互に競い合わせながらその文の意味を理解したり習得したりしようとしていると考える。

「草、食べる、牛（the grass, eats, the cow）」という文を聞いて、どれが主語かを考える場合、いくつかのキュー（語順や文法規則や語の意味特性などのヒント）が考えられる。英語話者の場合はSVO（S主語＋V動詞＋O目的語）という語順をキューと考え、「草」を主語とするかもしれない。一方、日本語話者の場合は、語順より語の意味特性（有生かどうか）をキューとして考え、「食べる」という行為の主体は「草」より生き物である「牛」のほうであるとし、「牛」を主語とすることが予測される。そこで、英語話者が日本語を学習する場合や日本語話者が英語を学習する場合に、語順のキューと意味特性のキューが対立すると考えられるが、調査の結果、英語話者も日本語話者も共に目標言語の文を聞くときに意味特性のキューを選択すること、レベルの違いによってキューの選択に違いが見られることなどが明らかにされている（Sasaki 1991, 1994, 1997a, 1997b）。このモデルに基づいて、日本語の「は」と「が」の習得を調査した研究もある（富田 1997）。

このモデルは、目標言語の文の意味理解にどのような言語処理がなされるかを明らかにしようとした考え方であり、英語と日本語だけでなく、他の言語においても調査が行われている。

3.5　その他

第二言語習得の理論には、これまで見てきたもの以外にも数多くの理論がある。ここでは、ファンクショナリスト・モデル、処理可能性理論、コネクショニスト・モデル、文化変容モデルの4つを紹介する。

3.5.1　ファンクショナリスト・モデル（Functionalist Model）

言語類型論を背景にして機能・類型理論を提唱したギボン（T. Givón）は、文法形式は機能と密接なつながりがあり、コンテクスト（文脈）の中でどの

ような文法形式がどのような機能を担って使われるかを研究することが重要
であると考えた(T. Givón 1979, 1984, 1985)。彼は研究の結果、「言語の歴史的
な流れ」も「ピジンからクレオールへの変化」も、そして「第一言語の習得
過程」も、いずれも共通した「**語用論**的モード」から「**統語的**モード」への
変化をたどると主張した((5)参照)。

(5)「語用論的モード」と「統語的モード」

	語用論的モード	統語的モード
a)	主題―評言の構造になっている。 例：彼、あの本を買った。	主語―述部の構造になっている。 例：彼があの本を買った。
b)	文法規則に縛られない単純な接続関係である。	文法規則に従った複雑な接続関係である。
c)	言語表出の時間が遅い。	言語表出の時間が速い。
d)	1つの音調曲線に短い発話しかできない。	1つの音調曲線に長い発話ができる。
e)	単純な動詞をより多く使っており、名詞／動詞の割合が低い。	複雑な動詞を使って、談話内に名詞／動詞の割合が高い。
f)	文法形態素を使わない。 例：過去形の標識や助詞を脱落させる。	文法形態素をよく使う。 例：過去形の標識も助詞も使う。

(T. Givón 1985: 1018, 訳と例は筆者による)

　この考え方を適用して、第二言語学習者の習得の変化を分析している研究
者も多く(Huebner 1983, Schumann 1987, Sato 1988, Baradovi-Harlig 1992)、形式
と機能がどのように対応しているのかなど、言語形式のみでは見えてこない
学習者のさまざまな状況を言語使用の観点から明らかにしようとしている。
　日本語の習得研究でも学習者が過去の事象(黒野 1998)、時間概念(平高・稲
葉 1998)、理由・継起・条件(横瀬 2001)をどのように表すかについての研究
がなされている。

（6）SE：（中略）本かりました、明日まで、うん、家に急いで、勉強します、
明日、返します。

（中級レベル学習者）（横瀬 2001: 48）

（7）ここは　マルタさんのひこうき　ブラジルからいまにほんに

（平高・稲葉 1998: 52, 下線筆者）

（6）の中級レベルの中国語話者は、「急いで勉強してから、明日返します」
というべきところを、文を並列する（文脈に依存させる）ことで継起の意図
を表そうとしている（横瀬 2001）。また、（7）のポルトガル語話者（自然環境
学習者）の発話では動詞が出ていないが、「いま」という副詞で「ブラジル
から日本に今来る途中である、来ているところである」という進行中を表そ
うとしているのではないかと推測している（平高・稲葉 1998: 52）[注7]。

　このように、第二言語学習者は学習初期段階では出来事の起こった順に発
話を構成したり、語彙的な要素を用いたりして語用論的なストラテジーによる
言語活動をしていると考えられる。言語形式が意味や語用論的機能に動機づ
けられるとする考え方を機能主義、**ファンクショナリズム**[注8]、それを踏ま
えて形式と機能の両面からの分析を試みようとする研究方法を**ファンクショ
ナル・アプローチ**という。

3.5.2 ｜ 処理可能性理論（プロセサビリティ理論 : Processability Theory）

　ピーネマン（M. Pienemann）は、人間の認知能力による制約のため、言語習
得の発達段階は普遍であると考え、**処理可能性理論**（Processability Theory）
を提唱した（1998）。この理論は、ドイツでの外国人就労者に対するドイツ語
習得の研究から導き出された「多次元モデル」（Clahsen 1984）が基盤となって
おり、これらのモデルでは、限られた時間内では記憶や認知能力により処理
できる言語情報が制約を受け、言語習得とは、この制約が段階的に取り払わ

(注7) 黒野 (1998)、平高・稲葉 (1998) は概念アプローチという名称を用いている。
(注8) 機能主義 (Functionalism) に対して、言語能力 (統語形式) を言語運用と切り離して研究対象と
　　　してとらえる考え方 (普遍文法研究など) を形式主義 (Formalism) と呼ぶ。

れて、次第に複雑な操作ができるようになることだとしている(吉岡 2001)。

　この理論によれば、言語習得の順序はさまざまな文法構造を産出するための言語処理能力の発達順序であり、辞書語アクセス＞範疇処理手順＞句処理手順＞文処理手順＞複文処理手順という発達的段階を踏み、それぞれの段階には含意的階層が存在するといわれている(Pienemann 2005, Kawaguchi 2015, Iwasaki 2013)。

　このモデルはドイツ語の語順規則の習得研究が基盤となっているが、英語や日本語においても検証され(Pienemann and Johnston 1987, 土井・吉岡 1990, Huter 1996, Kawaguchi 2005, Iwasaki 2013)、日本語形態素の習得に関して(8)のような発達段階のモデルを示している[注9]。

(8) 日本語形態素の発達段階 (Kawaguchi 2015, Iwasaki 2013)

	処理手順段階	形態素構造	出現が予想される日本語の構造	例
5	複文処理手順	節間形態素	主節、従属節における助詞「が」「は」の区別 従属節の中で主語を示す属格の助詞「の」	ゆうこがうちに帰った時、けんじはテレビを見ていました。 くみこの卒業した大学が世田谷にあります。
4	文処理手順	句間形態素	受け身文、使役文、受益文における非規範的格標示	魚がねこに食べられました
3	句処理手順	句内形態素	V-てV構造 e.g., 〜ている 動詞の過去形標示	話しています、見ています
2	範疇処理手順	語彙形態素	e.g., 動詞ます形に対する動詞過去形	食べます、食べました
1	辞書語アクセス	不変形式	単語、決まり文句	おいしい、ありがとう

ピーネマンは、発達段階の順序に基づいて、ドイツ語母語話者でない児童や幼児に対してドイツ語の授業を行った。すると、ある段階（仮に「段階4」とする）の内容を教えた場合に、発達状況がその直前の段階（「段階3」）の学習者は内容を習得できたが、「段階2」の学習者は習得できなかったという結果となった。このことから、ピーネマンは「心理言語学的に学習者が学習の準備ができたときにのみ学習が可能であり、ある段階を飛び越えては上の段階の習得には至らない」ことを「**学習可能性**（learnability）」という用語を用いて説明している。つまり、上記（8）の日本語の例でいうと、段階5の「従属節の中で主語を示す属格の助詞『の』」（例 くみこの卒業した大学が世田谷にあります）を習得するためには、段階4の「受け身文、使役文、受益文における非規範的格標示」（例 魚がねこに食べられました）が習得できていることが前提となり、その段階を無視して次の段階に至ることはできないとする。この考え方は、教えることにも適用され、「学習の準備ができていない項目を教えても、学習者は習得順序である段階を飛び越えて習得することはない。しかし、学習の準備ができている項目を教えることは習得順序の発達を促進させるのに有効である」とする考え方を「**教授可能性**（teachability）」と呼ぶ。

3.5.3 │ コネクショニスト・モデル（Connectionist Model）

コネクショニスト・モデルは神経回路のネットワークとコンピューター科学の考え方を基盤にして発表された**並列分散処理モデル**（Parallel Distributed Processing（PDP）Model）から生まれた。

ランメルハート（D. Rumelhart）とマクレランド（J. McClelland）によって発表された並列分散処理モデルは、人間の認知プロセスや学習の仕組みを神経細胞に例えてモデル化しようとするもので、具体的には、神経細胞に見立てられた多数のユニット（node と呼ばれる）とそれらユニット間の結び付き

(注9) 処理可能性理論は近年、形態素の発達段階と統語の発達段階を分けて設定しており、日本語の統語の発達段階は（8）で示した形態素の発達とは異なっている。詳細は、Pienemann 2005、Kawaguchi 2015、Iwasaki 2013を参照。

（connections）が変化することによって、情報処理が行われるとする考え方である[注10]（Rumelhart, D., McClelland, J. and the PDP Research Group 1986, 甘利 1989, 守 1996）。

　コネクショニスト・モデル[注11]では、第二言語習得は第一言語でできあがっているネットワークのパターンにおいて結び付きの強さが変化することだと考え、インプットとアウトプットによって形式と意味のユニットの活性化が行われると考える（Gasser 1990, Shirai 1992）。従って、活性化が頻繁に起きる形式と意味のユニットの結び付きは強くなり、結果的に活性化され易くなるという現象が起きる。

　例えば、友達に「明日のパーティーに参加するかどうか聞きたい」と考え、"Are you coming to the party tomorrow?"の文章を表出する状況を例にとって考えよう。ここで話者の頭の中では come か go のどちらを選ぶかに迷いを生じることが想定される。話者はパーティーに参加するつもりの自分の立場から判断し、come の結び付きが選ばれて、上記の文が発話される（Shirai 1992）。日本人の英語学習者の場合、「行く」と go のユニットの結合度が高ければ、だれかに呼ばれて "I'm coming soon.（「すぐ行きます」の意味で）" とするところを "I'm going soon." としてしまうことが考えられる。

　コネクショニスト・モデルを基盤とした第二言語習得研究は、仮説検証が可能であること、母語からの言語転移の現象を明解に説明できることなどの点で優れているとしている（Gasser 1990, Shirai 1992, 守ほか 2001）。研究者によっては、言語習得を刺激（インプット）と反応（アウトプット）の習慣形成であるとした行動主義心理学の考え方の再来であるとの批判もある（Fodor and Pylyshyn 1988）が、コネクショニスト・モデルでは行動主義の研究者たちが言及できなかった脳内でのメカニズムを、コンピューター科学を利用して説明しているとの説もある（Gasser 1990, Shirai 1992）。

　この処理モデルの考え方を**コネクショニズム**（Connectionism）といい、この考え方を基盤として行われる研究を**コネクショニスト・アプローチ**（Connectionist Approach）という。

3.5.4 | 文化変容モデル（Acculturation Model）

　文化変容モデルは、アメリカのシューマン（J. Schumann）が提唱したモデルで、文化的同化モデルともいわれる。彼は「第二言語習得は、学習者が目標言語の文化に適応するプロセスである」と考え、習得の度合いは学習者と目標言語文化の社会的距離、および心理的距離によって決まると主張した。

　シューマンは、教室指導を受けたことのないコスタリカ人の労働者グループの言語習得を10カ月間観察した結果、ある1人の学習者アルベルトがまったく進歩を見せなかったことに注目し、彼の行動を分析し、その原因を考えた。シューマンは、アルベルトの習得が遅れたのは、アメリカ文化の集団と他の文化集団に対する学習者の社会的距離と心理的距離が原因であるとした。つまり、アルベルトの習得が極めて遅いのは、アメリカ文化圏の人々との交流を積極的に持たず、コスタリカやスペイン語圏の人々とスペイン語で話したり、テープで自国の歌を聞いたり、英語学習のための夜間教室にも通わなかったりしたためであると考えた（Schumann 1975, 1978）。

　このことから、シューマンは学習者が自分の国の文化に執着し、アメリカの習慣に慣れようとしなかったために英語の習得が遅れたと考え、「第二言語学習者は自分の文化変容の度合いに応じて第二言語を習得する」と主張した。つまり、「第二言語習得は、文化変容の一側面であり、学習者が自分自身をどの程度、目標言語集団の文化に同化させるかによって、習得の度合いが作用される」という。これが、シューマンの「文化変容モデル」である。

　シューマンの文化変容モデルの考え方は、従来の第二言語習得研究で取り扱われなかった社会的・心理的要因にスポットライトを当て、その役割を主張したという点では評価すべきだと考える。シューマンの理論は、目標言語集団の文化に同化しようとすればするほど言語習得が進むと考え、学習者の

(注10) 並列分散処理モデルの「並列」というのは、物事が1つずつ順々に行われるのではなく、「同時に」処理されることを意味し、「分散」というのは処理が中央の1カ所へ集中的に行われるのではなく、いろいろな分散したところで行われることを意味している（守1996）。

(注11) コネクショニスト・モデルは大きくはlocalist approachesとdistributed approachesの2つに分類されている。詳しくはGasser (1990) を参照。

中間言語が変化していく言語体系であるという点、学習者によって言語習得に成功・不成功があることを説明しているが、学習者内部で目標言語がどのように取り込まれていくのかを説明していない。さらに、「社会的・心理的距離」をどのように測るのかについての客観的な説明がなされていないという問題が残されている。

　日本におけるこれまでの日本語の習得研究は学習者の誤用分析など、記述研究が中心であったが、最近では、紹介した第二言語習得理論やモデルなどの考え方を積極的に取り入れ、理論に基づく仮説検証型の日本語習得研究の必要性が求められており（小柳 2016）、日本語の習得研究からの理論やモデルへの貢献も期待される。

◆**第3章のまとめ**

1. 第二言語習得の理論にはどんな考え方があるのか。（右表参照）

2. 第二言語習得の過程には一定の共通した順序や段階が存在するのか。
　モニター・モデルでは、習得には学習環境や指導にかかわらず一定の普遍の習得順序があると考える（自然順序性仮説）。
　また、処理可能性理論では、語彙の面と統語の面においてそれぞれ発達段階があると考えられ、この段階を無視して次の段階へ進んだり、教えたりすることはできないと考えられている。

3. インプットは第二言語習得にどのような影響を与えるのか。
　モニター・モデルでは、「i＋1」のレベルのインプットを多く与えることが習得を促進すると考えられている。
　用法基盤モデルでは、インプットのタイプ頻度とトークン頻度によって、「パターンの発見」が促進され、構文の構築が可能となると考えられている。

◆主な第二言語習得の理論・モデル

普遍文法理論 (Universal Grammar Theory)	
提唱者	チョムスキー (N. Chomsky)
主な内容	人間の生得的に備わっている普遍文法 (Universal Grammar: UG) によって言語が習得されるとする理論。普遍原理とパラメータによって、個別言語の核となる文法ができあがると考える。
意義	従来の「刺激と反応の繰り返しによって習慣が形成され、それが学習を生む」という考え方の問題点を指摘し、普遍文法の存在を掲げる新たな理論を形成した。
問題点	普遍原理やパラメータが複雑な内容である上、言語運用を対象としていないので、理論の実証が困難である。
モニター・モデル (Monitor Model)	
提唱者	クラッシェン (S. Krashen)
主な内容	意識して行う学習と無意識の習得は異なっており（習得−学習仮説）、学習は意識的なモニターとしての役割を担い（モニター仮説）、習得には普遍的な順序があり（自然順序性仮説）、効果的な習得には、理解可能な現在より少し高いレベルのインプットを与えること（インプット仮説）と、安心して自信の持てる雰囲気を与えること（情意フィルター仮説）が大切であると考える理論。
意義	わかりやすい考え方を基盤にしており、理論だけでなく、言語教育（ナチュラル・アプローチ）にも発展させた。
問題点	習得と学習の区別の基準が曖昧で、学習が習得に影響しないとする考え方に対する反論が多く、インプット仮説のインプットの具体性が不明である。また、なぜ理解可能なインプットが習得に結び付くのかも不明である。
用法基盤モデル (Usage-Based Model)	
提唱者	トマセロ (M. Tomasello)
主な内容	言語習得は、他者とのコミュニケーションを通して受ける、多くのインプットの用例から学ぶプロセスであると考える。認知学習のメカニズムによって言語習得を説明しており、他者との共同注意や聴覚刺激や語句の「パターンの発見」の行為が習得を促進すると考える。

意義	音の習得から複雑な構文の習得に至るまで連続線上で、認知能力の同じメカニズムで説明できる。
問題点	本来、第一言語習得を説明する理論であり、この考え方が認知的な発達を遂げている成人の第二言語習得に適用できるのか、第一言語の影響はどうか、などの疑問が残る。

コンペティション・モデル（Competition Model：競合モデル）	
提唱者	ベイツとマクウィニー（E. Bates and B. MacWhinney）
主な内容	学習者は1つの文の中にあるさまざまなキュー（語順や文法規則や語の意味特性などのヒント）を競い合わせることで、その文の意味を理解したり習得したりすると説明している。
意義	このモデルは、第二言語学習者の中にある言語能力がどのように運用に結び付くかということを説明している。
問題点	1つのキューを選択したと考えるのか、別のキューを選択しないことを選んだと考えるのかは明らかではない。

その他のモデル	
ファンクショナリスト・モデル	コンテクストの中での形式と機能を研究し、言語の歴史的な流れ、ピジンからクレオールへの変化、言語習得の過程の、いずれも共通した変化をたどるとする考え方。
処理可能性理論	人間の認知能力により、処理できる言語情報は制約を受け、この制約が段階的に取り払われることが習得だとする考え方。発達段階は4～5段階あり、「下の段階を飛び越えて上の段階を習得することはできない」とする考えを学習可能性（learnability）と呼ぶ。
コネクショニスト・モデル	神経細胞になぞらえたユニットとそれらの結び付きの強度のパターンが変化することによって言語処理が行われるとする考え方。
文化変容モデル	第二言語習得は、学習者が目標言語の文化に適応するプロセスであると考え、習得の度合いは学習者と目標言語文化の社会的距離、および心理的距離によって決まるとする理論。

第4章

第二言語習得にかかわる要因

◆第4章のポイント

　ここでは、第二言語学習者の習得過程に影響を与える事柄について述べる。習得に決まった順序があるのか、母語は習得にどのように影響を与えるのか、日本で日本語を学習する場合と外国で学習する場合、また教室指導を受ける場合と受けない場合などの学習環境の違いで習得の傾向が異なるのかなどを考える。また、学習者の誤用を産み出すストラテジーについても紹介する。

1. 第一言語と第二言語の習得順序は同じか。
2. 第二言語を学習する際に、学習者の母語の影響はあるか。
3. 学校に通って第二言語学習の指導を受ける場合と指導を受けないでその国の自然環境の中で言語を学ぶ場合とでは、習得状況は同じか。

◆キーワード

体系的変異　　コミュニケーション能力　　正と負の言語転移
フォーカス・オン・フォーム

4.1　中間言語と変異

4.1.1 変異とは？

　私たちの日常生活では、同じことを言い表す場合に異なった表現を用いることがある。例えば、「好きじゃありません」と「好きではありません」の「じゃ〜」と「では〜」もその1つである。あるときは「じゃ」を使い、あるときは「では」を使う。また、自分のことを「わたくし」「わたし」「ボク」

「俺」などと、相手や場面によって言い方を使い分けている。このように、同じ事象を表すのに異なる語や形式が使用されて変化を見せることを「**変異性**（variability）^{（注1）}がある」という。学習者の言語使用にも同様の現象が見られる。例えば、初級レベルの学習者は、否定の表現に関してさまざまな言い方をする。（1）は、日本語学習者Azのある時期における1回60分のインタビューで出現した否定表現の例である。

（1）a.　NS：今日、寝ました？
　　　　　Az：**寝ましたない**。（＝寝ませんでした。）
　　　b.　NS：テレビはよく見ますか。
　　　　　Az：**好きない**、**好きくない**。（＝好きではありません。）
　　　c.　NS：（インドに）行ったことがありますか。
　　　　　Az：Indian？**行ったじゃない**。（＝行ったことはありません。）
　　　d.　NS：（結婚相手が違う宗教だったら）結婚しない？
　　　　　Az：（略）わたしは**好きくない**。（＝好きではありません。）

（初級・マレーシア語話者）

　60分の対話中にもさまざまな否定表現が見られることがわかる。過去の否定形に「〜ましたない」「〜たじゃない」が使用され、「好き」の否定形に「好きない」「好きくない」の形式が出現している。このような異なった形式を**変異**（variation）と呼ぶ。

4.1.2 体系的変異と非体系的変異

　変異は第二言語学習者にだけ現れるわけではなく、私たちが普段使っている言語にも見られ、その使い方に一貫した規則がある場合とない場合がある。例えば、ある日本人男性が、身内や親しい友人以外の目上の人と話すときには「わたしは〜」を一貫して使用し、身内や友達と話すときは「オレは〜」を使用していると仮定するなら、その男性の言語使用には「**体系的変異**（systematic variation：規則的な変化）」があるといい、特に一貫した使

い方が見られない場合は「**非体系的変異**（non-systematic variation）」または「自由変異（free variation）」といい、規則的な変化はないという。

　学習者特有の言語、すなわち中間言語はさまざまな変異で構成されているともいえる。(2)(3)は、スペイン語話者で初級レベルの日本語学習者が書いた日記に観察されたイ形容詞の活用の正用例と誤用例である（長友・迫田 1990）。

（2）十二月二十七日　日曜日（天気　晴れ）きょうは　いい天気だった。（中略）　風をふいて歩いていったのことは**たのしかった**。おそくなった、家へ帰った。きょうはとても**よかった**。また行きたい。

（3）一月五日　火曜日（天気　雨）きょうはいい天気ではなかった。あすから雨がふいている。それでは家でいろいろな物をした。（中略）わたしはたこのすしは大好きだった。（中略）九時ごろ食べおわ。少し**高いだった**、しかし、とても**楽しいだった**。（後略）

（4）留学生の冬やすみの日記

一月　五日　火曜日　（天気 雨　）
きょうは いい天気ではなかた。あすから 雨 がふいて いる。それでは 家で いろいろな 物をした。かべに 画をかけた，せんたくを した，日本語の 勉強を した。しかし，夕ごはん 友だちと すしのしょくどうへ 行きたかった。午後も 時ごろ 友だちと 会った。いろいろな 食べ物を 食べて。ビールを 食欠んで。わたしは たこのすしは 大好きだった。友だちと いろいろな おもしろい ことは話して。食べて いた。九時ごろ 食べおわ。少し 高い だった，しかし，とても も楽しい だ，た。係で わたしたちは 友だちと いっしょに きっさてん へ 行って コヒ を 食欠で。いつも，友だちと 会う ことは 楽しいだ。

（長友・迫田 1990: 181）

（注1）Variability に対する用語には、「変異性」以外にも「変動性」（ラーセン-フリーマン＆ロング 1995）や「可変性」（エリス 1988）がある。

これらは、学習時間300時間の時点で宿題として与えられた冬休みの日記の一部である。ほぼ同時期に書かれた日本語のイ形容詞が12月の段階では「楽しかった」と正しく使われ、約１週間後の１月の段階では「楽しいだった」という表現が出現している。学習者の誤用は１つの変異ととらえることができ、上記の例のような中間言語に見られる体系的あるいは非体系的な変異を分析することによって、学習者の言語使用の背景、習得のプロセスを探ることができる。

4.1.3 | 体系的変異の心理的要因

　変異の研究のきっかけとなった研究を紹介しよう。ラボフ（W. Labov）は、ニューヨークに住む英語母語話者の発音を以下の５つの方法で調査した（Labov 1970）。

- ・日常の話し方（casual speech）
- ・注意を払った話し方（careful speech）
- ・朗読（reading）
- ・語の一覧表を読む（word list）
- ・最小対立の語を発音する（minimal pairs）

　その結果、調査した人々は上記の順序に従って発音に変異が生じることがわかった。例えば、/θ/（thing の th など）の音については、上記の下へ行くほど注意深く発音する傾向を示し、英語の発音が正しくなった。逆に、上に行くほど、つまり日常の話し方になると正しい発音が少なくなった。このことから、ラボフは人の話し方には変異があり、人の注意の度合いによって起きる変異には規則性（変項規則 variable rules）があると報告した。

　この研究から、同一の第二言語学習者が異なった作業課題（文法テスト、口頭表出テスト、作文テストなど）を行った場合に成績が違うことについて、それぞれの結果をその時点における中間言語の変異であるととらえ、その違いの原因は注意を払う度合いが影響しているためだと考えられた

（Larsen-Freeman 1975）。つまり、最も注意を払った場合は、より目標言語の発音や文法に沿った中間言語が産出されるが、最も注意が少ない場合は、発音が不正確になって文法的な誤りが多い中間言語となる。このことから、タローン（E. Tarone）はある習得段階において、中間言語がさまざまな変異を持つことを述べ、それらは 1 つの連続体であるととらえて（5）のように表した（Tarone 1983）。

（5）中間言語連続体 (Interlanguage Continuum)

（Tarone 1983: 152, 訳は筆者による）

　つまり、いちばん左は最も注意が払われない日常的な話し方（vernacular style）でいちばん右は最も注意を払った丁寧な話し方（careful style）で文法などの形式に注意を向けた場合であり、その間にいくつかのスタイルが存在し、中間言語の変異はこの連続体に沿ったスタイルの変化によって生じると考えた。日本人英語学習者は、英語の授業で教科書を読まされたり、会話の試験で英語を話したりする場合には、できるだけ発音や文法に気を付けて話そうとするが、町で外国人に急に話し掛けられた場合は、話す内容に注意が向けられ、発音や文法形式には注意が十分払われなくなる。このように、1 人の学習者の同一時点での中間言語にもさまざまな変異が存在すると考えられる。

4.1.4 | 体系的変異の言語環境的要因

　変異が現れるのは、話す人の心理的な要因が原因とばかりはいえない。英語の発音の変異に、前後の音との位置関係（どんな音の前後に位置しているか）が影響しているとの報告がある。ディカーソン（L. Dickerson）は日本人の英語学習者に対して9カ月間に3回のテストを行い、英語の /z/ の音が直後の音によって（6）のようにさまざまな音（/φ/, /s/, /dz/ など）に変化していること[注2]、つまりさまざまな変異が生じていることを報告した（Dickerson 1975）。そして、テストの回数を重ねるごとに、目標言語の正しい /z/ の音に近づくことを明らかにしている。

（6）日本人の英語学習者の /z/ の発音の変異

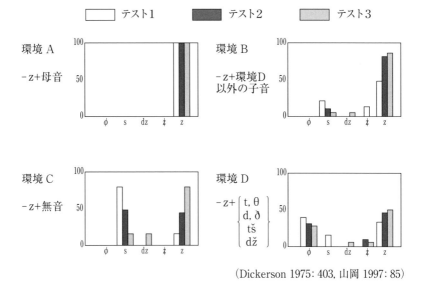

（Dickerson 1975: 403, 山岡 1997: 85）

　このように、体系的な変異の背景には、注意を払うかどうかという心理的な要因のほかにも、学習項目が言語表現のどの位置にあるか、どんな音声が後続するかなどといった言語環境の要因もあり、さまざまな要因がかかわっていることがわかる。

4.2　第二言語習得にかかわる知識と能力

　ペーパーテストでは正しく答えられるのに、実際は上手に話すことができないことがある。これは、ルールは知っているのに使えないという場合であり、「言語知識はあるが言語運用に結び付いていない」という。日本語学習者にもこのような例は多く見られ、習っているにもかかわらず、使う段階では誤用を犯してしまう場合がある。知識はあるはずなのに、使えないのはなぜだろうか。ここでは、言語の知識と運用、また言語能力について、それぞれの用語を整理し、考えてみよう。

①言語能力と言語運用

　チョムスキーは、母語話者の頭の中にある母語に関する言語知識のことを**言語能力**（linguistic competence）と呼び、この能力によって人間は今まで聞いたことのない文を無限に生み出すことができ、直感的にその文が正しいかどうかなどの判断ができると考えた。それに対して、具体的な場面で実際に言語が使われることを**言語運用**（linguistic performance）と呼び、言語能力と区別した（Chomsky 1965, 1975, 1980）。なぜなら、言語運用には、話し手の体調や場面の状況により言い間違いや規則から逸脱した表現などが出現し、複雑な要因が絡んでいるため、言語能力をそのまま反映しているとはいえないからである。

　チョムスキーは、正しい言語運用は言語能力があることを示す証拠となるが、正しい言語運用をしなかったからといって言語能力がないということの証拠にはならないと述べ、言語能力と言語運用を厳しく区別している。

　普遍文法理論の項でも述べたように、普遍文法とは何か、それがどのように第二言語習得に影響を与えるかを調べている研究者たちの研究対象は言語能力自体であるため、上記の考え方に基づいて言語運用のデータ（自然会話

（注2） 環境Aは、She's <u>at</u> home.のように /z/ の音の後に母音/a/ が来る場合、環境Bは、these <u>books</u>のように環境D以外の子音が来る場合である。これらの環境では、比較的 /z/ が正確に発音される割合が高い。しかし、環境C、<u>size</u>のように後が無音だったり、環境Dの<u>his</u> <u>dog</u>のように /z/ の後に /t, θ, d, ð, tš, dž/ の音が来たりすると、環境Cの場合は /s/ の音に、後者の場合は/z/ の音が発音されなくなり、言葉の位置、つまり言語環境によって発音が異なる。

のデータなど）はあまり扱わないという特徴がある。彼らの研究が文法の直感的判断による正誤（正しいか間違いか）や選択問題による調査が多いのはこの理由による。

②コミュニケーション能力

　実際のコミュニケーション場面では、単に言語知識だけでなく、対話相手や場面に応じて、言葉や表現を使い分けなければならない。駅までの道を尋ねる場合、どのように尋ねたらいいだろうか。言語知識からの情報としては、「場所を尋ねる」だから、「何」ではなくて「どこ」を使うべきで、「駅はどこですか」という表現が使われるだろう。しかし、この文章をそのまま使っていいだろうか。往来を行き交う人の間に入って、ある人の前に立ち、「駅はどこですか」と言って聞くのは自然なコミュニケーションではないだろう。相手が成人の場合は「あのう、すみませんが、駅はどこでしょうか」となるだろうし、小学生ぐらいの男の子だと「ちょっと、ボク。駅はどこかなぁ。教えてくれる？」などと表現が変わる。つまり私たちは、対話相手や場面によって言語表現を変化させているのである。

　このことから、言語を使用する際に必要な能力として、**コミュニケーション能力**（伝達能力）という概念が提示された（Hymes 1971）。コミュニケーション能力とは、いつ、だれに対して、どのような言い方で話すのかという言語使用の適切さにかかわる能力で、英語では communicative competence と称される。

　このコミュニケーション能力の定義や内容に関しては、研究者によってさまざまであるが、カナル（M. Canale）とスウェインは（7）の4つを挙げている（Canale and Swain 1980, Canale 1983）[注3]。

　　（7）1.　文法能力（grammatical competence）

　　　　2.　談話能力（discourse competence）

　　　　3.　社会言語学的能力（sociolinguistic competence）

　　　　4.　方略能力（strategic competence）

このうち、1の文法能力とは言語構造など言語にかかわる文法知識を指し、2の談話能力とは、状況や文脈の中で談話をどのように構成していくかにかかわる能力である。

　3の社会言語学的能力とは会話の言外の意味を理解したり、語用論的 (p.48) な言語の働きを理解したりする能力である。例えば、日本語学習者が戸惑う日本人の表現の1つに「いつもお世話になっています」という表現がある。あるタイ人の奥さんが、町でご主人の仕事関係の人と出会い、「あ、どうも。いつもお世話になっています」と挨拶され、「私は何もお世話していないのに……どうしてそんなことを言うのかしら？」と不思議に思ったそうだ。日本人の「お世話になっています」という表現は単なる挨拶であり、ご主人を通して既知の間柄であること、見知らぬ同士ではない……という間接的なメッセージを伝えている。このように、「お世話になっています」という挨拶が日本社会でどのような機能を果たしているのかなども含めて理解することが必要であろう。また、別の例であるが、授業の後、教師に対して「先生の授業は良かったです」と言えないことも、日本語学習者には不思議に映る。目上の人には、直接の評価をするような表現は避け、「とても勉強になりました」と言ったほうがいいと学ぶことも社会言語学的能力の領域であろう。

　4の方略能力とは、相手の意図を正しく理解し、会話の切り出し方や終結の仕方などを含んだ上手な会話展開ができ、コミュニケーションに支障が起きたときにも上手に対応できる能力である。

③明示的知識と暗示的知識

　明示的知識（explicit knowledge）は**顕在的知識**とも呼ばれ、**暗示的知識**（implicit knowledge）は**潜在的知識**とも呼ばれる。いずれも学習者が持っている言語に関する知識で、明示的知識のほうは授業や教科書などで学習し、明確にそのルールが説明できる知識であり、暗示的知識[注4]は明確にはそのルールが説明できないが母語の規則のように直感で判断できる知識である

（注3）Canale and Swain (1980) では、文法能力・社会言語学的能力・方略能力の3つを挙げていたが、後にCanale (1983) で談話能力が加えられた（ラーセン−フリーマン＆ロング 1995）。

（注4）エリス (R. Ellis) は、暗示的知識の中にも、固まりで覚えている知識と内在化された規則的な知識の2種類があると述べている (Ellis 1994: 355-356)。

(Bialystok 1978)。クラッシェンの「習得－学習仮説」の、習得された知識とは暗示的知識であり、学習された知識とは明示的知識を指す。

　ある日本人の英語教師が「英語の前置詞の使い方についてはある程度説明できるのに、イギリス人から『東京へ行く』と『東京に行く』の『に』と『へ』はどう違うかという日本語の助詞の質問をされて答えられなかった」とひどく落ち込んでいた。これはその人にとって英語の前置詞の知識は明示的知識であるのに対し、母語である日本語の知識は暗示的知識であるために、使い分けの根拠を説明できなかったのである。「東京への道」と言えるが「＊東京にの道」とは言えないことからわかるように、厳密にいえば「～へ」は方向を指し、「～に」は到着点を表しており、「東京へ行く」という場合は「東京のほうへ行く」を意味し、「東京に行く」の場合は「東京を到着地点として行く」という意味を表す。このような説明は暗示的知識ではできず、これらの知識を明示的知識として学習して初めて説明できる。つまり、母語話者（ネイティブ）の母語に関する知識の多くは暗示的知識で、無意識に使っているため、説明できないことが多く、使い分けの違いを客観的に上手に示すことができない。従って、母語話者が母語を外国人に教えるためには、意識的な学習をして明示的知識を養わなければならないといえる。

④宣言的知識と手続き的知識
　この２つの用語はアンダーソン（J. Anderson 1982）が技能の習得で用いた用語で、**宣言的知識**（declarative knowledge）は事実や法則、個人的出来事などのように「何であるかについての知識」（羽生 1999）を指し、**手続き的知識**（procedural knowledge）は本来自動車の運転や料理を行う方法に関する技能としての知識を指している。宣言的知識は言語化できるのに対し、手続き的知識は言語化が難しいといわれている（Anderson 1980, 羽生 1999）。第二言語習得研究では、この考え方に基づいて、宣言的知識を学習者の言語構造などの知識であるとし、手続き的知識は実際にどう運用するかに関する知識であるとする。言い換えれば、前者は knowing that（ある事柄を知っている場合の知識）であり、後者は knowing how（どう行うかを知っている場合の知識）である。母語を学習する幼児の場合は、手続き的知識が先に養われると

考えられるが、教室で学ぶ第二言語学習者の場合には、宣言的知識が先に形成されると推測される。

　具体的な例を挙げて説明しよう。「わかる」と「できる」という言葉がある。一般的に物事の習得は、「わからなくて、できない」状態から「わかって、できる」状態へ進むことである。その途中の段階として、「わからないけれども、できる」あるいは「わかっているけれども、できない」という状態が存在する。「わからないけれども、できる」場合の例としては、鉄棒の逆上がりや自転車乗りがあるだろう。逆上がりがなぜできるようになったかは説明できないけれども、いつのまにかできるようになる。日本語でも慣用句「おかげさまで……」「お先に失礼します」など、単語の一つひとつはわからなくてもそれぞれの場面で使うことはできる。それに対して、「わかっているけれども、できない」場合の例としては、水泳の呼吸の仕方はわかっていても、実際には泳げない場合、日本語では「受身形」や「条件表現」など、知識としてはわかっていても実際に使うのが難しい場合が挙げられる。「わかる」は頭の中で整理された言語化できる知識、すなわち宣言的知識であり、「できる」は言語化が難しく、実際の行動や行為によって示される技能や技としての知識、つまり手続き的知識がある状態だといえる[注5]。

⑤伝達言語能力と学力言語能力

　カミンズ（J. Cummins）は、外国人児童の言語習得を考えた場合、生活面で十分に第二言語や外国語が話せるようになっても、実際の授業になかなかついていけない場合が多いという事実から、2つの異なった言語能力を想定した（Cummins 1981b）。それが**伝達言語能力**と**学力言語能力**である。伝達言語能力は、**生活言語能力**とも呼ばれ、Basic Interpersonal Communicative Skills（BICS：ビックス）という。それに対し、学力言語能力はCognitive Academic Language Proficiency（CALP：カルプ）という。つまり、伝達言語能力とは、生活の中で伝達に必要な言語能力であり、学力言語能力とは、学力に結び付いた言語能力である（p.135）。

（注5）「宣言的知識」と「手続き的知識」は認知心理学、特に技能に関する領域で用いられる用語であり、「明示的知識」と「暗示的知識」は、第二言語習得研究の領域で用いられる用語である。

以上、第二言語習得研究で用いられる知識や能力に関する用語を紹介したが、最後に整理して(8)にまとめる。

(8) 第二言語習得にかかわる知識および能力の名称

言語能力 VS. 言語運用	言語能力	母語話者や学習者が持っている言語に関する知識。
	言語運用	実際の場面で言語が使われることをいい、運用には多くの要因がかかわっていると考える。
コミュニケーション能力	言語の知識だけでなく、相手や場面によって適切な表現に変えて使用する能力も含む、実際のコミュニケーション場面で必要な言語能力。具体的には、(1)文法能力（言語の知識）、(2)談話能力、(3)社会言語学的能力、(4)方略能力などで構成されている。	
明示的知識 VS. 暗示的知識	明示的知識 （顕在的知識）	一般的には教室や教科書などで学習した知識で、明確にそのルールが説明できる知識。
	暗示的知識 （潜在的知識）	学習された知識に対し、習得された知識の場合を指し、明確には説明できないが、母語の規則のように直感で判断できる知識。
宣言的知識 VS. 手続き的知識	宣言的知識	頭の中で整理された言語化できる知識。「わかる」場合の知識。
	手続き的知識	言語化が難しく、実際の行動や行為によって示される技能や技としての知識。「できる」場合の知識。
伝達言語能力 VS. 学力言語能力	伝達言語能力 （BICS）	外国人児童の言語習得で用いられる概念で、日常生活の伝達場面に必要な言語能力。
	学力言語能力 （CALP）	外国人児童の言語習得で用いられる概念で、学校の勉強に必要な分析的な言語能力。

4.3　自然な習得順序

4.3.1 ┃ 自然な習得順序の発見

　クラッシェンの仮説の1つに「自然順序性仮説」があった (p.40)。第二言語習得では、どんなところで学習しても、だれに教えてもらっても、学習者の習得プロセスは同じであるという仮説である。この普遍的な習得順序の存在を唱えたのは、デュレイ (H. Dulay) とバート (M. Burt) であった (Dulay and Burt 1973)。彼らは、まずアメリカに住むスペイン語を母語とする6〜8歳の児童を3カ所で面接調査し、話し言葉の中の英語の正確さを分析した。その結果、いずれのグループも類似した順序で習得が進んでいることを発見し、第二言語を習得する児童たちの間に共通の自然な習得順序があることを主張した。さらに彼らは、スペイン語と中国語を母語とする6〜8歳の児童を使って調査し、母語が違っても同様の習得順序であることも明らかにし、第二言語習得の児童たちには母語の影響を超えた自然な習得順序が存在することを唱えた (Dulay and Burt 1974)。

　この研究がきっかけとなって、後にさまざまな研究者が習得順序の研究を行った。例えば、教室で英語を学習するスペイン語話者とスペイン語以外の母語話者に同様の調査を行った結果、習得順序はデュレイとバートの習得順序と一致しており、ますます第二言語習得において自然な習得順序が存在することが裏付けられた (Bailey, Madden and Krashen 1974)。クラッシェンの「自然順序性仮説」は、これらの研究成果を背景として示されたものである。

　では、デュレイとバートが示した順序とは具体的にはどのような内容であったのだろうか。(9) に示してあるのが、11個の形態素の習得順位である。

　彼らの研究成果やクラッシェンの自然順序性仮説などによって、第二言語学習者の間には、地域の違いや年齢の違い、母語の違いにかかわらず、ある一定した習得の順序、つまり自然な順序 (natural order) が存在することが認められるようになった。

（9）第 2 言語習得における英語文法的形態素の自然な習得順位

順位	形態素	例
1	代名詞格	He doesn't like him
2	冠詞	in the fat guy's house
3	繫辞^{けいじ}	He's fat
4	現在進行	(He's) mopping
5	複数	windows
6	助動詞	She's dancing
7	規則過去	He closed it
8	不規則過去	He stole it
9	長複数	houses
10	所有	the king's
11	3 人称単数	He eats too much

（Dulay and Burt 1974: 41, 51, 山岡 1997: 39）

4.3.2 | 習得順序・発達順序・正用順序

　自然な**習得順序**の研究に端を発し、多くの習得順序に関する研究が行われ、-ing や -ed などの形態素の習得順序だけでなく、疑問文や否定文などの発達についても調査が行われた (Cazden 1972, Wode 1976, 1978)。

　(10) は、複数の研究の成果を基に、英語の疑問文の**発達順序**を表したものである。まず、ステップ 1 では学習者は平叙文 (疑問文でない、普通の文のこと) の文末のイントネーションを上昇させて疑問の機能を表そうとする。

　次のステップ 2 の段階では、wh- 疑問文 (what や who など wh で始まる疑問詞を用いた疑問文) を使用するが、主語と動詞の倒置が行われず、平叙文の語順で疑問文としており誤用となる。ステップ 3 では、yes-no 疑問文 (yes か no で答える疑問文) でも wh- 疑問文でも主語と動詞の倒置が行われる段階となる。be 動詞を使った場合と do 動詞を使った場合では、be 動詞のほうが習得が早く、Are you 〜？の文のほうが Do you 〜？よりも早い。

（10）英語の疑問文の発達順序

発達順序	内容	例文
ステップ1	音調疑問文	You are eating? ♪（上昇イントネーション）
ステップ2	倒置なし	What you are doing?
ステップ3	倒置あり	What are you doing?
ステップ4	埋め込み未習得	I don't know what did he have.
ステップ5	習得完了	I don't know what he had.

（Wode 1978, Ellis 1985 に基づく）

ステップ4では、疑問文が平叙文に埋め込まれるが、埋め込まれた文が疑問文のまま倒置で現れ、誤用となる。そして、最後のステップ5で、埋め込まれた疑問文の主語と動詞の位置が正しくなり、最終的にすべての疑問文が習得される。

　次に否定文の場合を見る。（11）は、複数の研究者の成果から英語の否定文の発達順序を示したものである。

（11）英語の否定文の発達順序

発達順序	内容	例文
ステップ1	文の前か後に no	No very good.
ステップ2	文の中に no	I no can swim.
ステップ3	助動詞に否定が付加	I can't eat nothing.
ステップ4	習得完了	He doesn't know anything.

（Schumann 1979, Ellis 1985 に基づく）

　ステップ1は、否定辞の no が文の前後のどちらかについて、否定の意味を表している段階である。ステップ2では、否定辞の no が文の中に入り込

んでくる。そして、ステップ3の段階では、モダリティ（推量など）を表す助動詞に否定辞がついて can't や won't となって使われる。しかし、それらは can＋not という分析的な理解ではなく、can't という1つの語の固まりとして覚えられている可能性が高いとされる。そして、ステップ4で最終的に習得される段階になる。

　日本語の否定形の発達順序を調査した研究がある。初級・中級・上級レベルの45人の日本語学習者へのインタビュー調査（家村1999）と特定の学習者を対象とした6カ月の縦断的調査（家村2001）の結果、(12)のような発達順序が明らかになった。

(12) 日本語の否定形の発達順序

発達順序	内容	例文
ステップ1	名詞・動詞・形容詞の後に多様な否定辞が付加される。	さびしいですじゃないです 食べじゃない／静かくない 教室まで遠いくない
ステップ2	名詞・動詞・ナ形容詞の否定形は習得されるが、イ形容詞の否定形は未習得。	食べない・先生じゃない 遠いじゃない 遠いくない
ステップ3	イ形容詞の否定形が習得される。	遠くない

（家村1999, 2000a, 2001に基づく）

　ステップ1では、否定辞「じゃない」をはじめ、さまざまな否定を表す言語形式を付加する誤用が出現する。次のステップ2では、動詞、名詞、ナ形容詞は早い段階で否定形が習得されるのに対し、イ形容詞は「遠いじゃない」「遠いくない」などの誤用のバリエーションも現れ、習得が遅れる。ステップ3では、最終的に形容詞の否定形が習得される。

　このように、日本語の否定形にも学習者の習得において共通の傾向が観察され、自然な発達の順序があることがわかる。

ここで、形態素習得の研究の際には「習得順序（acquisition order）」と呼び、疑問文や否定文の研究の際には「発達順序（developmental sequence）」という表現を使っているが、この２つの表現はどう違うのだろうか。また、これ以外にも順序を表す表現があるのだろうか。この点について説明しよう。

　第二言語習得研究の分野では、順序に関する用語が複数ある。

■ 自然な順序 （natural order）
　自然な順序とは、第二言語学習者の自然な習得順序という意味であり、クラッシェンの「自然順序性仮説」に基づいた学習者すべてに共通する普遍的な習得順序を指す。

■ 習得順序 （acquisition order）
　習得順序とは、目標言語の複数の項目を取り上げ、それらがどの順番で習得されるかを示した順序である。一般的には長期的な観察によって、使用の傾向や誤用の消滅などを分析しながら習得順序を示す。短期の実験テストなどで習得順序を求める場合は、次に述べる正用順序が習得順序とみなされる。

■ 正用順序 （accuracy order）
　正用順序は、「**正答順序**」や「**正確さの順序**」とも呼ばれる。目標言語の複数の項目について、多くの学習者の使い方が正しいかどうかを調査し、正しく使われている割合を算出し、その割合の高いものから低いものへと順位をつけて、その順序を示したものである。正用の割合が高いということは、その項目が習得されやすく、おそらくその順序で習得が進むと想定され、正用順序を習得順序とみなす場合が多い。

　デュレイとバートの一連の研究やその後の形態素の習得順序の研究は、調査項目（the や ing などの文法形態素）が、使えるかどうかを引き出すことを目的とした実験テストであり、得られた正用順序を習得順序とみなしている。

■ 発達順序 （developmental sequence）

　自然な順序、習得順序、正用順序の「順序」は英語では order という表現
となっているのに対し、**発達順序**の「順序」は sequence という表現となっ
ている。これは、一続きの流れ、連鎖という意味を表している。つまり、発
達順序とは、ある1つの項目を習得する場合に、必ず通る普遍的な習得の道
筋、流れをいう。前に述べた否定文や疑問文の発達のプロセスは、この発達
順序を示している。

4.3.3 | 第一言語 (L1) と第二言語 (L2) の習得順序[注6]

　1970年代の初め、ブラウン (R. Brown) が「第一言語としての英語習得の
研究」として、異なる地域で幼児3人の言語発達の調査を行った。その結
果、3人の間には何の交流も関係もなかったにもかかわらず似たような習得
順序であったことが報告された (Brown 1973)。この研究の後、別の研究者に
よって多くの子供たちへの実験調査が行われ、正用順序が分析され、やはり
3人の幼児のケースと似た習得順序であることがわかった (de Villers and de
Villers 1973)。これらの第一言語の調査は、先のデュレイとバートの第二言
語習得研究へも大きな影響を与えた。

　デュレイとバートの研究の目的の1つは、第二言語学習者の英語の習得順
序が第一言語と類似しているのか、異なっているのかを明らかにすることで
あった。この目的を明らかにすることによって、人間に備わっている言語習
得に関する能力のメカニズムを検討できるからである。

　母語である第一言語の習得と第二言語習得のプロセスを検討する前に、こ
れらの習得の相違点について検討する。(13) は、第一言語と第二言語の習
得の違いを簡単にまとめたものである。

　この表からもわかるように、母語である第一言語の習得と第二言語の習得
にはいくつか異なる点がある。化石化 (p.29) が起こるのは第二言語習得に特
有の現象である点、最終的に目標言語の母語話者レベルまでの達成が困難と
されている点などである。

(13) 第一言語と第二言語の習得の違い

項目	第一言語	第二言語
すでに習得している言語	ない	ある
目標言語の達成度	どの学習者も達成する	目標言語の母語話者のレベルまでの達成は困難
化石化	ない	ある
言語指導や誤用訂正	ほとんどない	ある
性格や動機づけの影響	ほとんどない	ある

　目標言語の上達が困難になることに関しては、年齢も大いに関係しており、第二言語の多くの場合は臨界期を過ぎてから学習をスタートさせるため、目標言語話者のレベルまでには到達できないといわれる。**臨界期**とは、レネバーグ（E. Lenneberg）によって紹介された、ある年齢を過ぎると言語習得が難しくなる境目の時期のことで、彼はこの時期を過ぎると言語の習得が困難になるという「臨界期仮説」を唱えた（Lenneberg 1967）[注7]。臨界期仮説の背景には、言語機能を支配する脳の変化が関係しているとしているが、具体的な臨界期の年齢は7歳から13歳まで、いろいろな説がある。

　また、第一言語と第二言語の決定的な違いは第二言語学習者にはすでに身に付けた第一言語が存在することであり、この第一言語が第二言語習得に影響するのかしないのかに関する論議は極めて大きい問題である。第2章で、第二言語学習者たちには母語にかかわらず共通の誤用が出現したことから、セリンカーやコーダーが学習者特有の言語体系である中間言語の存在を主張したことを述べた。しかし、果たして母語の影響はまったくないのだろうか。

　デュレイとバートは一連の形態素の研究を行い、第一言語の習得の順序との比較を試みた結果、詳細な部分においていくつかの異なりが見られたが、

（注6）　本書では、母語である第一言語をL1 (first language)、第二言語をL2 (second language) とも表す。

（注7）　「臨界期」が第一言語習得で用いられるのに対し、第二言語習得では「敏感期 (sensitive period)」という用語を使う場合もある。Patkowski (1980) は「『臨界期』がその時期を過ぎると言語の習得が困難になるという時期を指すのに対し、『敏感期』はその時期を過ぎても第二言語の習得は可能であるが、母語話者と同程度の習得が困難になるという時期を指す」と述べている。

調査項目をグループにまとめて整理すると、(14) で示すように、第一言語と第二言語に共通の習得段階が明らかになった。

(14) **英語習得における習得順序**

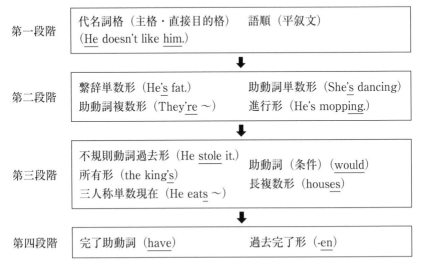

第一段階　代名詞格（主格・直接目的格）　語順（平叙文）
　　　　　（He doesn't like him.）

第二段階　繋辞単数形（He's fat.）　　　　助動詞単数形（She's dancing）
　　　　　助動詞複数形（They're 〜）　　進行形（He's mopping.）

第三段階　不規則動詞過去形（He stole it.）　助動詞（条件）（would）
　　　　　所有形（the king's）　　　　　長複数形（houses）
　　　　　三人称単数現在（He eats 〜）

第四段階　完了助動詞（have）　　　　　　過去完了形（-en）

（Dulay and Burt 1974, 1975, Ellis 1985: 56 に基づく 筆者訳）

デュレイ、バートとクラッシェンは、子供の第二言語習得でも成人の第二言語習得でも母語の違いにかかわらず同様の習得過程が得られたことから（Bailey, Madden and Krashen 1974）、第二言語習得を説明する仮説「**創造的構築仮説**（Creative Construction Hypothesis）」を提示した（Dulay, Burt and Krashen 1982）。言語の習得過程とは、第一言語でも第二言語でも、生得的なメカニズムによって、無数の言語表現を積極的に創り上げていく過程であると唱えた。彼らは、この生得的なメカニズムはチョムスキーの普遍文法で説明できると論じているが、その実体はあいまいである。

第一言語と第二言語の習得過程の問題は、その後も多くの研究が行われ、似ているという結果を報告する研究もあれば、異なっているとする報告もある。(15) は、これまでの研究の一部をまとめたものである。

(15) 第一言語と第二言語の習得に関する研究

研究者	研究の内容	L1 と L2 の習得順序
レイベム（Ravem 1968）	英語の否定	類似している
キャズデン（Cazden 1972）	英語の疑問構造	類似している
ミルトン（Milton 1974）	英語の否定	類似している
ウォード（Wode 1976）	英語の否定	一部異なっている
フェリックス（Felix 1978）	ドイツ語の文型	異なっている
ラウファ（Laufer 1990）	英語の語彙	類似している
カナギー（Kanagy 1991）	日本語の否定	類似している
家村（家村 2000b）	日本語の否定	一部異なっている

（Ellis 1985, ラーセン-フリーマン＆ロング 1995, 迫田 1998 に基づく）

　このように、多くの研究が行われているが、統一的な結果が得られていないことがわかる。日本語の習得に関しては、指示詞コ・ソ・アに関して、第一言語と第二言語の習得順序の報告がある（迫田 2001c）。指示詞コ・ソ・アというのは、「コソアド」といわれる「これ・それ・あれ・どれ」「この・その・あの・どの」「こんな・そんな・あんな・どんな」などの指示の言葉から疑問を表すド系（どれ、どの、など）を省いた指示詞全般の言葉を表す。

　指示詞コ・ソ・アは、一般的に目で見える事物を指して「それ、何？」という用法と、話の中に出てくる人や事物を指す場合がある。前者は現場指示用法と呼ばれ、後者は非現場指示用法と呼ばれる。さらに、非現場指示用法には、文脈の中に言語表現で指示対象が示されている(16)のような「文脈用法」と文脈には指示対象が明確には示されず、話し手の回想の中の対象を指す(17)のような「観念用法」とがある[注8]。

[注8]　コ・ソ・アの用法の分類については、研究者によってさまざまであるが、ここでは堀口（1990）を参考にしている。ただし、堀口の分類の非現場指示用法には、ほかにもいくつかの細かい分類がなされているが、本書では大まかに2つの用法に限っている。

（16）**文脈用法**

　　　Ａ：明日、田中先生の授業でテストがあるらしいよ。

　　　Ｂ：えっ、<u>それ</u>、ほんと？

（17）**観念用法**

　　　Ａ：君、<u>あれ</u>は片付いたかな？

　　　Ｂ：はい、できております。

　迫田（2001c）は、コ・ソ・アの非現場指示用法の習得過程を調査した結果、第一言語と第二言語の習得過程が同じとはいえないことを示している。迫田（1998）は、成人日本語学習者６人に３年間の調査を行い、習得の定義を、誤用も正用も含め、出現した時点であると仮定して分析した結果、コ・ソ・アの習得順序は（18）のとおりとなった。（「⬇」は、矢印の順番で習得が進むことを、「⬇∥」は、矢印の順番または、ほぼ同時期に習得されることを示している。）

　（18）**成人日本語学習者のコ・ソ・アの習得順序**

コ系文脈用法：（例）大学へ入る、**これ**言葉、日本語で何と言いますか？

⬇∥

ソ系文脈用法：（例）ハンサムで優しくて料理の上手な男性がいたら、私、**その人**と結婚したいなぁ。

⬇

ア系文脈用法：（例）先週食べに行ったイタリア料理のレストラン、**あの店**は安くておいしかったねぇ。

⬇

ア系観念用法：（例）えーと、**あの人**はだれだったかなぁ。

　次に、第一言語の場合の非現場指示用法の指示詞コ・ソ・アを２～４歳の幼児との対話によるデータから分析し、（19）のような習得順序を明らかにした（迫田 2001c）。

(19) 2〜4歳の日本人幼児のコ・ソ・アの習得順序

| ア・コ観念用法：(例) ママ、お腹<ruby>腹<rt>なか</rt></ruby>すいたよ、（何も指さないで）**あれ**、ちょうだい。 |

| ソ系文脈用法：(例) 1人だけお留守番でママがいないので、**そういう**わけなの。 |

| ア系文脈用法：(例) 小さいパソコンみたいなものがあるでしょ、**あれ**。 |

| コ系文脈用法：(例) ケロッ、ケロッ、（鳴き声をまねて）**これ**は1匹のカエル。 |

2つの習得順序を(20)に並べて比較してみよう。

(20) 第二言語と第一言語の非現場指示用法の習得順序の比較
　　　第二言語：コ系文脈用法≧ソ系文脈用法＞ア系文脈用法＞ア系観念用法
　　　第一言語：ア・コ系観念用法＞ソ系文脈用法≧ア系文脈用法＞コ系文脈
　　　　　　　用法

(20)を見ると、第二言語学習者に早く習得される用法（コ系文脈用法）は、第一言語を習得する子供たちには最も遅く習得される用法であり、第二言語学習者に最も遅く習得される用法（ア系観念用法）は、第一言語習得では最も早く習得される用法となっている。それぞれの用法の例を再度見てみよう。

(21) (＝(18)(19)) コ系文脈用法：

　　　　　　大学へ入る、**これ**言葉、日本語で何と言いますか？

　　　　　　　　　　　　　　　　　　　　　　　　　　　（成人学習者）

　　　　　　ケロッ、ケロッ、（鳴き声をまねて）**これ**は1匹のカエル。

　　　　　　　　　　　　　　　　　　　　　　　　　　　（日本人幼児）

(22) (＝(18)(19)) ア系観念用法：

　　　　　　えーと、**あの**人はだれだったかなぁ。　　（成人学習者）

　　　　　　ママ、お腹すいたよ、（何も指さないで）**あれ**、ちょうだい。

　　　　　　　　　　　　　　　　　　　　　　　　　　　（日本人幼児）

これらの例を見ると、第二言語学習者にとって習得の早いコ系文脈用法の場合は言葉で説明しようとしているのに対し、子供たちの習得の早いア系観念用法は、言葉で説明するのではなく、独り言的な表現であり、話し手の中にある内容を聞き手が推測しなければならない表現である。これらの違いはどこから来るのであろうか。この問題については、さまざまな要因が考えられる。

　1つには、年齢の違いがある。第二言語学習者の場合、成人に達しているが、第一言語学習者は2～4歳という幼児であるため、成人と比べると、認知面や言語面においてかなり発達の度合いが異なる[注9]。このため、成人が文脈を使って言いたいことを言語化できるのに対し、幼児の場合は文脈で表現することが困難であることが推測される。そして、幼児の言語行動の特徴である「自己中心性」のため、「自分が知っていることは相手も知っている」と考え、また、実際に母親は指示対象がほぼわかるので「あれ、ちょうだい」で済む。幼児が「丸くて、甘くて、昨日、スーパーで買ったお菓子があるでしょう、あれ、ちょうだい」と、言葉で詳しく説明するようになるのは、かなり年齢が高くなってからであろう。

　もう1つの要因を考えてみよう。それは、成人と子供それぞれの学習者が受けるインプットである。図1は、幼児と日本語学習者の対話相手（母親と教師）の発話にどの指示詞が多く使われているかを表したグラフである。「文脈コ」は文脈用法のコ系指示詞を表し、「観念ア」は観念用法のア系指示詞を表している。比較のために日本人同士の会話の場合も合わせて調査した。

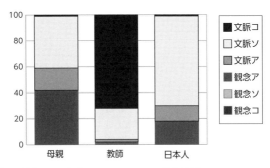

図1　母親・教師・日本人のコ・ソ・アの使用割合（迫田 2001cより）

この結果を見ると、母親の発話では半分以上がア系指示詞であり、それに対して日本語教師は半分以上がコ系の文脈用法である。さらに、一般的な日本人の会話では、指示詞の６割が文脈用法のソ系が使用されている。

　この結果から、幼児と日本語学習者のコ・ソ・アの習得順序の違いには、周囲の日本人である母親と教師の発話が影響していると推測される^(注10)。つまり、母親が観念用法のア系指示詞を使用する割合が高いことが、また日本語教師が授業で文脈用法のコ系指示詞を多用することが、幼児と日本語学習者の習得順序に影響しているのではないかと推測される。しかし、両者の違いには、先にも述べた年齢や発達の要因や周囲のインプットなどの違いも含め、さまざまな要因が複雑にかかわっていると考えられ、その要因の断定にはさらなる研究が必要であろう。

　ユーバンク（L. Eubank）たちの中間言語に関する報告書（Eubank, Selinker and Sharwood-Smith 1995）によると、第一言語と第二言語の習得過程について(23)のような記述がなされており、２つの習得が同じであるとはいえないが、その実態の解明は十分に進んでいないことが述べられている。

(23) 第一言語と第二言語の習得はまったく同じであるとはいえない。従って、以前の「第一言語習得と第二言語習得のプロセスは同じか」という問題に関しては否定的な回答である。しかしながら、両者がどのように、いつ、どんな点で異なっているのか、類似しているのかの詳細については依然として研究が行われている。

（Eubank, Selinker and Sharwood-Smith 1995: 8, 筆者訳）

　Ellis（2008:109-111）は、1970年代後半から1980年代に盛んだった第一言語と第二言語の習得の異同に関する研究の成果を評価し、部分的には同じ傾向が見られたが、同時に異なっている部分もあること、第二言語の場合、自然習得学習者は第一言語の習得との類似点が多く、教室習得学習者の場合は、

(注9) Hatch（1983）は、第一言語習得と第二言語習得の順序の違いの原因として、子供と成人の認知発達の程度の違いを挙げている。

(注10) L1とL2の習得過程の違い、およびこの調査の内容については迫田（2001c）を参照。

異なっていることを述べている。2000年代に入り、第一言語と第二言語の習得過程が同じか違うかの問題は未解決のまま、日本語教育では外国人児童の増加にともなう年少者教育やバイリンガルの研究が見られるようになった（詳細は5章を参照）。

4.4　言語転移

　第二言語習得研究の中で大きな関心を集めている問題は、学習者の母語の影響であろう。デュレイとバートの行った研究がきっかけとなって、その後、さまざまな言語話者の英語の習得順序の研究がなされたが、その結果はデュレイとバートと同じ結果を示す場合もあれば（Bailey, Madden and Krashen 1974）、違う結果が示される場合もあった。例えば、日本人の幼児と中学生の第二言語（外国語）としての英語学習の場合、「複数」と「冠詞」の順位がデュレイとバートの提示した順序と異なり、この2つの項目の習得が遅いことが報告されている（Hakuta 1974, Koike 1983, 小池ほか 1994）。そして、「複数」と「冠詞」の習得が遅いことの要因は、日本語にこれらの文法概念がないことだと考えられた。第二言語学習者に共通する習得順序が研究される中においても、研究者には母語と目標言語との違いが言語習得に影響するという**言語転移**の考えが依然として強く残っていた。

4.4.1 ｜ 言語転移の種類

　言語転移については第2章でも少し触れたが（p.29）、ここでは具体的な例を挙げ、さまざまな言語転移の種類について説明する。

①正と負の転移

　第二言語を学習する場合に、学習者の母語がプラスに影響する場合とマイナスに影響する場合があり、前者を正の転移、後者を負の転移という。実際に、日本語を教えていて、中国語などを母語とする漢字圏の学習者は、非

漢字圏の学習者に比べると日本語の上達が速いと感じる日本語教師の方も多いだろう。日本語の読み書きでは、漢字の占める割合が高いため、漢字圏の学習者の母語の漢語知識が日本語学習において正の転移となっているが、非漢字圏の学習者にとっては、慣れない形態の漢字構造の複雑さ（「待・侍」の違いなど）や漢字熟語の多さ（「学生・誕生・一生・生酒……」など）が、学習困難点となっている。

(24)～(26)に挙げる文は、どの部分に言語転移の影響があるだろうか。

（24）囚人はエロ文学を研究しています。　　　　　　　（水谷1994に基づく）

（25）私はいつも先生から宿題をたくさんもらいます。　（中級・英語話者）

（26）わたしはを見ますアメリカのえいが。　　　　　　（初級・英語話者）

（24）の文は「主人は、江戸文学を研究しています」と言ったつもりが、「シュジン」が第1章の韓国人話者と同様、長音になって「シュージン」となり、語中のダ行音がラ行音になり、「エド」が「エロ」となった例である。音声・音韻は、比較的言語転移が起こりやすく、「住所」と「重症」、「叔母さん」と「お婆さん」など、意味のとり違いが起こりやすい。(25)や(26)は、英語話者が英語での表現（I receive lots of homework from my teacher. や I watch American movies.）を日本語に直訳してしまって、おかしな文となっていると思われる。(25)の場合、日本人なら「いつも宿題がたくさんあります」または、「先生がいつも宿題をたくさん出します」という文が自然であろう。また、(26)は、単語（「アメリカのえいが」）を与えて日本文を作る練習の回答例であるが、英語の語順になっている。

②回避

　回避（avoidance）とは、第一言語と第二言語の、ある言語項目の構造や使い方に違いがある場合（例えば、日本語には複数や単数を表すルールがないのに対し、英語ではそれがあり、冠詞や 's' をつけなければならないなど）、第二言語を使用する際にその違いのある項目を使用しないという現象である。これは、意識的に行われる場合と発達過程において自然に出てくる

場合とがあり、日本語教育では「非用」という表現でも知られている（水谷1985）。

　フランス語には女性名詞か男性名詞かを区別する単数の冠詞（女性ならune, la、男性なら un, le）が必要である。フランス語を習っていた日本人の知人は、男性名詞か女性名詞かが覚えられなくて、フランスに行った際には、複数の定冠詞（女性名詞も男性名詞も les）を使ったそうだ。これは、ある意味では、目標言語のある項目が習得できないために une、la と un、le の使用を回避したといえる。

　シャクター（J. Schachter）が行った関係節の研究は、回避の実体を明らかにしている（Schachter 1974）。日本語や中国語には関係代名詞などがないので、日本人や中国人が英語を学習する場合、関係節の学習が困難であると推測される。関係節の文とは(27)に示すような文であり、関係代名詞はこの場合that である。

　(27) Sometimes it is the smallest things in life <u>that</u> bring the greatest pleasure.（しばしば最も大きな喜びを運んでくるのは、日々の生活の最もささいな事柄です。）

　シャクターは、ペルシャ語・アラビア語・中国語・日本語を母語とする大学生の英語学習者に英語の自由作文を書かせ、関係節の正用数、誤用数、全体の使用数、誤用率（誤用数÷全体数）を調べた。結果は、(28)のとおりである。(28)の誤用率だけを見ると、ペルシャ語とアラビア語話者のほうが誤用率が高く、中国語や日本語話者は誤用率が低いので関係節の学習は困難であるとはいえない。つまり、母語に関係代名詞があるかないかという違いは、英語学習には影響がないかのように思われる。しかし、全体の使用数を比べてみると、その数値に大きな違いが見られ、中国語と日本語話者はペルシャ語やアラビア語話者に比べると使用数が格段に少ないことがわかる。つまり、自信がある場合だけ関係節を使い、その他の場合には使用を回避したために、誤用が少なくなっていたのだと考えられる。

(28) 母語別の関係節の使用数と誤用率

学習者の母語	正用数	誤用数	全体数	誤用率（%）
ペルシャ語	131	43	174	25
アラビア語	123	31	154	20
中国語	67	9	76	12
日本語	58	5	63	8
英語（母語話者）	173	0	173	－

（Schachter 1974: 209 に基づく 筆者訳）

③過剰生成

　過剰生成とは、回避と反対に母語と目標言語の、ある学習項目に類似点が見られた場合、その項目を過剰に使用してしまうことをいう。次の(29)は、「日本の衣食住」というテーマで中級レベルの学習者が書いた日本語の作文の一部である。どこの国の学生かわかるだろうか。

(29) 日本語学習者の作文例

　　　　　　日本の衣、食、住
　日本の衣といえば、様様な洋服を頭の中に浮かんできた。なぜならば、今日の日本では、特に若者同志の中で、洋服を着る人が多いからである。洋服の種類や値段は単一だけではなく、多品種と多価格になってる。洋服の種類は普通の服から、高級品すなわち、世界の有名なデザイナが設計されたものまでそろってる。その点で見ると、日本は服の世界といわれると当たり前でしょう。一方

「単一」「多品種」「多価格」「設計」などという漢語表現から、中国語話者であることがわかるだろう。このように、漢字圏の学習者は日本語の使用の際に、漢語を多く使う傾向があり、(30)(31)の例のように漢語の不適切な使用が観察されることも多い。

(30)　授業中のメールが<u>教室秩序</u>の妨げになる。(大塚・林 2010: 58 下線ママ)
(31)　携帯電話を遊ぶことを許すのは<u>金銭の行為</u>を<u>浪費</u>するのだ。(同上: 60)

④停滞化現象

　学習者の普遍的な発達順序において、その中のある段階が他の国の学習者に比べて長く現れ、場合によっては停滞化しやすい傾向を示す。長期にわたって停滞し、進歩が見られない場合には、化石化と呼ばれる。英語の否定の習得順序にはある一定の共通の発達順序(ステップ1～4)が存在することは先に述べた(p.71)。この発達順序において、スペイン語話者には他の言語話者に比べると「I no can swim.」のような否定の誤用が多く現れ、ステップ2の段階が長いことが報告されている(Schumann 1979, Zobl 1980)。

　日本語学習者にも、次のような指示詞の誤用が初級レベルから中級レベルにかけてよく出現する。[　]内は筆者補足。

(32)　Cy：[高校の友達が] 薬をたくさん飲んで死にました。
　　　NS：[大学受験で] 落ちたから？
　　　Cy：<u>これ</u>（→そう）じゃなくて、勉強がたいへんですから。

(初級・韓国語話者)

　このようなコ系の誤用は、習得が進んでくると韓国語話者や英語話者の場合、自然に消滅していくのに対し、中国語話者には依然として(33)のような誤用が見られ、上級レベルに近くなってもなかなか消滅しないで化石化する傾向が見られる[注11]。

(33)　NS：日本のお見合いはレストランでご飯を食べながらするのよ。

Ry：中国でも**これ**（→それ）はありますよ。

（中級・中国語話者）

4.4.2 | 母語以外からの言語転移

　言語転移という場合、多くは第一言語つまり学習者の母語からの転移であるが、1つ目の外国語が2つ目の外国語を学習するときに影響する場合もある。

　あるフランス人がタイ語を覚えはじめたころ、フランス語で考えれば間違えないですむ形容詞の使い方を英語で考えたためによく間違えたという話を聞いたことがある。フランス語もタイ語も形容詞は後ろから名詞を修飾する。フランス語で「白い馬」は「cheval（馬）blanc（白い）」、タイ語では「ม้า（馬）ขาว（白い）」なので、フランス人がタイ語の形容詞の名詞修飾を、母語と同様に考えれば誤用とならない。しかし、実際は、フランス人の第一外国語である英語の「white（白い）horse（馬）」の語順の影響を受け、「ขาว（白い）ม้า（馬）」と言ってしまうという。

　また、母語が目標言語に転移するのではなく、反対に目標言語が母語に転移する場合もある。日本人は話す場合に「そうですねぇ」「そうそう」などとよく相づちをうつ。これは会話をスムーズに行うための潤滑油のようなもので、聞き手に対して「聞いていますよ」というサインを送っているのだといわれている（堀口 1997）。この相づちの使用に慣れたアメリカ人が久しぶりに故国アメリカに帰って観光地に行き、見学ツアーに参加した際、引率者の説明一つひとつに "That's right." "Yes!" と反応したために、引率者が気分を害したという話題が日本語のテキストに取り上げられている（三浦・坂本 1997）。目標言語の言語行動が母語に転移する例である。このように転移は必ずしも母語から目標言語に向かってだけ起こるのではなく、第一外国語から第二外国語へ、目標言語から母語へも起きる。そのため、最近では「母語からの言語転移」とは呼ばずに「異言語間影響（cross-linguistic influence）」と呼ぶ場合もある（Kellerman and Sharwood-Smith 1986, Odlin 1989）。

(注11) 迫田（1997a）では、中国語話者・韓国語話者・英語話者・日本語母語話者各20人を対象として実験調査を行い、中国語話者にコ系指示詞の誤用が多く現れることを検証した。

4.4.3 心理的な言語転移

　言語学には「**有標**（marked）」と「**無標**（unmarked）」という考え方がある。形がより多く使われる項目、言い換えれば、直感的に普通と考える項目のことを「無標」あるいは「**有標性**が低い」という。例えば、「行く」と「行かない」では、「行く」のほうがより一般的であり、「ない」という特別なマーカー（標識）を持たないので、「無標」「有標性が低い」といえる。また、「長い」と「短い」では、「どのぐらい長くかかる？」とはいえるが、「＊どのぐらい短くかかる？」とは言わないことから、「長い」のほうが「無標」あるいは「有標性が低い」といえる。この考え方を用いて言語転移を説明した研究者がいる。

　ケラーマン（E. Kellerman）は、学習の困難度を学習者の心理的な有標性の面からとらえ、学習者が自分の母語と第二言語の距離をどう感じているかを心理的類型論（psychotypology）と呼び、それが習得に影響を与えると主張した（Kellerman 1978, 1979）。つまり、学習者が母語と目標言語の2つの言語が似ている（心理的に無標）と感じれば感じるほど、学習者は母語の知識に頼り、母語からの言語転移を生んでしまい、逆に似ていない（心理的に有標）と感じれば、母語を利用しないという考え方である。

　例えば、フィンランド語とスウェーデン語のバイリンガルの学習者が英語を学習したケースでスウェーデン語の影響が見られたという報告がある（Ringbom 1987）。フィンランド語は英語との違いが大きく、スウェーデン語は英語との違いがあまり大きくない。そこで学習者はスウェーデン語のほうがフィンランド語より英語に似ている、つまり心理的に無標と考えるため、スウェーデン語の転移が起きやすくなったと考えられる。

　中国人や韓国人の日本語学習者は、聞き取りにおいても漢語の知識を過剰に日本語に転移する傾向がある。漢語は日本語学習において、発音は多少違うが意味の上ではあまり差がないので、正の言語転移として習得を促進する場合もあるが、逆にマイナスに影響することも報告されている（呉 1999）[注12]。台湾の日本語学習者は日本語の単語を聞いたときに、発音が似た日本語とは意味の違う中国語の漢語熟語を連想するために、正しい日本語の単語を認識

できない場合があるという。調査では「引用」という日本語を聞くと、その発音から「いんよう」→「インヨン」→「応用」を連想してしまい、日本語の元の語である「引用」に結び付かなかった。この結果は、心理的に中国語の漢語と日本語の漢語が似ていることに頼り、違いに気付かないで使用してしまうことに起因しているといえる。

　また、ケラーマンは基本的な意味を持つ語のほうが派生した意味を持つ語よりも先に転移されることを唱えた。日本人の英語学習者の例を考えてみよう。例えば「頭が痛い（頭痛がすること）」と「頭にくる」という表現を英語で言う場合、どちらも「頭」が使われているが、「頭が痛い」のほうがより基本的な意味に近いので、心理的に無標となり、転移が起きやすくなる。そして、"I have a headache." よりも "＊My head is painful." としてしまう可能性がある。それに対して、「頭にくる」を英語で表現しようとするとき、"head" を使うことはあまり考えないであろう。なぜなら、「頭にくる」（"get mad"）は、基本的な意味とはとらえられず、心理的に有標であると感じられるからである。このように、ケラーマンは学習者がその項目を有標ととらえるか無標ととらえるかという**心理言語的有標性**、つまり心理的に目標言語に近いと感じるか遠いと感じるかによって起きる母語の言語転移を説明した（Kellerman 1978, 1979）。

　学習者が実際にこのように感じているのかどうか、個々の事象について検証することはできないが、第二言語学習者に観察される誤用の解釈として、ケラーマンの心理言語的有標性の理論も可能な考え方の１つであろう。

4.4.4 | 言語転移の判定

　言語転移に関しては、現在でもなお研究が続けられており、その実体は未解決のままである。普遍文法理論において、第二言語習得にも普遍文法が作

(注12) 負の転移は、中国語と日本語で発音か意味のいずれかにズレがある場合に起こりやすく、意味は同じだが発音が違う例としては「繁栄」（日本語「ハンエイ」、中国語「ファンロン」と読む）があり、発音は似ているが意味が違う例としては「ダ(ァ)サン」（日本語「打算＝損得を見積もること」、中国語「打散＝バラバラにすること」）がある（呉1999）。

用するのか、それとも第二言語のパラメータの原理が作用するのかは、母語の転移にかかわる問題である (p.37)。また、目標言語の理解をコンペティション・モデルによって実験調査する研究もあるが (Bates and MacWhinney 1981, Sasaki 1991)、これも母語の転移にかかわる研究であり、コネクショニスト・アプローチから母語転移を説明している研究もある (Shirai 1992、本書 p.52)。

　このように、言語転移の問題はさまざまな形で習得研究の重要課題であるといえる。言語転移の実体がなかなか解明できない背景には、その現象に対して母語の言語転移であるという判定が困難であることが挙げられる。日本の習得研究の初期においては、対照分析研究が主流であったため、ある１つの言語話者のデータを分析したり、アンケート調査を行ったりして誤用が現れた段階で、その誤用を母語の影響だと結論づける研究が多かった。例えば、指示詞コ・ソ・アの使い方では、英語話者には (34) や (35) のようなソ系を使うべき場合にア系の指示詞を使う誤用が多く出現していた。

(34) NS：経済学の先生は何という先生？
　　 Ln：**あれ**（→それ）は、ちょっと忘れました。

（中級・英語話者）

(35) 大学に日本人の先生がいます。**あの**（→その）先生は覚えるの宿題をもらいます。（＝暗誦の宿題を出します）

（中級・英語話者）

　このようなソとアの使い方の誤用は、英語には this と that の２つの指示詞体系しか存在しないために、that の領域をソとアで混同しているとして母語の影響ではないかと考えられる (新村 1992)。ところが、韓国語話者の調査でも同様にソとアの混同の誤用が多く観察され、日本語と韓国語の指示詞の違いが影響しているという母語からの転移の可能性が述べられている（申1985）。

　しかし、母語からの言語転移であると判定するには、調査対象の学習者が１カ国だけでは難しい。日本語の習得研究でも、母語の影響を扱った研究を見ると、１カ国の母語話者だけを対象にした研究の 83％が母語からの影響

であろうと考察しているのに対し、2カ国や3カ国の母語話者を対象にした
研究では、母語からの影響であるとする割合が46％となっており、調査対
象者の母語が複数になると母語からの影響であると判定する割合が低くなっ
ている（奥野 2000）。このように、母語からの言語転移を判定することは困難
であるといえる。

　母語の影響の現れ方は、調査項目が文法なのか、語用論的な事柄なのか、
音声なのかにより、また調査対象者の学習レベルや調査方法によっても異
なっていると思われる。

　母語転移の調査・研究に関しては、調査項目が母語とどのように違うのか、
その他の言語ではどうなのかという点を詳細に明らかにした上で、より多く
の言語母語話者を対象にして、慎重に行うことが必要であろう。

　(36) は、第二言語としての日本語の習得に関して、母語の影響について
言及している研究をまとめたものである。

(36) 学習者の母語の影響に関する研究

研究者	調査対象	目的・方法	結果
迫田 (1998)	中級レベルの韓国語母語話者20人、中国語母語話者20人、日本語母語話者20人	学習困難な指示詞「ソ」と「ア」の使い分けについて、6肢選択の空欄補充テストによって調査した。	【母語の影響といえない】 母語の違いにかかわらず学習者は名詞を修飾する場合に「ソ」とすべきところに「ア」を選択する。
楊 (2001)	日本語母語話者と上級レベル以上の中国語母語話者10組	電話会話（5分以上）による相づちの使用頻度と機能分類を行った。	【母語の影響あり】 中国語母語話者は、日本語母語話者と比べ、感情を相手と共有する「感情表出」の相づちが少ないことがわかった。
奥野 (2003)	中国・韓国語・英語を母語とする上級日本語学習者各10人	文法性判断テストによって「の」の過剰使用に対する言語転移の可能性を探った。	【母語の影響あり】 中国語母語話者は韓国語母語話者に比べ「明日観る*の*映画」などの「の」の過剰使用が多く、言語転移の可能性が高い。

菅谷 (2004)	中上級レベルの独語母語話者17人、露語母語話者16人、ブルガリア語母語話者2人、英語母語話者26人。日本語母語話者21人	L1の進行形の有無が「テイル」の習得にどう影響するか、また、その理由を明らかにするために、文法テストを行った。	【母語の影響といえない】L1に進行形があるかどうかによる差は観察されず、「動作の持続」が「結果の状態」よりも習得が容易であった。
ワンウイモン (2004)	タイ人日本語学習者20人 日本人タイ語学習者20人	「提案に対する断り」表現に語用論的転移があるかどうかを調べるために談話完成テストを行った。	【母語の影響あり】タイ人日本語学習者は親疎関係で2つのパターンを、日本人は親疎より上下と家族関係を重視し、4つのパターンを使い分けている。
服部 (2008)	中級から上級の中国人日本語学習者22人、日本人大学生24人	ビジネス場面における終結部分のやりとりを明らかにするため、電話を使用したロールプレイを行った。	【母語の影響あり】中国人日本語学習者は「前段終結」のやりとりを何度か繰り返した後に終結するケースが多い。
福田・稲垣 (2013)	上級レベルの中国語母語話者11人、他言語母語話者11人、日本語母語話者11人。	「タメニ・ヨウニ」の習得状況を明らかにするため、25問の4肢選択の文法性判断テストを行った。	【母語の影響あり】両群ともタメニを過度に容認する場合が多かったが、中国語母語話者はヨウニを容認せず、タメニのみを容認する誤用が多かった。
迫田・蘇・張 (2017)	I-JAS (p.192) を利用し、西・仏・英・中の海外の日本語学習者計90人のロールプレイを母語話者15人と比較した。	「依頼」のロールプレイの依頼表現を対象とし、中国語母語話者に見られる「念押し表現」（「〜たいです。いいですか」のように最後に念押しする言い方）が他の言語母語話者にも観察されるかどうかを調査した。	【母語の影響あり】「念押し表現」が西・仏・英の言語母語話者よりも中国語母語話者に多く見られた。
劉 (2018)	上級レベルの中国語母語話者26人、日本語母語話者26人、韓国語母語話者30人の作文データ	既存コーパスを用い、中国語母語話者の「名詞＋動詞」コロケーションの使用実態を日本語母語話者、韓国語母語話者の使用と比較した。	【母語の影響あり】中国語母語話者の判断により母語の影響と判断された誤用が30例（全体の25％）だった。使用文脈が異なるコロケーションは、母語の影響をうけやすい。
Chauhan, A. (2018)	成績下位〜上位群128人のヒンディー語母語話者の書記資料273編	書記資料における「対のある自他動詞」の誤用傾向を分析し、習得段階と誤用の要因を探った。	【母語の影響あり】「語彙選択」→「格助詞選択」→「文法的に意味が通じる文の作成」の習得段階。誤用の原因に自動詞を好むヒンディー語の影響がある。

4.4.5 | 言語転移の特徴的な傾向

　言語転移に関して、これまでの先行研究で明らかになったものの中から、3点を挙げる（Odlin 1989, Larsen-Freeman and Long 1991, 山岡 1997）。

①負の転移は、中・上級レベルに比べて初級レベルの学習者に多く見られる。

　一般的に、負の転移、つまり母語の影響が誤用を引き起こす場合の転移は、中級や上級レベルに比べると初級レベルの学習者に多く見られる（ラーセン−フリーマン＆ロング 1995）。これは、初級レベルの場合、目標言語の知識が少なく、それを補う方法として母語の知識を借りるというストラテジーが使われるからである。誤用の重要性を説いたコーダーは、このことを借用（borrowing）と呼び、母語からの転移も学習者の重要なストラテジーの1つであると主張している（Corder 1983）。

②母語と目標言語の言語的な距離は転移の1要因となる。

　母語と目標言語間の距離が大きいか小さいか（異なっているか類似しているか）は習得に影響を与え、類似していることが正の転移としてプラスに働く場合がある（Odlin 1989）。漢字圏の学習者が非漢字圏の学習者に比べると日本語の習得が容易であるといわれるのは、漢字の既有知識がプラスの転移として働くからであると考えられる。

③転移は音声・語彙・文法形態素など広い範囲で観察され、転移しやすい領域とそうでない領域がある。

　転移は音声・語彙だけでなく、文法形態素の習得にも生じるが、一般的に音声や語彙は文法形態素に比べると転移しやすいという報告があるように（Takahashi 1984, Ioup and Weinberger 1987, 田中・阿部 1989, 水野 2000）、転移しやすい領域とそうでない領域がある。

　（37）ジェンジェン、知りませんでした。ありがとうゴジャイマシタ。

　（38）アヤシさんの家、イロイですね。

（39）トシシャタイガクは、デキシとテントウ、あります。

　上記の表現から、ある程度学習者の国籍がわかるはずである。（37）は「ざ」「ぜ」「ぞ」が「じゃ」「じぇ」「じょ」になりやすいという特徴の韓国語話者の発話である。（38）は本来ならば「林（Hayashi）さんの家、広い（hiroi）ですね」となるところを「h」の音が無声化してしまうフランス語話者の場合である。（39）は、「同志社大学は、歴史と伝統があります」となるべきであろうが、中国語話者に起こりやすい音声の誤用である。上記以外の例でも、「つき」の「つ」が言いにくく、「すき」や「ちゅき」になったり、「ja」をスペイン語話者などでは「ヤ」と発音するので「山→jama」と覚えていたため、「ジャマに登ります」と発音したりする場合(注13)なども挙げられる。

　このような音声・音韻の誤用は、長年母語を話すことで口内の筋肉の特定部分だけ使われていたため、目標言語の発音のために今まで使っていなかった筋肉を使おうとしてもなかなか活性化できず、長年使用している筋肉で代用してしまうために起きるといわれている（Ioup and Weinberger 1987）。

　語彙などにも転移が起きやすい。（40）はどこの国の学習者だろうか。

（40）夜にゴキブリは台所に入ります。（中略）ゴキブリのホテルを買いました。<u>３日だけ後で</u>（→３日たっただけで）、もういっぱいでしたから、新しいホテルを買うつもりです。

　中級レベルのアメリカ人女性の作文の一部である。「３日だけ後で」は「only three days later」の訳で「only three days（３日だけ）＋ later（後で）」と考えたことが推測される。この例以外にも、彼女は「今、<u>桜花</u>を楽しみます。」→「I enjoy cherry blossoms.」などの誤用を生み、母語で考えている可能性が高いことがわかる。

　母語の転移にはまだ謎が多く、どんな項目がいつごろ転移するのか、どの程度転移するのか……など個々の疑問に明確な回答を得ることは難しい。しかし、これは言語研究においても教育研究においても重要な問題である。

4.5 外国語習得と第二言語習得

　本書では原則的に第二言語習得という場合には、外国語と第二言語を区別していない。一般的に第二言語習得では、母語以外の言語の習得を指すので、その場合には外国語として学習する場合も含まれる。しかし、場合によっては外国語と第二言語を区別する、**JFL** や **JSL**、あるいは EFL や ESL という場合がある。JFL とは Japanese as a Foreign Language の略称で、外国語としての日本語、JSL とは Japanese as a Second Language の略称で第二言語としての日本語である。EFL と ESL も同様に English as a Foreign Language と English as a Second Language を指す。外国語としての日本語（JFL）と第二言語としての日本語（JSL）との違いは、前者が日本での短期滞在や海外で授業科目や語学教育の１つとして学習される日本語であるのに対し、後者は主に定住型の外国人が、日本で生活するために学習している日本語を指す。つまり、多くの場合、JFL 学習者は自国で日本語を学んでおり、JSL 学習者は日本で学んでおり[注14]、学習環境が異なるといえる。

4.5.1 ｜ JFLとJSLの習得の違い

　この２つのタイプの学習の違いが第二言語習得にどのように影響を与えるかという問題がある。この問題に関して、日本語習得ではいくつかの研究があるが、学習タイプによる違いが見られた場合とそうでない場合がある。

　アメリカで日本語を学んだ学習者を対象として、絵を見て文を生成するテスト結果を分析した研究によると、JFL と JSL の学習者で違いが見られなかった項目は授受表現（やり・もらい表現）と複文で、違いが見られた項目は「〜てしまう」であった（田中 1997）。また、ほかの研究者の報告も含めてこれまでの研究の一部を (41) にまとめる。

(注13) ハイパーコレクション（過剰修正）の一種。「山→ jama」と覚えていたが、日本語では [ja] を「や」と発音すると誤用になると考え、日本語式に「じゃ」と読んでしまい誤用になったケース。

(注14) 海外在住でも、日系企業などの日本人社会において、仕事や生活の手段として学習する場合は、JSL に含まれる。

(41) JFLとJSLの学習者を扱った日本語の習得研究

研究者	調査対象	目的・方法	結果
李 (2004)	20〜30代の日本語母語話者(JJ)40人、韓国語母語話者(KK)40人、韓国語母語話者のJSL学習者40人、JFL学習者40人	15場面から成る談話完成テストを用いて、母語の違い、JSLとJFLの環境の違いによる不満表明のストラテジーの使用傾向を調べた。	【違いあり】 JFLのほうがJSLに比べ、よりFT度（不満を表明する度合い）の高いストラテジーを用いていることから、学習環境が学習者の不満表明ストラテジーの選択に影響を与えていると指摘。
尹 (2006)	韓国の大学のJFL学習者177人 日本国内の日本語学校のJSL学習者61人 日本語母語話者50人	授受補助動詞の習得と「てくれる」「てもらう」の選択に、日本語能力、および学習環境が影響を与えるかどうかを調べるために絵描写の文産出テストを行った。	【違いあり】 「てあげる」の習得はJSL学習者のほうがJFL学習者より進んでおり、「てくれる」「てもらう」の選択傾向は、JSL学習者とJFL学習者で異なっていた。
澤邉・安井 (2008)	韓国国内のJFLの韓国人学習者(KJK)80人 日本国内の日本語学校や日本の大学で学ぶJSLの韓国人学習者（JJK）60人	日本語と韓国語でズレのある漢語動詞の習得の困難点を学習歴と環境の違いから明らかにするために、韓国語に対応する日本語訳を選ぶ質問紙調査を実施した。	【一部違いなし・一部あり】 学習歴2年未満の場合は、JFL学習者もJSL学習者も困難点は同じであるが、学習歴2年以上のJSL学習者の場合は、JFL学習者や2年未満のJSL学習者に比べて正答率が高くなっており、学習歴と環境の影響が見られた。
迫田・細井 (2018)	I-JAS(p.192)を利用。 JFL（4言語）80人 JSL（自然）20人 JSL（教室）20人 母語話者15人	「依頼」のロールプレイのデータから環境の異なる学習者の発話を抽出し、母語話者が多用する「中途終了文」の使用を環境別に分析した。	【違いあり】 母語話者なら「ご相談があるんですが……」などの中途終了文を多用するが、学習者は少ない。しかし、JSLはJFLよりも使用割合が高く、JSLでは教室環境学習者よりも自然環境学習者のほうが母語話者に近い傾向が見られた。

JFL と JSL の習得に違いがあるかどうかの研究は、とりもなおさず目標言語の国、つまり日本で勉強することが習得にどのように影響を与えるかの研究であることが多い。その意味で、上記の結果は言語形式だけでなく、言語行動や考え方などにも影響を与えることを示している。

　指示詞コ・ソ・アの使い方について、韓国で勉強している学生（JFL学習者）と日本で勉強している学生（初級・中級・上級レベルのJSL学習者）を調査した。結果を見ると、日本で勉強している中級レベル学習者に多く見られる(42)のようなア系文脈用法の誤用は、韓国で学習している初級・中級レベルの学習者にはあまり見られなかった（宋・迫田 2004）。

(42) ア系文脈用法の誤用
　　　［ドラマ内容の説明で］…（中略）また、女の主人公が一人出てきます。と、**あの**（→その）人、うーん、**あの**（→その）人、め、モデルをして……
　　　　　　　　　　　　　　　　　　　（KY 中級中 KIM 05・韓国語話者）

　指示詞の習得に関しては、**4.3.3** で習得順序を示したが(p.79)、その順序と比較すると、韓国での学習者にはソ系文脈用法の使用の時期が極めて長く現れており、ア系文脈用法やア系観念用法の出現が遅れている可能性が考えられる。

　ア系文脈用法やア系観念用法は(43)や(44)のように、聞き手と話し手が共有する知識や経験を前提とする指示対象を指す用法である。

(43) ア系文脈用法　ＡとＢが共に「山田先生」を知っている場合
　　　Ａ：今日、電車で山田先生に会ったよ。
　　　Ｂ：**あの**先生、いつもは車なのにどうしたのかなぁ。

(44) ア系観念用法
　　　　広島といえば、**あれ**ですよね。お好み焼きがおいしいですよね。

JSL学習者にア系文脈用法やア系観念用法が早く出現するという上記の結果は、日本に滞在していることによって多くの友人や知人との共有知識や経験が蓄えられ、ア系指示詞のインプットも多くなることに起因するのではないかと考えられるが、この問題に関しては、さらなる研究が必要である。

しかしこのことから、目標言語圏で学習しているのか、自国で学習しているのかという環境の違いは習得項目だけでなく、習得の順序や速度にも影響を与える可能性があることが推測される。

4.5.2 | 媒介言語とティーチャー・トーク

JFL と JSL による環境の違いの問題には、目標言語圏のインプットがどう作用するのかという問題に加えてさらに、媒介言語がどう作用するのかという問題も含まれる。というのも、JFL では、必ずしも日本人母語話者が教えているわけではなく、外国人教師が教えている場合が多いからである。つまり、環境のインプットの違いだけでなく、媒介語を使うか使わないかも習得に影響を与える要因として考えなければならない。

媒介言語の使用については、賛否両論あり、その使用について是か非かの断定的な結論を述べることはできない。1つの教室にさまざまな言語を話す学習者がいて、共通の言語がない JSL の環境では、媒介言語の使用は困難であるが、JFL の場合には多くの学習者を効率的に教えるためには媒介言語を使用することが考えられる。

台湾での日本語教育を調査した結果、台湾人の日本語教師は教室で媒介語として中国語を使用している割合が高く、主に「文法の説明」「授業の雰囲気を和らげるための冗談」などの場面で使用するという報告がある（顔2000）。また、外国における日本語母語話者の日本語教師も、できるだけ日本語のインプットを与えるように日本語で話すことが期待されているが、現地の授業の雰囲気づくりや学習者に親近感を感じてもらうために、学習者の母語である媒介語の効果的な使用を考えることも必要であろう。

4.3.3 の第一言語と第二言語の習得で、成人の第二言語学習者に影響を与

える要因として教師の発話について触れた（p.81）。教師の発話を専門用語ではティーチャー・トーク（teacher talk）という。JSLの場合、初期の段階で長く触れる目標言語は、多くの場合、このティーチャー・トークであるといえる。ティーチャー・トークとは、「これは、とけい、です」「いま、なんじ、ですか？（上昇イントネーション）」のように、学習者のレベルに対応して1語1語はっきり発音したり、語単位でポーズを入れてゆっくり話したり、語彙をやさしい単語に変えたりする話し方をいう。ティーチャー・トークと同じような話し方としてフォリナー・トーク（foreigner talk）がある。フォリナー・トークとは、母語話者が学習者と話すときに見られる簡略化した話し方で、(45)のような特徴がある（志村 1989）。

(45) 1. 質・量ともに単純化される（短い文が多く、複雑な文が少ない）。
　　 2. 文法的に誤った文や未完成の文（中途終了文など）が少ない。
　　 3. 日本語の基本文型（主語・X・述語から構成される文型）が多く使われる。
　　 4. 平常文（平叙文）より疑問文が多い。
　　 5. 助詞が省略されない。
　　 6. 談話レベルの修正（発話を繰り返したり、キーワードを強調したりするなど）が量的に多い。

（志村 1989: 204,（　　）筆者補足）

　ティーチャー・トークにはフォリナー・トークに似たような特徴もあるが、加えて教室場面という特殊な環境のために、(46)のように教室外で使用すると不自然な文が見られる。

(46) 教　師：うん？　明治神宮は東京。
　　 学習者：今、天皇が住んでいるところ。
　　 教　師：「**住んでいる**」じゃなくて、……（中略）

（野中 1998）

このような「『住んでいる』じゃない」というようなティーチャー・トークが日本語学習者の否定表現の誤用「むずかしいじゃない」「食べるじゃない」などに影響を与えている可能性を指摘している研究者（Kanagy 1991, 家村 2000a）もおり、ティーチャー・トークやフォリナー・トークが習得にどのように影響を与えるのかについてもさらなる研究が必要であろう。

4.6　学習環境の違いと第二言語習得

4.6.1 ｜ 教室指導環境と自然習得環境

4.5で学習環境が主に目標言語圏かその他の国かの違いによる習得への影響について述べたが、目標言語圏の中においても学習環境の違いがある。それは、学校に通って学習する場合（**教室指導環境**）と学校に通わずに自然環境の下で習得する場合（**自然習得環境**）である。クラッシェンは、自然に習得した場合は運用に結び付くが、学校で意識的に学習した場合は運用に結び付かないとする「ノン・インターフェイスの立場」を主張した（p.42）。これ以後、学習環境に関する議論は沸騰し、多くの研究が行われている（Schumann 1978, Schmidt 1983, Lightbown, Spada and Wallace 1980, Pica 1983, Ellis 1984, 1992, Batstone 2002, Lardiere 2007）。

アメリカの研究者が、英語の習得に関してスペイン語母語話者の英語学習者を対象として行った研究がある（Pica 1983）。彼女は、メキシコの学校で英語を勉強しているグループ6人と、アメリカで学校に通わずに自然な環境で習得しているグループ6人と、両者をミックスした環境、つまりアメリカの学校で勉強しているグループ6人の3種類の環境での習得状況を調査した。その結果、（47）のように、教室指導を受ける学習者は形態素の使用に注目する傾向があるのに対し、自然環境では意味に注意が向けられる傾向があった。

（47）　3種類の環境における習得の違い

教室環境	自然環境	ミックス環境
I don't understanding 〜 のように ing や -ed を過剰に使用する傾向が強い。	two book や many town のように統語的な規則を適用しないで省略する傾向が強い。	低い成績の学習者は自然環境に近く、高い成績の学習者は教室環境に近い傾向を示した。

（Pica 1983 に基づく）

　日本語でも教室指導と自然環境の違いについて、日本語学校の学習者と日本人の妻として家庭に入っているフィリピン人（いずれも中級レベルの口頭能力を有する）との調査がある（森本 1998）。その結果、（48）のような相違点が見られた。

（48）教室環境と家庭環境における習得状況

教室環境中心の中級レベル学習者	家庭環境中心の中級レベル学習者
・平均学習歴　約1年半	・平均滞日歴　約6年8カ月
・デス・マスの単文が多い。	・接続詞を使った複文が多い。
・終助詞はあまり使用しない。	・終助詞ネ・ヨを多用する。
例：学校へ行きました。	例：学校、行ってネ、見たヨ。

（森本 1998 に基づく）

　第二言語としての日本語の習得研究では、これまで自然環境で習得している学習者を対象とした研究は多くない。（49）にいくつかの研究をまとめる。

(49) 自然環境における習得研究

研究者	調査対象[注15]	目的・方法	結果
横瀬 (2001)	主に教室環境学習者8人 主に自然環境学習者7人	「理由」「継起」「条件」の機能を表す形式について、インタビューで調査した。	「から・ので・だから・そして」などの使い方に共通点、相違点が見られた。
吉本 (2001)	定住ベトナム難民20人（定住年数2年〜10年）	定住難民の相づちの特徴・問題点を探るために、面接形式での対話データから相づちの頻度・表現形式・機能・出現状況を分析した。	6パターンの相づちの出現状況が見られた。また、定住年数の長い被験者のほうが、相づちを用いて多様な談話展開を行っていることがわかった。
菅谷 (2003)	教室習得中心のテルグ語母語話者1人 自然習得中心のロシア語母語話者1人	「テイル」の習得過程を明らかにするために、「動作の持続」と「結果の状態」のテイルの使用状況をインタビュー発話によって縦断的に調査した。	教室習得中心のテルグ語母語話者は、全体にテイルの使用が少なかったが、自然習得中心のロシア語母語話者は、「動作の持続」と「結果の状態」をさまざまな動詞で用いており、正用率も高かった。
大関 (2004)	①5人のフィリピン人自然習得者 ②3人の教室習得中心（1人は自然習得から教室学習へ）学習者 ③KYコーパス（90人）	形容詞修飾と連体修飾節習得に連続性があるという観点で、連体修飾節を形容詞との類似の度合いで分類する枠組み（「属性・状態」「習慣」「進行」「過去または未来の出来事・状態」）を作り、分析を行った。	自然習得が中心の学習者は形容詞に近い連体修飾節「属性・状態」から使い始めることがわかり、インプットが影響を与えている可能性が考えられた。教室学習中心の学習者は、中級から「過去または未来の出来事・状態」の修飾節の使用が見られ、自然習得者とは異なる結果となった。
生田 (2006)	在日日系ブラジル人生徒（教室学習者）64人	日本語の作文能力と滞在年数の関係を明らかにするために、第1言語のポルトガル語と第2言語の日本語の作文を分析した。	日本語の作文能力では、「文の複雑さ」「構成と内容」は早い時期に習得するのに対して、文法・語彙・表記の正確さ、ついで語彙の多様性には時間がかかることがわかった。
菊岡・神吉 (2010)	製造工場で働く外国人作業員（自然習得者）3人	就労現場での言語活動を通した言語発達の限界と可能性について、フィールドワーク（ICレコーダーによる音声データの収集と調査員によるフィールドノーツ）を行った。	作業員同士の話し言葉「一次的な言葉」は堪能でも、文脈を共有しない他者との「二次的な言葉」では困難が生じ、作業現場の言語活動を通した言語発達の限界が明らかになった。

近年の日本における外国人就労者の増加に伴い、日本国内の各地で「生活者としての外国人」に対する日本語教育の取り組みが行われつつある。研究においても、以前は教室指導との比較による文法項目の習得研究が多かったが、相づちや作文能力や言語活動などの新たな観点での研究が見られるようになった。

4.6.2 ｜ インターアクション

　クラッシェンが理解可能なインプットによって習得は促進されると主張したのに対し、別の研究者は理解可能なアウトプット、つまり聞き手に理解されるようにわかりやすく、正しくアウトプットしようとすることが習得を促進すると主張した（Swain 1985）。これらの考え方に対して、ロング（M. Long）は、インプットとアウトプットの両方を含む聞き手と話し手のインターアクションが習得を促進すると考えた（Long and Sato 1983, 1984）。インターアクションとは「話し手が互いにさまざまな情報をやりとりすること」であり、彼は習得を促進するのはこのインターアクションの過程の「協議的会話（negotiated conversation）」であると考えた。つまり、学習者と目標言語話者または教師との会話で、コミュニケーションに支障が起きた場合に、互いにわかり合おうとして引き起こす「意味交渉（negotiation of meaning）」が習得を促進することにつながるとし、その考えに基づき、目標言語話者や学習者がどのようにそれぞれの発話をわかりやすく修正して意味交渉を行うのかについての研究（Sato 1988）や、修正された発話とそうでない発話が学習者の理解にどの程度影響するのかについての研究が行われている（Gass and Varonis 1994, Loschky 1994）。

　日本語でも学習者と日本語母語話者との意味交渉や発話の修正に関する研究（町田 1998, 村上 1998）や、修正を引き出すための学習者の聞き返しのストラテジーの研究がある（尾崎 1993）。尾崎は、学習者31人に日本人1人が1対1で行った10時間の発話から日本語学習者と日本人がどのような意味交

(注15) 表内で紹介する名称は、各論文で使用している用語を用いている。

渉を行うかを調査分析した。以下の(50)では、日本人の発話の意味不明な点について学習者が問い掛けをしたり、発話を繰り返したりして、困難を乗り越えて会話を維持させている様子がわかる（↑や↓はイントネーションが上昇か下降かを示す）。

> (50) 日本人：あのー住んだのはオーストラリアとドイツとどちらが長いですか↑
> 　　　 学習者：……うーん……<u>ながい　ちがい　ちがい。</u>↑
> 　　　 日本人：ながい　どちら―　のほうに長く住んでいましたか↑
> 　　　 　　　　……オーストラリアとドイツと↓
> 　　　 学習者：……あ　<u>よくわかりません</u>（笑い）すいません↑
> 　　　 日本人：あーじゃあねえ　オーストラリアには何年……［あー］住んでいましたか↑　　　　（尾崎 1993: 23, 下線および一部修正：筆者）

　下線部のような学習者の「聞き返し」が、日本人にわかりやすく修正した日本語を求め、結果として理解可能なインプットを引き出す重要な役割をしていることがわかる。

4.6.3 ｜ 誤用訂正

　インターアクションの1つの方法として、誤用訂正や**フィードバック**（Feedback）も習得に影響を与える重要な要因として考えなければならない。授業中に教師が学習者に行った誤用の訂正を学習者がどの程度気付いているかの調査を行うために授業をビデオに撮って、終了後学習者たちが教師に誤用を訂正されたと思う個所を調べたところ、実際の誤用訂正の半数以上に気付いていないことが報告されている（Roberts 1995）。つまり、教師が学習者の間違いを訂正しても、学習者は半分以上訂正されたことに気付かないままでいるのである。

　誤用訂正・フィードバックは習得に効果があるのかどうかという問題も近年盛んに研究が行われている（Thomasello and Herron 1989, Lightbown and Spada

1990, Inagaki and Long 1999）。第一言語の習得では親から誤用訂正（または否定的証拠）を受けずに習得できることから発した「人間には普遍文法が備わっている」という理論の影響を受け、誤用訂正や否定的証拠の習得への効果の検証が行われている。

　学習者に正しいモデル文を与える場合と学習者が発話した文に修正を加える場合とどちらが効果があるかを調べた研究では、どちらも同様に効果があるという結果が出ている（Inagaki and Long 1999）。

　また、フィードバックの与え方も明示的か暗示的かで習得への影響が異なると考えられる。学習者が「私の町は大きいないです」と発話したとき、**明示的フィードバック**を与える場合（「『大きいない』？『大きいない』じゃなくて、『大きくない』ですね」などのように訂正する場合）と、「ああ、～さんの町は大きくないですか」のように**暗示的フィードバック**を与える場合とでは、どちらが効果的かという研究がある。調査の結果は、学習者レベルによって異なっており、成績上位群では後者も効果があるが、成績下位群では後者では学習者自身が誤用を犯したということに気付かないため、明示的な訂正のほうが効果的だという報告がなされている（Mori 1999）。

　実際の教室場面での誤用訂正の方法は多種多様であり、その訂正が実際に効果を与えるのかどうかの結論を出すことは困難である。例えば、訂正したことで学習者は教室で恥をかかされたと感じ、授業に出席しなくなる場合や発言が少なくなってしまう場合も考えられ、また、学習者によっては「誤用の訂正に時間がかかって授業の時間がとられて、他の学習者に迷惑をかける」と考える場合もあるだろう。従って、誤用を訂正する場合は、(51)のようなさまざまな点を考慮して行わなければならないと考える。

(51) a. **誤用の質**：ローカルエラーかグローバルエラーか、あるいは授業の内容にかかわるエラーか

　　 b. **学習者のレベル**：学習者のレベルが初級から上級のどれにあたるのか

　　 c. **学習者の性格**：注意されることを気にする性格か楽天的な性格か

　　 d. **現在の授業内容**：文法導入の授業か運用練習の授業か、誤用がそ

の課の学習項目か否か

　　　e. **誤用訂正にかける時間**：個別的に後で処理したほうがいいか、その場でクラス全体に提示して指導したほうがいいか

　　　f. **教室の雰囲気や仲間の状態**：誤用を注意することで教室の雰囲気を壊すか、ほかの学習者との仲間意識に影響があるか

　上記のような判断のプロセスを経て、実際に誤用を訂正するとなった場合でも、具体的な誤用訂正には (52) のようにいくつかの方法がある。a. と b. は間違いを指摘して訂正しているので明示的訂正であり、c. d. e. は学習者にヒントを与えて正用を引き出そうとしているので「**プロンプト**」、f. や g. は間違いを指摘せず暗示的に正用を発話しているので「**リキャスト**」と呼ばれる。

　(52) a. 「あまり、大きいない」は間違いだね。「大きくない」が正しいよ。
　　　 b. 「あまり、大きいない」は間違いだね。正しいのは？（相手に問う）
　　　 c. （学習者の誤用の繰り返し）「あまり、大きいない」？
　　　 d. （学習者の誤用部分を省略して）「あまり……（相手に補充させる）」？
　　　 e. もう一度？
　　　 f. （少し、強調して）「あまり、大きくない」ですね。
　　　 g. （さりげなく）そうですか、あまり大きくないですか。

　誤用訂正に関する研究がさまざまな対象や場面で行われても、どのような場合に、どの誤用訂正を使うとその学習者にとって最も効果的かという回答は得られていない。(52) の方法の組み合わせでどのように誤用訂正をすべきか、あるいはその時点では訂正すべきではないかという問題は、教師自身のその時点の瞬時の判断で行うことが必要である。このような判断は現場での経験の積み重ねで培われるものであり、本や論文の知識だけで判断することはなかなか難しい。

4.6.4 | コンシャスネス・レイジングと気付き

さて、成績下位群では誤用に対して誤用であることを明確に伝えて訂正するほうが相手の誤用に訂正を加えて暗に示すより効果があるという報告を紹介したが、これは学習者が自分の誤用に気付くかどうかが大きな要因となることを示している。そこで、この「気付き」に注目した研究を紹介する。

「**コンシャスネス・レイジング**[注16] (consciousness-raising、以下 CR)」という用語がある。これは、「目標言語の形式的特徴の焦点化」を意味しており、第二言語習得において、学習者が目標言語の文法形式や表現に意識を集中させて学習することである。CRによって学習者は目標言語の規則を発見したり、間違わないように気を付けたりするようになり、その結果、習得が促進されるという考え方である (Rutherford and Sharwood Smith 1985)。

気付くことがまず習得の一歩であると考える「気付き (noticing)」、文法形式のインプットに注目をさせるという意味の「インプット・エンハンスメント (input enhancement)」や意味のある言語活動の中で文法形式に注目させる「フォーカス・オン・フォーム (focus on form)」(p.108) なども同様に学習者が自分の誤用や文法形式へ意識を向けることの重要性を唱えている (Schmidt 1995)。

日本語学習においてCRの試みを行った研究がある。英語話者に定期的に日本語の指導を行い、その後 (53) のようなCRの試みを行い、最終的に形容詞過去形を習得していく過程を報告している (長友 1995)。そして、このような意識的な学習活動がその規則の定着、すなわち習得に結び付くと述べている。

(53) 学習者：寒いでした。
　　　教　師：ううん、寒い、い adjective。
　　　学習者：はい、寒い、あー、寒かった、あー、寒いかったです。
　　　教　師：寒かったです。
　　　学習者：あー、寒かったです。(長友 1995, 表記は一部修正, 下線は筆者)

(注16) 日本語で「意識高揚」とも呼ばれる (山岡1997)。

書き言葉において文法形式に注目させる具体的な方法としては、上記のようなフィードバックのほかに、(54) のように (a) 下線を引く、(b) 網掛けにする、(c) 書体を変えるなど、視覚に訴える方法もある。

(54) a.　本を読んでください。
　　　　本を買ってください。
　　 b.　本を読んでください。
　　　　本を買ってください。
　　 c.　本を**読ん**でください。
　　　　本を**買っ**てください。

　コミュニカティブな教室活動を展開しながら、言語形式にも焦点を当てて行う指導を**フォーカス・オン・フォーム**（言語形式の焦点化）と称し、近年その効果について実験研究が行われるようになった (Doughty and Williams 1998, Moroishi 1998, Muranoi 2000)。文法訳読法やオーディオ・リンガルなどの文法を明示的に教える教授法をフォーカス・オン・フォーム**ズ** (Forcus on Form**S**) と称し、ナチュラル・アプローチなど意味に焦点をあてた教授法をフォーカス・オン・ミーニングと称した。時代はフォーカス・オン・フォームズからコミュニカティブ重視の考え方に移行し、フォーカス・オン・ミーニングの指導に移ったが、最近、その中間に位置する意味に重点を置いた活動をしながら、言語形式にも焦点を当ててタスクをしようとするフォーカス・オン・フォームが注目されるようになった (Long and Robinson 1998)。これらの研究は、教室指導をどのように展開すれば最大の習得効果を生むかという課題に取り組んでいるものである。

4.6.5 ｜ 指導の効果

　教室指導の効果に関しては、多くの研究が行われている。ロングは 1960 年代から 70 年代に行われた研究を整理した結果、そのうちの半数以上が指導の効果を肯定するものであり、形式的な教授の効果がないと否定すること

はできないとしている (Long 1983)。これまでの研究の主な結果を (55) にまとめる (Long 1983, ラーセン–フリーマン＆ロング 1995, 山岡 1997)。

(55) a. 教室指導の順序は、第二言語の習得順序や発達順序には影響を与えない。
　　 b. 教室指導は、習得の速度を速め、より高いレベルの熟達度を保証する。
　　 c. 教室指導は、自然なスピーキングにつながる効果を持たないが、文法などの正確さを向上させる効果がある。

(56) は、日本の工場で働きはじめて10カ月になる自然環境の日本語学習者の発話である。(＝は筆者補足)。

(56) Az：私たちが心配、Aちゃん (Azの娘) の言葉が、今、Aちゃん、わからないの、マレーシア語と日本語。
　　 NS：あーそう、バイリンガルだね。
　　 Az：(略) shopping とか super market と、だから (＝なぜなら) surrounding が、かん、**環境**が、日本人いっぱいの、日本語、**合わさなきゃいけない**の。(＝周囲に日本人が大勢いるので日本語を使って合わせなければいけない。)

(初級・マレー語話者)

「環境」「合わさなきゃいけない」などの教室指導の初級レベルの学習者では見られない単語が使用されている。一方、教室指導の環境下では、語順が化石化している学習者は少ないが、この学習者は「私たちが心配、Aちゃんの言葉が」や「Aちゃん、わからないの、マレーシア語と日本語」のように語順がまだ安定していない。
　第二言語習得理論の処理可能性理論のところで出てきた「教授可能性 (teachability)」(p.51) を思い出してほしい。これは、「学習の準備ができていない項目を教えても、学習者は習得順序である段階を飛び越えて習得する

ことはない。しかし、学習の準備ができている項目を教えることは習得順序の発達を促進させるのに有効である」という考え方であった。この考え方から、教室指導がどのような項目に有効であり、どのような項目にはあまり影響を及ぼさないのか、また習得の順序へどう影響するのかという問題が出てくる。

2000年代以降、第二言語習得研究では教室環境における指導の影響に関する研究が進み、さまざまな試みが行われている。詳細については、第7章（pp.185–188）を参照。

4.7　学習者のさまざまなストラテジー

「ストラテジー」という用語は、日本語では「方略」と訳され、「手段」とか「方法」という意味で用いられる。学習者のさまざまなストラテジーとは、学習者が第二言語習得の過程において使用するいろいろな方法のことである。これまでの研究では、実際の会話現場において用いられるコミュニケーション・ストラテジーと、学習を促進するために学習者によってある程度意識的に用いられる学習ストラテジーが挙げられる。ここでは、学習者が独自の言語体系を構築していく過程で、目標言語をどう処理していくのかという言語処理のストラテジーも併せて紹介する。

4.7.1　コミュニケーション・ストラテジー[注17]

ストラテジーとして一般的によく耳にするのは、コミュニケーション・ストラテジーであろう。これは、セリンカーが挙げた化石化の原因の1つとして第2章ですでに紹介している（p.31）。コミュニケーション・ストラテジーとは、自分の知識や能力が足りなかったり、言葉や表現が思い出せなくてコミュニケーションに支障を来した場合に学習者がとる行動や態度のことで、例えば、急に外国語で道を尋ねられたり、外国語で話していて、単語や表現が出てこなくて困ったりした場合の対処法である。研究者によって分類が

異なるが、いくつかの種類がある(Tarone 1980, Faerch and Kasper 1983, Cook 1991)。主なものを(57)にまとめ、日本語の例と共に紹介する。

(57) コミュニケーション・ストラテジーの種類

言い換え（ほかの表現を使用すること）		
ⅰ 類似表現	近い意味の単語で代用	例：「回転寿司屋」→「寿司屋」
ⅱ 造語	自分で語を造る	例：→「回る寿司レストラン」
ⅲ 説明	詳しく説明する	例：→「テーブルの上で寿司が回って、自分でとって食べる寿司屋」
母語使用（学習者の母語を借用すること）		
ⅰ コード・スイッチング	不明な部分に母語を使用	例：「出張」がわからなかったので、「今business tripです」と言う。
ⅱ 翻訳	直訳する	例：「映画が楽しかった」と言う代わりに、「映画が私を楽しませた」と言う。
援助要請（聞き手の協力によって問題解決させること）		
ⅰ 聞き返し	直接的に助けを求める	例：「意味は何ですか」「もう一度言ってください」などと言う。
ⅱ 身振り	ジェスチャーで内容を伝え、相手の推測を促す	例：身振り・手振りで相手に内容を伝える。
ⅲ リペア	わからなかった部分を繰り返して相手に補足要求	例：日本人「住所はどこ?」学習者「じゅ、じゅう…じゅうす?」相手の発話の一部だけ繰り返しわからない部分を明確化する。
回避行動（相手の発話内容がわからないときに、無視したり避けたりすること）		
ⅰ 回避	その語や表現を用いない	
ⅱ 話題転換	話題を変換する	自分の発話できる話題に変換する

　これらのコミュニケーション・ストラテジーが第二言語習得にどのように関連しているのか、については肯定的な見方と否定的な見方がある。肯定的

(注17) コミュニケーション・ストラテジーという用語をコミュニケーションの場面で使用されるストラテジーと定義して、会話に用いられるさまざまなストラテジーを意味する場合もある。その場合は、「会話ターンの取り方」「会話終結の仕方」など、会話展開におけるさまざまな方法を指している。ここでは、これらは扱わない。

な見方では、学習者が自分の持っている語彙を駆使してなんとかコミュニケーションを達成しようとする言い換えのストラテジーなどは習得を促進させると考える。しかし、否定的な見方では限られた語彙でコミュニケーションが達成できるならば、それ以上新たな語彙や表現を学習する必要性がなくなり、言語能力の不足をコミュニケーション・ストラテジーの多用で補ってしまい、それ以上のレベルに進めないことも考えられる。このようにコミュニケーション・ストラテジーがどのように習得に影響を与えるのかという問題も習得研究の大切な課題であるといえる。

4.7.2 | 学習ストラテジー

　読者の皆さんは、どのような方法で試験勉強をしただろうか。歴史事項と年号や英単語などをどのように覚えたかを思い出してほしい。ひたすら、紙に書いて丸暗記した人もいるだろう。また、語呂合わせで覚えた人もいるだろう。「鳴くよ、うぐいす平安京」は、「平安京（京都に遷都され、平安時代が始まる）は、７９４（な・く・よ）年である」の語呂合わせの代表的な例だろう。このような学習の方法に関するストラテジーを学習ストラテジーという。学習ストラテジーに関しては、研究者によっていろいろと定義がなされている（Rubin 1975, O'Malley et al. 1985, Oxford 1990, Larsen-Freeman and Long 1991）。オックスフォード（R. Oxford）によると、学習ストラテジーとは、「知識を習得するために学習者が使うテクニックや工夫」であり、「学習をより易しく、より早く、より楽しく、より自主的に、より効果的に、そして新しい状況に素早く対処するために学習者がとる具体的な行動である」と述べている（オックスフォード 1994: 8-9）。

　オックスフォードは学習ストラテジーを、(58)のように6つに分類している。

　　(58) a. 記憶ストラテジー
　　　　 b. 認知ストラテジー
　　　　 c. 補償ストラテジー

d.　メタ認知ストラテジー
e.　情意ストラテジー
f.　社会的ストラテジー

a. 記憶ストラテジー（Memory Strategies）

　これは、さまざまな方法で覚えることによって学習を進める方法である。基本文型（～は～です）を覚えるために行う代入練習（私は 学生 です、私は 先生 です、私は 医者 です）などの文型練習も、単語カードを作って練習するのも、先に紹介した語呂合わせなどもこのストラテジーである。昔、日本人が「What time is it now?」の発音を「掘ったイモいじるな」と覚えたという話がある。一方、アメリカ人の学習者は、日本語の「一、二、三、四（イチ・ニー・サン・シー）」を英語の「itchy（かゆい）, knee（ひざ）, sun（太陽）, sea（海）」と、また「どういたしまして」を「Don't touch my mustache.（口髭に触らないで）」と覚えていたが、これらの例からどこの国の学習者もこのような語呂合わせの記憶ストラテジーを使うことがわかる。

b. 認知ストラテジー（Cognitive Strategies）

　習った項目を実際に使って繰り返し練習したり、自分に理解しやすく項目を分析したり、ノートをとったり、重要なところに下線やマーカーで印を付けたりするストラテジーである。情報内容を大まかにつかむスキミングや欲しい情報だけをつかむスキャニングなどの技能もこのストラテジーに含まれる。また、自分の母語と比較してその違いや類似点を認識したり、母語で訳したりすることも含まれる。

　外国語学習の練習方法で、シャドーイング（shadowing）という方法がある。これは、音声や教師の目標言語での発話の直後、数秒遅れて、学習者がそのとおりに発話していくという練習方法であるが、発話を聞き取り、意味理解を経て、即座に産出するという点で認知ストラテジーの1つであろう。

c. 補償ストラテジー（Compensation Strategies）

　学習者が外国語を理解したり、発話したりする際に足りない知識を補うた

めに用いるストラテジーである。コミュニケーション場面であれば、コミュニケーション・ストラテジーととらえることもできる。その単語を知らなくても、文脈や状況からその単語の意味を推論したり、「きりん」という単語がわからなかったら、「首の長い動物」と言い換えたり、さらにわからない場合は身振り手振りなどの非言語を使うことも含まれる。

d. メタ認知ストラテジー（Meta-Cognitive Strategies）

メタという言葉はレベルが1つ上がることを暗示しており、メタ言語とは言語を言語で説明することを意味している。従って、この本に書いてある文全体がメタ言語であるといえる。

メタ認知ストラテジーとは、認知ストラテジーのさらに上の段階で用いられるストラテジーで、学習者が認知するために調整するさまざまな方法を指す。

具体的には、どのように勉強するかの計画を立てたり、自分の学習を振り返って評価したり、モニターしたりすることを指す。

e. 情意ストラテジー（Affective Strategies）

これは、感情・態度に関係するストラテジーで、学習者がくつろいで、不安のない状態で学習するように心掛けるストラテジーである。具体的には、好きな音楽をかけたり、冗談を言ってリラックスしたり、自分を勇気づけながら学習を進めるなどの方法である。

サジェストペディアという外国語教授法では、バロック音楽をかけてゆったりくつろげる部屋で教えることが奨励されているが（伊藤 1989）、学習者をリラックスさせるという情意ストラテジーを応用したものである。

また、あるスポーツ選手は常に自分が優勝するシーン、フィニッシュで決める笑顔を想像しながら練習していたという話を聞いたことがあるが、これなども自分を勇気づけるという情意ストラテジーと考えられる。

f. 社会的ストラテジー（Social Strategies）

人との交流によって学習を進めるという方法である。最も基本的なものは「質問する」ことであろう。ほかにも、間違いを訂正してもらうことや、目

標言語話者の友人をたくさん作って話す機会を増やすこと、学習者同士で助け合って練習することなどが含まれる。教室活動の中のペア練習やグループ・ワーク、さらにプロジェクト・ワークなどもこのストラテジーに入る。

　その他にも、外国人とその外国人が学習している目標言語話者とが互いに自分の言語を教え合う交換学習や、SNS（Social Network Service）を使って目標言語でメッセージをやりとりする方法がある。

　このような学習ストラテジーが研究されるようになった背景には、習得を促進するためには教師が教室内で教えるだけでは限界があり、学習者自身が意欲的に学習に取り組み、より多くの学習ストラテジーを使うことが重要であると考えられたことによる[注18]。そのため、現在でも学習ストラテジーに関しては、多くの研究が行われ、関心が深まっている（尹 2011, 副島ほか 2015）。

4.7.3 | 言語処理のストラテジー

　学習ストラテジーは、教師が教えることができ、かなり意識的かつ具体的な行動で、学習者が自律的に学習向上を目指して行う方法である、という特徴を持っている。

　これに対して、本書では意識的・無意識的にかかわらず、学習者が目標言語を覚えたり、使ったりする際にどのように言語処理をするかという方法のことを**言語処理のストラテジー**と呼ぶことにする。

　「おもしろかった」と言うべき場合に「おもしろいだった」としてしまうのは、「おもしろい」のイ形容詞をナ形容詞と同様に扱ってしまい、「静か＋だった」と同じように処理してしまうことから起きると思われる。これは第2章で紹介した過剰一般化（p.30）の一例であるが、言語処理のストラテジーとは、このように目標言語をどう処理するか、どう整理するかという方法である。これは、ある意味では習得のメカニズムを探ることにつながる重要なストラテジーである。

(注18) 効果的と思われるストラテジーを紹介し、学習者自身が積極的に学習ストラテジーを使えるように、Strategy-Based Instruction (SBI) と呼ばれるトレーニングなども行われている (Cohen 1998)。

ここでは、日本語習得の実例から、「付加のストラテジー」と「ユニット形成のストラテジー」の２つのストラテジーを紹介する（迫田 2001b, 2012, 家村・迫田 2001）。

①付加のストラテジー

習得順序のところで英語の否定形の習得過程を紹介した（p.71）。その第一段階は、"No very good." のように否定語（No）を否定したい文の前に（または後に）くっつけるという形式であった。日本語の否定の発達過程にも似たような現象が起きる。否定の初期の段階は (59) のような形式であった。

(59) 初期段階における日本語の否定表現
    a. さびしいです**じゃない**です。   （初級・中国語話者）
    b.（朝ご飯を毎日は）食べ**じゃない**。   （初級・中国語話者）
    c. 留学生はそんなに**大勢くない**です。   （中級・ウズベク語話者）

家村・迫田(2001)は、初級から中級レベルの学習者にこの「じゃない」が多く出現することに興味を持ち、日本語学習者は否定表現の発達の初期段階では、否定したい語句の後に「じゃない」や「くない」を付加するストラテジーをとるのではないかと推測し、調査した。調査は、中国語・韓国語・英語話者を含む初級・初中級・中級レベルの計41人の留学生に (60) のような否定表現の誤用と正用を含む会話の音声を聞かせて、正しいかどうかの文法判断をさせるものであった。

(60) 調査文の内容（調査用紙にはＢの文は印刷されず空白になっている）
    a. Ａ：毎日、国に電話をかける？
       Ｂ：（毎日？ そんなに**かけるじゃない**よ。１カ月に１回ぐらいかな。）
    b. Ａ：朝はいつもどんなものを食べるの？
       Ｂ：（朝は何も食べないよ。）

調査の結果、初級・初中級・中級レベルのどのレベルでも聞き取りでは、

「かけるじゃない」「寒いじゃない」などを正しいと答えた学習者が多かった。このことから、「じゃない」という言葉を否定の標識ととらえて、形容詞や動詞に付加することによって否定を表現しようとするストラテジーをとることがわかった。

　このように、ある語句の一部や表現を独立した単位とみなし、特定の文法機能を持たせて、必要と考える個所に付加する学習者の言語処理方法をここでは「付加のストラテジー」と呼ぶ。

　この付加のストラテジーは否定表現だけでなく、(61)の疑問や依頼、引用の表現なども同様の例ではないかと推測される。(→)は筆者補足。

(61) a. 明日、学校、あります+**ですか**。(→ありますか)

b. 先生、ミーティング変わります+**ください**。(→変えてください)

c. 旅行へ行く+**だと思います**。

　英語の例でも否定形の can't や don't を、ひと固まりの否定の標識として使用している例だけでなく、あるモン語を母語とする英語学習者の初期の発話に "what d'you" を疑問詞の標識として、疑問文を作りたい場合にはこの標識を文頭に付加する現象 "what d'you come from?"(＝Where do you come from?)が観察されるなど、他言語の習得過程においても付加のストラテジーが見られる(Huebner 1980)。

②ユニット形成のストラテジー

　次の誤用例を見てほしい。これは、日本語学習者にとって学習困難な、場所を表す格助詞「に」と「で」の誤用例である。

(62) a. 横浜**で**(→に)遊びに行きました。　　　　　　　　(久保田 1994)

b. 1時 PARCO まえ**に**(→で)会いましょう。　　　　　(井内 1995)

c. いま私は留学生かい館**で**(→に)すんでいます。　　　(福間 1997)

これらの「に」と「で」は、いずれも場所を表す助詞として使われている。

迫田（2001b）はこれまでの研究から学習者の「に」と「で」に関する発話例を収集し、何らかの規則性があるかどうかを探った。「に」と「で」が使われている名詞を分類し、(63) の結果を得た。文献の A ～ D は先行研究を表し[注19]、誤用例は先行研究から抜粋したものである。●は誤用例があったことを、○は正用例があったことを示し、使用例の（　）は出典の文献の記号を表している。

(63)「に」と「で」の正用・語用の出現

文献 句		A	B	C	D	誤用例（出典の文献）
「に」の誤用	後ろに	—	●	—	○	テレビの**後ろに**窓です。(B)
	中に	●	●	●	●○	その**中に**印象的だったのは〜。(C)
	前に	●	—	●	—	たばこ屋の**前に**会う〜。(C)
	隣に	—	●	—	—	〜**隣に**ピーターさんの部屋です。(B)
	〈地名〉に	●	●	—	○	**ネパールには**今も 90% の人口は農業 (B)
	田舎に	—	—	—	—	
	食堂に	—	—	—	—	
	大学に	●	—	—	●○	**大学に**試験を受けて落ちました。(D)
「で」の誤用	後ろで	—	—	—	—	
	中で	—	—	—	—	
	前で	—	—	—	—	
	隣で	—	●	—	—	私は〜の**隣で**座っていました。(B)
	〈地名〉で	●	●	●	●	**東京で**住んでいます。(D)
	田舎で	—	—	●	●	タイでは病院があるんで〜 **田舎で**あまりありません (C)
	食堂で	—	—	●	○	**食堂で**ごはんを食べに行きます。(C)
	大学で	●	●	●	—	ヘブライ**大学で**留学して、来年〜 (A)

この結果を見ると、「に」の誤用には「位置を表す名詞（前・中など）」に後接して使用されている例が多く、「場所を表す名詞（地名・大学など）」には少ないことがわかる。また、「で」の誤用には地名や建物など、場所を表す名詞の場合に使用されている例が多く、反対に位置を表す名詞には少ないことがわかる。このことから迫田は、学習者の「に」と「で」の誤用に(64)のような規則性があるのではないかと考え、学習歴約1年半程度の中級学習者60人を対象として助詞の4肢選択の穴埋めテストを行った。

(64) 日本語学習者の「に」と「で」の使い分けの要因
　　位置を表す名詞（例：中／前）＋「に」
　　　例　＊門の<u>前</u>に話をしました。
　　地名や建物を表す名詞（例：東京／食堂）＋「で」
　　　例　＊東京<u>で</u>住んでいます。

　テストの結果、学習者には、母語の違いにかかわらず、偏った傾向が見られ、「位置＋に」「地名＋で」の正答率は高いが、「位置＋で」「地名＋に」の正答率は低かった。これにより、ある習得段階の学習者において彼ら独自の「に」と「で」の使い分けのストラテジー──学習者が場所の名詞句の後に助詞「に」か「で」を使う場合に、前の名詞の種類によって規則的に使い分ける──が存在することがわかった。つまり、「位置を表す名詞」には「に」が選択されて、「前に」「中に」となり、「場所を表す名詞」には「で」が選択されて、「東京で」「大学で」という1つのユニットとして使われている可能性が高いといえる。

　このように、ある言語項目が、前（または後）の語と1つのユニットとして扱われ、分析されず固まりのように処理されることを、便宜的に「ユニット形成のストラテジー」と呼ぶ。ユニット形成は、名詞＋助詞の組み合わせだけでなく、動詞との組み合わせも見られ、「〜ある」「〜なる」は「が＋ある」「に＋なる」（誤用例「熱37度が**ある**」「年が多い**になる**」）のユニットで処理

(注19) Aは寺村 (1990)、Bは福間 (1997)、Cは市川 (1997)、Dは迫田 (1998) の文献を指す。それぞれの文献を参照。

されている可能性もある。また、指示詞ソとアの誤用もユニット形成による言語処理が原因である可能性が高いことが報告されている[20]（迫田 1998）。

　では、なぜ上記のような「ユニット形成」や「付加」のストラテジーが生まれるのだろうか。

　この点については、「なぜ、学習者はユニット形成や付加のストラテジーをとるのか」という問題と「なぜ、そのような特定の語との組み合わせになるのか」という2つの問題が考えられる。最初の問題には、学習者自身の要因が考えられる。(65)は調査者（日本人）との対話の一部であるが、内容がかみ合っていない。

　(65)　調査者：あなたの家の**まわりには**どんな**もの**が**ありますか**。
　　　　学習者：にわ（庭）はー、ありません。

（KY　初級中ENM 02・英語話者）

　学習者の発話は、調査者の発話の太字部分だけを認識して反応したと推測され、この学習者は文全体がまだ認識できないと推測される。日本語の能力が低い学習者の場合、聞いたり読んだりする際に、区切る単位がよくわからなかったり、記憶容量が小さかったりするため、学習者の理解できた語を核とする最小限の固まりで認識して使うという考え方ができるかもしれない。

　もう1つの問題は、特定の語とユニットが構成される要因である。「位置名詞＋に」と「場所名詞＋で」のユニット形成のストラテジーの原因について調査した野田（2001）は、日本人同士の会話と教科書に出現する「に」と「で」を調べた。その結果、日本人の会話や教科書では位置名詞と「に」が結び付くことが多く、特定のユニットが形成される要因に周囲のインプットや教科書の例文の可能性が考えられると述べている。

　このユニット形成のストラテジーも、日本語だけに見られる現象ではない。英語の第二言語習得研究でも初期の段階では "Nice to see you." "You're welcome." などのような挨拶表現などが固まりとして使用される定型表現（formulaic speech）があることが知られている（Hakuta 1974, Fillmore 1976）。

また、三人称単数現在の動詞に付く"s"も固有名詞に比べると代名詞の場合には頻繁に使用されることから、英語学習者の間で"he/she + (verb) s"(例 he/she likes 〜.)のユニットが形成されている可能性が高いことが報告されており(Ellis 1988)、このような固まりでとらえて使用することが発達プロセスの一部であると考えられる(Huebner 1980)。

　このように、第二言語学習者は教師や教科書で教えられたとおりの文法を頭に入れているのではなく、学習者独自の方法、つまり「ユニット形成」や「付加」などのストラテジーを使って言語処理を行い、規範の文法とは異なった学習者独自の文法を作りあげているといえる。しかし、これらのストラテジーは習得段階のどのレベルでも、また、すべての学習者に必ず見られるというわけではない。学習者の言語体系である中間言語の様相は、習得段階に応じて変化している。その変化をもたらす要因の1つが言語処理のストラテジーと考えられるが、ここで紹介した方法は学習者が習得していくプロセスの中で用いるストラテジーのほんの一部であり、ある習得段階で観察されるものである。学習者たちは、それぞれの背景の中で多種多様な言語処理の方法を駆使していると考えられる。そして、それらを追究していくことが学習者の習得のメカニズム解明につながるのではないかと考える。

第二言語習得にかかわる要因

(注20) 迫田 (1998) によると、次のような誤用は、「人」や「先生」などのような具体的な名詞には「あの」が選択され、「こと」「意味」などのような抽象的な名詞には「その」「そんな」などが選択されるという。RY, TNは学習者を表す。

(i) NS：結婚適齢期って何歳ぐらい？
　　RY：もし大学へ入れない ［場合］、<u>あんな</u>(→そんな) 人は多分ちょっと早いと思います。
　　　　　　　　　　　　　　　　　　　　　　　　　　　　　(中国語話者, 迫田 1998)

(ii) TN：［日本語と韓国語の文法は似ているので］ちょっと考えたら、『あー、<u>その</u>(→あの) 意味だー』と思うことがほんと、多かった。
　　　　　　　　　　　　　　　　　　　　　　　　　　　　(韓国語話者, 迫田 1997b)

1. 第一言語と第二言語の習得順序は同じか。

　類似している部分もあるが異なっている部分もあり、現在のところは2つ
の言語習得のプロセスは同じとはいえないといわれている。

2. 第二言語を学習する際に、学習者の母語の影響はあるか。

　学習者の母語の影響(言語転移)は、発音、語彙の選択、文法や表現など
さまざまな領域において見られるが、影響を受けやすいものとそうでないも
のとがある。

3. 学校に通って第二言語教育の指導を受ける場合と指導を受けないでその国の自然環境の中で言語を学ぶ場合とでは、習得状況は同じか。

　教室に通って学んでも自然環境の下で学んでも習得順序は変わらないが、
教室環境で学んだ学習者は習得の速度が速く、より高いレベルに達すること
ができるといわれている。

　第4章では、第二言語習得にかかわる重要な要因を取り上げて解説した。
簡単に項目ごとに要約する。

【中間言語の変異性とは?】

　第二言語学習者は、ある段階で「楽しいだった」「面白いだった」のよう
にイ形容詞の過去形をナ形容詞のような活用にしてしまう場合がある。この
ように、ある習得段階において正用とは異なった語や言語形式が観察される
ことから、学習者の言語、すなわち中間言語には変異(variation)があると
いい、そのような特徴を変異性(variability)という。

　1人の学習者が教師に対して話すときは「楽しかった」と正用を産出する
が、友人と話すときは常に「楽しいだった」としてしまう場合には、心理的
な要因が影響して体系的変異となっているという。反対に、規則性のない変
異は非体系的変異という。変異には対話相手への心理的要因やタスクの種類

や前後にどのような語が来るかなどが要因として影響する。

【知識と能力は？】

　さまざまな研究者が言語に関する知識や能力に関して定義している。ある研究者は、「言語能力と言語運用」という区分をし、前者は文法知識、後者は知識を実際に使う能力とした。また、別の研究者は習得すべき能力は、コミュニケーション能力であり、言語知識以外に談話構成能力、ストラテジー能力、社会言語学的能力などの、実生活でのコミュニケーションに役立つ能力の養成を主張した。

　また、文法知識など頭の中で整理された言語化できる知識を宣言的知識といい、言語化が難しく、実際の行動や行為によって示される技能や技としての知識を手続き的知識という。明示的に説明できる言語知識を明示的（顕在的）知識といい、説明はできないが直感的に判断できる知識を暗示的（潜在的）知識という。また、年少者の場合は、生活で使われる比較的習得が速く進む BICS（伝達言語能力）と、教育現場で使用される CALP（学力言語能力）とがあり、前者は 1 年ぐらいで習得が進むが、後者は習得に年数がかかるといわれている（詳細は 5 章で述べる）。

【習得順序と発達順序とは？】

　多くの研究によって、第二言語学習者には、母語の違いや学習環境の違いにかかわらずある程度一定の習得順序があることが報告されている。一般的に習得順序という場合は、いくつかの複数の項目について、テストの正答率などで成績のいい順序に並べて、習得順序とする場合があるが、正確にいえば、それは正答順序である。

　また、発達順序とは、ある項目がどのように変化しながら習得されるかを示した順序である。

【L1 と L2 の習得プロセスは？】

　言語の普遍性の検証や習得のメカニズムの解明を目的として、第一言語と第二言語の習得過程の類似性や相違性について研究が行われてきた。現在ま

での研究成果によると、第一言語と第二言語の習得はまったく同じプロセスをたどるとはいえず、類似している部分と異なっている部分があるといわれている。

【学習者の母語の影響とは？】

　言語転移とは、一般的には学習者の母語の影響を指し、マイナスに影響する場合（負の転移）とプラスに影響する場合（正の転移）がある。それ以外にも、母語に目標言語の項目がない場合はその使用を回避したり、母語以外の第一外国語が第二外国語の学習に影響を与えたりするなどの現象が見られる。

　学習者が母語と目標言語の違いをどう感じるかによって、転移が起きやすくなることもあるが、ある特定の言語を母語とする学習者が産出した誤用の原因が言語転移であると断定することはできない。また、言語項目によっては、母語からの転移が起きやすい項目と母語にかかわらず学習者共通に誤用が見られる項目がある。

【JFL と JSL は？】

　JFL は「外国語としての日本語」のことで、外国で教科の1つとして学習するような日本語を指す。JSL は「第二言語としての日本語」のことで、主に日本で生活の手段として学習する日本語を指す。両者の習得過程には違いがあるかについて、これまでの日本語習得研究では、項目により両者に違いが見られるものもあり、見られないものもあるとされている。また、習得過程だけでなく、習得の速度に違いが見られたという報告もあり、目標言語圏の周囲のインプットがどう作用するかの問題を提起している。

【教室指導と自然環境は？】

　自然環境の学習者とは、学校や公民館などで日本語教師の指導を受けないで、日常生活の中で目標言語に多く触れることで言語を習得する人を指す。教室指導は運用に結び付かないという研究が発表され、その後教室指導の効果に関する研究や自然習得の学習者との比較研究が行われた。これまでの成

果からまとめると、教室指導の学習者は自然習得の学習者に比べると、習得速度の点で速く、到達レベルが高いことが明らかになっている。

【第二言語習得にかかわるストラテジーとは？】
　学習者は言語習得の過程でさまざまなストラテジーを使用する。コミュニケーション場面で支障を来した場合には、言い換えたり、似た言葉で代用したりというコミュニケーション・ストラテジーを使う。また、学習場面では、単語カードを作ったり、音声を聞いたりするなど、さまざまな工夫によって効果的な学習を試みる。これを、学習ストラテジーという。
　学習者が目標言語の文法や語彙などを習得する際にどのように認識するか、どのように言語処理をするかという方法として、言語処理のストラテジーも考えられる。学習者のいくつかの表現を調査した結果、語と語の結び付きをひと固まりのユニットとして扱い、そのまま分析することなく使用している場合や、ある機能を持った語の一部を別の語に付けたりして学習者自身の知識不足を補って発話している場合があることがわかった。

第**5**章

バイリンガリズムと年少者教育

◆第5章のポイント

　ここでは、バイリンガルなど、言語接触によって起きるさまざまな事柄を取り上げる。共通の言語がない地域で発達する言語体系やバイリンガルに関する理論を紹介し、第二言語習得研究とのかかわりを考える。日本における子供の日本語教育について、日本語習得と母語喪失の2つの問題を考えながら、日本語指導の在り方や彼らを取り巻く環境の問題についても紹介する。

1. 言語接触とはどんな状態なのか。
2. 共有基底言語能力モデルとは？
3. 外国人の子供たちは、日本語が話せたら学校の授業もわかるのか。

◆キーワード

　ピジンとクレオール　　　　BICSとCALP
　イマージョンとサブマージョン

5.1　言語接触

　世界ではおよそ3,000から5,000ぐらいの言語が話されているといわれているが、交通手段や情報網の発達により、人間の往来と同様に言語も世界中を飛び交っている。「異なった言語を母語とする2つ以上の集団が社会的に接触する状況」を「言語接触」と呼ぶ(柳沢・石井 1998: 67)。言語接触には、外国語に対してだけでなく、同一言語内の方言と共通語の接触や男言葉と女言葉の接触も含まれる。学習者の第二言語や外国語の学習は、ある意味では言語接触を意図的に行うことであろう。ここでは言語接触を異言語間の接触に

限定し、世界のさまざまな地域で観察されるピジンとクレオールを中心に話を進める。

5.1.1 | ピジン

　共通の言語がない地域で、コミュニケーションのために、接触する複数の言語から語彙や文法を取り入れて単純化した言語を**ピジン**（pidgin）といい、business English の "business" の中国式発音に由来している[注1]。（1）は、ピジンの一種で書かれた「シンデレラ物語」の冒頭部分である。

> （1）Taksan years ago, skoshi Cinderella-san lived in hootchie with sis-
> 　　　　①　　　　　　　　②　　　　　　③　　　　　　　　④
> 　　　ters, poor little Cinderella-san ketchee no fun, have no social life.
> 　　　　　　　　　　　　　　　　　　⑤
> 　　　Always washee-washee, scrubee-scrubee, make chop-chop.（後略）
> 　　　　　　⑥　　　　　　　　⑦　　　　　　　　⑧

（田中ほか 1994: 184, 番号と下線は筆者）

　これは1950年代初期の朝鮮戦争当時、アメリカ兵と韓国人の間で使用された韓国バンブー英語（Korean Bamboo English）である。英語の語彙や構文を基盤として、ところどころに日本語の単語が出現していたり（①＝たくさん②＝すこし③〜さん④うち）、動詞の語尾を ee で伸ばしたり（⑤ketchee=catch, ⑥ washee=wash）、動詞を繰り返すことでその動作が継続していることや繰り返されていることを表したりしている（⑦ scrubee=磨いている, ⑧ chop＝食べ物）（田中ほか 1994: 184）。このように、ピジンでは、別の言語がそのまま、または一部変形して挿入されたり、繰り返したりして発話されるという形を取っている。ここで、ピジンの特徴を簡単にまとめる。例はラーセン−フリーマン＆ロング 1995: 254-255 より引用。

（注1）『英語学事典』（大修館 1986: 1086）による。

（2）ピジンの特徴

    a. 文法が単純である。（例　Tsumaro mi Honoruru go. → I'm going to Honolulu tomorrow.）

    b. 語彙数が限られているので、1つの語の表す意味や機能が多様である。（例　haus → 2つの意味 house, home）

    c. 音韻数が限られているため、同音語が多く、複合語や繰り返しが多い。（例　testo-testo → to examine）

    d. 通常、書き言葉はない。

5.1.2 ｜ クレオール

　ピジンが日常的に話される地域に生まれた子供たちがそれを母語として育った場合、その地域の多くの人々の第一言語はピジンとなる。母語となったピジンはポルトガル語の「育てる・養育する」に由来する**クレオール**（creole）と呼ばれるようになる[注2]。ピジンは文法や語彙の単純化が特徴となっているが、クレオールになるとピジンに比べて語彙も増え、文法が複雑になってくる。クレオールの代表的な言語が**トクピシン**（Tok Pisin）である。トクピシンの名称は Talk Pidgin（ピジンを話す）に由来し、現在ではパプアニューギニアの共通語として社会生活で広く使われている。（3）は、トクピシンの簡単な例である。

（3）トクピシン[注3]

    A：Nem bilong yu husat?（What is your name? ＝あなたの名前は何ですか。）

    B：Nem bilong mi Tanaka.（My name is Tanaka. ＝田中です。）

    A：Yu bilong we?（Where are you from? ＝どこから来ましたか。）

    B：Mi bilong Siapan.（I am from Japan. ＝日本です。）

上記のトクピシンには、以下の特徴がある。

1) ピジンが一般的には書き言葉を持たないのに対し、書き言葉を持っている。
2) ほぼスペリングどおりに発音する。
3) 単語は英語が基盤となっている。
4) 文法は単純化しており、「どこ」の疑問詞 "we" が最後に来ている。

　クレオールは、英語が基盤となっているものばかりではなく、交易や植民地の関係で、ハイチやセーシェルではフランス語基盤のクレオールが話されている。

　このようなピジンやクレオールの言語を研究することは、複数言語の接触による言語の変化、つまり単純化（ピジン化）や複雑化（クレオール化）を探求することであり、それはとりもなおさず子供や成人の言語習得過程の解明につながる。（4）で示すように、トクピシンやセーシェルのクレオールの否定表現と、子供や成人の第二言語習得過程の中に現れる否定形の誤用とを比べてみると、多くの類似点が指摘できる。このような点から、ピジンやクレオールの研究テーマである言語変化のプロセスの研究成果は、第二言語習得の習得過程にも通じる点が多く、貴重であるといえる。

（4）否定表現の比較

子供の例	He **no** bite you. I **not** crying.
成人の例	I **no** remember this name.
	She **not** crying.
トクピシン（英語）	Emi i **no** lukim mi.
	(He doesn't see me.)
シェイシェル・クレオール（仏語）	I **pa** tro difisil.
	(Ce n'est pas très difficile.)
	（田中ほか 1994: 200, 下線太字筆者）

（注2）『言語学大辞典　第1巻［世界言語編］』第2刷（三省堂 1989: 1550）による。
（注3）この会話例は、トクピシンが母語であるパプアニューギニアからの留学生によって作成された。

5.2 バイリンガリズム (bilingualism)

　バイリンガリズムとは、2つの言語が個人または社会の構成グループにおいて使用されることを指す。一般的には、個人における二言語使用を指し、社会における二言語使用は**ダイグロシア** (diglossia) と呼ばれる。ダイグロシアはギリシャ語の「二言語」という意味に由来し、1つの言語をある特定の状況や目的で使用し、もう一方の言語を違った状況や目的に使うことが多く、例としてはパラグアイのグアラニー語とスペイン語がある (ベーカー 1996)。フィリピンのように、公用語としては英語が使用され、家庭ではタガログ語（フィリピンの言語の1つ）が使われる場合などもダイグロシアと考えられる。

　バイリンガルとは、2言語を使用できる人のことであり、モノリンガルとは1言語のみを使用する人のことを指す。また、バイリンガルは2つの言語のどちらについてもある程度十分な言語能力を備えている場合で、どちらの言語も年齢相応のレベルまで達していない場合はダブル・リミテッド[注4]、またはリミテッドと呼ばれる。ダブル・リミテッドという用語は、どちらの言語についても自信がなく、語彙数が少なく、文法的な正確さも欠ける話者を指す。また、3つ以上の言語を使用する能力を持っている人を、マルチリンガルと呼ぶ。以上の事柄を表1で示す。

表1　言語使用の分類

言語使用			
1つの言語使用	2つの言語使用		3つ以上の言語使用
モノリンガル	共に十分な言語能力	共に不十分な言語能力	マルチリンガル
	バイリンガル	ダブル・リミテッド	

　二言語使用者を指すバイリンガルや二言語を使用することを表すバイリン

130

ガリズムには、その状態によっていくつかの種類がある（ベーカー 1996）。

①均衡バイリンガル vs. 偏重バイリンガル

　いろいろな場面で２つの言語をほぼ同じバランスで、流暢（りゅうちょう）に使用できる人のことを均衡バイリンガル（balanced bilingual）と呼ぶ。それに対して、２つの言語の能力に差があって、どちらか一方が優勢であるような場合を偏重バイリンガル（dominant bilingual）と呼ぶ。均衡バイリンガルは、理想とする概念では存在し得ても、実際にすべての場面で同等の能力を発揮する人間はいないといわれる。

②連続バイリンガリズム vs. 同時バイリンガリズム

　子供が家庭で第一言語を先に習得し、その後、小学校などで第二言語を習得してバイリンガルになる場合を連続バイリンガリズム（sequential bilingualism）といい、子供がかなり早い時期に同時に２つの言語を習得する場合を同時バイリンガリズム（simultaneous bilingualism）という。

　連続バイリンガリズムの例としては、日本で生まれたが、小学校入学前に親の転勤で外国に行き、小学生のころから外国で暮らしている子供などが挙げられ、同時バイリンガリズムは母語の異なる母親と父親が別々の言語で話し掛けて育てている子供などの例が挙げられる。

③付加的バイリンガリズム vs. 削減的バイリンガリズム

　バイリンガルの場合、２番目の言語を習得しても、第二言語の文化が第一言語の文化にとって代わるのではなく、価値が付加されるとする考え方を付加的バイリンガリズム（additive bilingualism）という。それに対して、第二言語を学ぶことで、学習者の第一言語や文化を損なうとする考え方を削減的バイリンガリズム（subtractive bilingualism）という。移民など、多数派が話す言語を学んだ少数派言語話者の場合、彼らの母語や母文化が削減されていくと、自己概念が弱くなり、文化的アイデンティティーを喪失してしまう。

(注4) 同じ意味で「セミリンガル」という表現が使われる場合もある。

5.3 バイリンガリズムの理論

5.3.1 │ 均衡理論 (Balance Theory)

　均衡理論とは、バイリンガリズムと知能・認知との関係を示す考え方の一つであり、カミンズ (J.Cummins) によって分離基底言語能力モデルと共有基底言語能力モデルの2つが示されている。

　バイリンガリズムの初期の研究では、バイリンガルの運用能力はモノリンガルより劣っている、あるいは劣るだろうと考えられていた。その理由は、バイリンガリズムは秤（はかり）の上で2つの言語のバランスをとっている状態であるとみなされ、第二言語が増えていくと（習得が進むと）、第一言語の能力は減っていく（劣っていく）と考えられたからである。

①分離基底言語能力モデル

　カミンズはこれを頭の中の2つの風船によって説明した。つまり、頭の中のスペースは限られており、その中に第一言語と第二言語の風船が2つ共存しているため、一方が膨らんで大きくなると、別の一方はしぼんで小さくなるという考え方であると示した。このように、人間の言語能力には限られた容量しかないので、2つの言語が与えられた場合、1つの言語が優勢になれば、他方が劣勢になると考えた。これをバイリンガリズムの**分離基底言語能力モデル** (Separate Underlying Proficiency Model: SUP Model) と呼んだ (Cummins 1981a)。

図1　分離基底言語能力モデルの考え方（ベーカー 1996: 162 に基づく）

②共有基底言語能力モデル

　分離基底言語能力モデルでは、脳内の限られたスペースに2つの言語が存在していると考えるため、バイリンガルの子供たちは、モノリンガルの子供たちに比べると恒久的に不利な状態にあるとみなされる。ところが、カミンズは、バイリンガルの子供たちが2つの言語それぞれにおいて優秀な成績を修めている実例から別のモデルを示した。それが、「**共有基底言語能力モデル**（Common Underlying Proficiency Model: CUP Model）」である。カミンズの共有基底言語能力モデルでは、水面上に2つの氷山が見えるが、水面下ではその基底となる部分は別々ではなく、共有されていると考える。

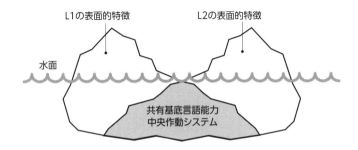

図2　共有基底言語能力モデルの考え方（ベーカー 1996: 163 に基づく）

5.3.2 | 敷居理論

　子供の言語発達が不十分な段階でバイリンガルを強要すると認知的な発達にマイナスの影響を与えるが、十分発達した段階でバイリンガルをスタートさせると均衡バイリンガルに近づくことができ、かつ認知的な発達に非常にプラスになるという研究結果から、カミンズは**敷居理論**（Thresholds Theory）という考え方を提唱した。これは、閾理論（しきいりろん）とも呼ばれ、三階建ての家に第一・第二の2つの敷居を想定することによってバイリンガリズムと認知発達の関係を説明する理論である。

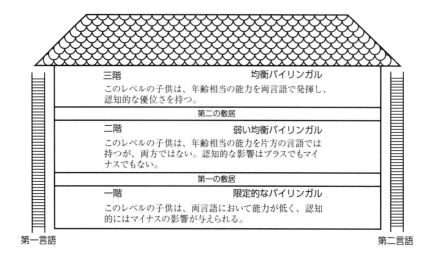

図3　敷居理論の考え方（ベーカー 1996: 165 に基づく）

　一階のレベルは、限定的なバイリンガルの段階である。ここでは、2つの
どちらの言語においても言語能力が低く、強制的にバイリンガルの状態にす
ると認知発達にマイナスの影響を与える。
　二階のレベルに上がるには、第一の敷居を通過しなければならない。これ
はバイリンガルが強要されても、子供が認知発達にマイナスの影響を受けな
いですむ段階の敷居を指す。つまり、二階では、どちらかの言語でその子供
の年齢に応じた能力を持っているが、両方ではなく、認知発達にはプラスに
もマイナスにも影響を与えない。
　三階のレベルに上がるには、第二の敷居を通過しなければならない。これ
は子供がバイリンガルであることでプラスの影響を受けるようになる段階の
敷居を指す。つまり、三階では、両言語で年齢相当の能力を示すことができ、
認知発達にプラスの影響を与える状態となっている。

5.3.3 | 発達相互依存仮説

　カミンズは、敷居理論の考え方をもとに、母語と第二言語の関係を取り上げ、**発達相互依存仮説**（Developmental Interdependence Hypothesis）という新たなバイリンガリズムの考えを示した。この仮説では、「子供の第二言語における能力は、すでに第一言語で獲得した言語能力に依存している。第一言語が発達しているほど、第二言語も発達しやすくなる。第一言語が低い発達段階にあると、バイリンガリズムの達成は難しくなる」とされている（ベーカー 1996: 167）。

5.4　バイリンガル教育

5.4.1 | 伝達言語能力と学力言語能力

　子供がバイリンガルの状況に置かれた場合、大人に比べると早い段階で会話能力が発達し、友達とのコミュニケーションには支障がなくなる。ところが、実際には通常学級での授業にはついていけず、問題となる場合が少なくない。このことはカミンズが提唱した伝達言語能力と学力言語能力の2つの言語能力を想定することで説明できる。

　伝達言語能力は、BICS（Basic Interpersonal Communicative Skills）で表され、**学力言語能力**は CALP（Cognitive Academic Language Proficiency）で表される。BICS とは、生活の中で伝達に必要な基礎的な言語能力であり、CALP とは学習するときに必要な学力に結び付いた言語能力である(p.67)。上述の例は、生活言語能力は十分に発達しているが、学力言語能力が発達していないために起こると考えられる。事実、友人がたくさんいる小学校の中国人児童は、「ぜんぶで」ならわかるが、「合わせて」や「合計」という言葉が理解できなくて、算数のテストができなかったという話がある。

　カミンズは認知負担の大小と言語使用場面にどの程度依存するのかのコンテクストの高低による座標により両者を位置付けている。

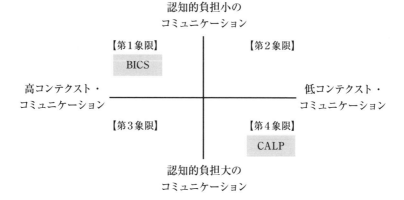

図4　BICS と CALP の位置付け（ベーカー 1996: 168-169 に基づく）

　横軸の高コンテクストか低コンテクストかの指標は、子供がその場の状況の助けやボディランゲージが使えるかどうか、実物を指すことなどで互いのコミュニケーションが成立するかどうかなど、文脈（コンテクスト）に頼ったコミュニケーションができるかどうかを示している。言語に頼らずに場面や状況に依存してコミュニケーションができる場合は高コンテクスト、場面に依存する割合が低い場合を低コンテクストとしている。認知負担の大小というのは、レベルの高い多くの情報を迅速に処理するための負担が大きいか小さいかを示すもので、思考力を必要として分析したり類推したりすることが必要な場面は負担が大きく、あまり考えずにできる日常会話などの場面では負担が小さいことを示している。

　外国の子供たちは滞日１年から２年ぐらいで日本人の友達もたくさんでき、日常生活に支障がない状態となる。これは、彼らのコミュニケーション場面が、場面の依存度が高いため、ボディランゲージや実物などで意思疎通ができ、思考力や分析力の負担の少ない第１象限の場面で支障がない状態なのであり、伝達言語能力が発達したにすぎない。

　しかし、通常学級の授業で必要とされる思考力や分析力は認知負担の大きい場面の能力、つまり第４象限の能力であり、コンテクストに依存できず、言語形式によって内容を理解し、問題を解決していかなければならない。彼

らはこのような学力言語能力が未発達であることから、学習の面では困難が生じる。

　表面的には第二言語が流暢になったと思える子供たちの言語能力は、実は伝達言語能力であり、学習に必要な学力言語能力は伝達言語能力ほどには発達しておらず、必ずしもバランスがとれているわけではない。

5.4.2 | イマージョンとサブマージョン

　イマージョン・プログラム (immersion program) とは、ある1つの言語話者に第二言語を用いて教科を教えるというバイリンガル教育の1つの形態で、カナダなどのように広い範囲で二言語が使用される地域で行われている。

　カナダで、母語の英語の読み書き能力と目標言語であるフランス語を一定水準以上にすること、互いの文化を尊重できるようになることを目標に、幼稚園の子供たちを対象としたイマージョン・プログラムが実験的に行われた。その結果、子供たちは、目標どおりに英語とフランス語の言語能力において一定水準以上の成績を収めたと報告され、イマージョン・プログラムの成果は大きく広まった (Lambert and Tucker 1972)。

　イマージョン・プログラムは、開始年齢と授業時間の量によって、さまざまな種類がある。

（5）イマージョン・プログラムの種類

開始年齢による分類
早期イマージョン………幼稚園や小学校低学年で開始する場合
中期イマージョン………9、10歳ぐらいで開始する場合
後期イマージョン………中等教育（日本では中・高等学校）段階で開始する場合
授業時間の量による分類
全面的イマージョン……最初は100％第二言語で授業、以後減少させる。
部分的イマージョン……最初から第二言語と母語を50％ずつ使用する。

（ベーカー 1996: 190 に基づく）

全面的イマージョンとは、最初は授業において100％第二言語が使用され、2、3年後に第二言語の使用が80％となり、さらに3、4年後から中等教育終了にかけて50％まで順次減少させていく形態である。部分的イマージョンでは、幼稚園の段階から中等教育終了まで一貫して50％の第二言語使用によって授業が行われる。

　イマージョンでは、生徒全員がある特定の言語話者で、彼らの目標とする第二言語によって授業が行われるのに対し、**サブマージョン**（submersion）は生徒の大多数にとっては母語であるが、少数の外国人生徒にとっては第二言語である言語によって授業が行われる場合である。たとえば、全員がフランス語話者の子供たちが英語で授業を受ける場合はイマージョンである。一方、英語話者の子供たちの中に日本人の子供が2、3人いて英語で授業を受ける場合は日本人の子供にとってはサブマージョンである。イマージョンとサブマージョンのクラス形態の違いは図5のようになる。

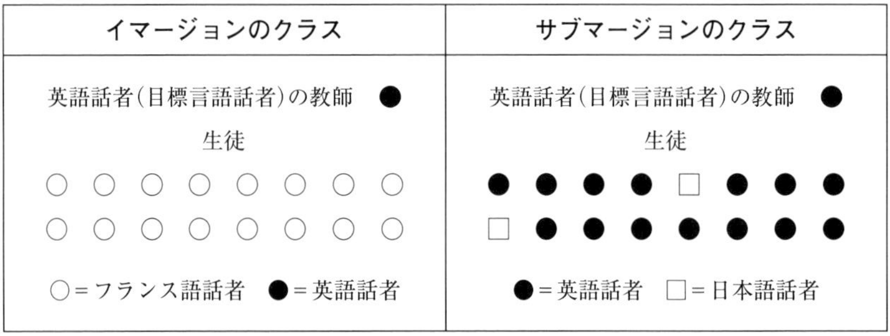

イマージョンのクラス	サブマージョンのクラス
英語話者（目標言語話者）の教師　●	英語話者（目標言語話者）の教師　●
生徒	生徒
○　○　○　○　○　○　○　○	●　●　●　●　□　●　●　●
○　○　○　○　○　○　○　○	□　●　●　●　●　●　●　●
○＝フランス語話者　●＝英語話者	●＝英語話者　□＝日本語話者

図5　イマージョンとサブマージョン

　このほかにもバイリンガル教育にはさまざまな形態がある。2つの言語話者の生徒がクラス内に半数ずついる場合などは、教室内で両方の言語が説明や学習に用いられるが、「各授業時間内では原則的に1つの言語しか使用しないこと」「全員がすべての授業を受けること」「四技能をバランスよく伸ばすこと」などを目標として行われる。これを双方向（または二重言語）バイリンガル教育と呼んでいる。

5.5　年少者への日本語教育^(注5)

　ここでは、言語接触の具体例という観点から、日本における外国人児童生徒の日本語教育を取り上げる。平成30(2018)年度の文部科学省の調査によると、日本語指導を必要とする外国籍の児童生徒数は40,485人であり、この10年で約1.4倍、日本国籍^(注6)の児童生徒数は10,274人で、この10年で2倍以上に増加しており、外国籍と合わせると5万人を超えている。また、外国籍の児童生徒の母語で一番多いのはポルトガル語(25.7%)、次に中国語(23.7%)、そして3位がフィリピノ語(19.5%)、日本国籍の場合は、フィリピノ語(32.8%)が最も多い。日本にいる外国人日本語学習者は多種多様であるが、中でも年少者は年々増加傾向にある。彼らの多くは日本の各地域に居住し、それぞれの地域の公立学校に通っている。学校別では小・中学校が約9割を占めており、在籍人数で調べると、1クラスに1人の外国人がいる場合が39.9%、2人の場合が18.2%で、合わせて約6割を占める。その一方で、5人以上の場合が26%となっており、外国人児童生徒が少数在籍する学校と多数在籍する学校の二極化の傾向が見られる(文部科学省 2019)。

　ここでは、公立学校における年少者への日本語教育について、いくつかの問題点を考えてみる。

5.5.1 ┃ 日本語教師と日本語指導

　最初の問題点は、だれが教えるかという問題である。日本語指導を行っているのは、年少者教育の場合、(6)のようにさまざまな立場の教育関係者である。地域や自治体などによって制度化されている内容や制度の運用方法が異なっており、身分と勤務形態は必ずしも一致していない。

(注5) 本書では「年少者の日本語教育」における「年少者」は、海外(中国)帰国者、定住一般外国人、非永住一般外国人、インドシナ難民、日系人などの子供(小学生〜高校生まで)を指している。ほかに、「外国人児童生徒」「入国・帰国児童生徒」などの呼び方もある。

(注6) 日本語指導が必要な日本国籍の児童生徒とは、帰国子女や保護者の国際結婚により家庭内言語が日本語以外である子供が含まれる。

（6）年少者への日本語教育にかかわる教育関係者[注7]

①管理職（校長・教頭）

②学級担任

③日本語学級加配教員

　学校に勤務している正教諭が臨時的、あるいは定期的に日本語の指導を行う。

④日本語指導協力者（広島市の場合）・日本語指導加配教員（久留米市）

　外国人児童生徒在籍校へ派遣される日本語教師。

⑤教育相談員（豊橋市の場合）・巡回指導員

　近隣の複数校で日本語の巡回指導や相談などを行う日本語教師。

⑥語学相談員（母語が理解できる場合）・通訳翻訳支援員（出雲市の場合）・外国人児童等授業介助員（久留米市の場合）

　適応指導や通訳・翻訳をする教育相談員。

⑦ボランティア

　学校内や公民館などで指導や支援を行う日本語教師。

　地域によって名称が異なる例として、広島市と久留米市の支援事業の概要を以下に示す。

（7）広島市の帰国・外国人児童生徒教育支援事業の概要

〈広島市帰国・外国人児童生徒教育支援事業〉

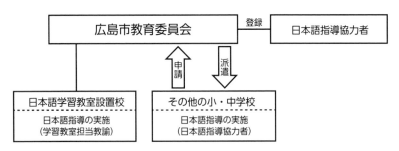

http://www.mext.go.jp/a_menu/shotou/clarinet/003/001/1405573.htm

（8）久留米市の帰国・外国人児童生徒教育支援事業の概要

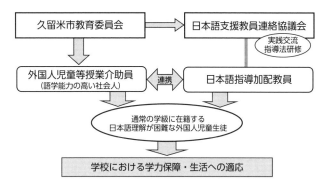

http://www.mext.go.jp/a_menu/shotou/clarinet/003/001/1405650.htm

　このように年少者の日本語指導の形態が多様なのは、年少者への日本語指導の環境が整備されていないことの表れであり、日本語教育を専門的に学んだことのない指導者が多いという現状は、大きな問題点である。この現状の背景には、ⅰ）学校や行政の管理者は、子供たちは放っておいても日本語は上手になるだろうと思いがちである　ⅱ）子供たちの編入・転入の時期が一定しないため、指導体制が組みにくい　ⅲ）多くの場合一斉指導ではなく個別指導が必要なので、個々のニーズに対応できる実践的な日本語指導を教員が学ぶことは困難である、などの事情から状況の改善は難しい。

　このような状況の中、日常会話はできるが教科学習に困難を感じている外国人児童生徒の日本語能力を把握し、指導方針を決定する指標として、文部科学省「外国人児童生徒のための JSL 対話型アセスメント DLA（Dialogic Language Assessment）」が作成されている[注8]。DLA は、「はじめの一歩」

（注7）以下の資料を参考とした。
　　①日本語指導が必要な児童生徒を対象とした指導の在り方に関する検討会議・文部科学省（2013）「日本語指導が必要な児童生徒に対する指導の在り方について（審議のまとめ）」
　　http://www.mext.go.jp/b_menu/houdou/25/05/__icsFiles/afieldfile/2013/07/02/1335783_1_1.pdf
　　②「外国人児童生徒受入れの手引き」
　　http://www.mext.go.jp/a_menu/shotou/clarinet/002/1304668.htm
（注8）http://www.mext.go.jp/a_menu/shotou/clarinet/003/1345413.htm

（「導入会話」と「語彙力チェック」）と「話す」「読む」「書く」「聴く」の4技能で構成されており、「会話の流暢度（CF）」「弁別的言語能力（DLS）」「教科学習言語能力（ALP）」が測定できるので、教科学習に必要な聴解力、作文力、読解力を測定できる。その結果は6段階のステージで示され、子供たちの言語能力が把握できる（JSL評価参照枠〈技能別〉）と同時に、「在籍学級参加との関係」と「支援の段階」を位置づけることができる（JSL評価参照枠〈全体〉）。

　また、ある地域で年少者への日本語指導を実践している日本語教師は、成人の日本語教育とは異なる指導の必要性を説き、(9)に示す点を挙げている[注9]。

（9）a. 児童生徒の担任や学校側と連携をとり、学習者実態を把握しておく。
　　　b. 教科学習との関連を考慮して授業を行う。
　　　c. 年少者は授業に対して、「面白い・面白くない」を正直に反応するので、彼らの興味や関心を十分に理解し、授業への一層の工夫が必要である。
　　　d. 必要に応じて、生活面の指導や親との連絡なども行う。

　年少者への日本語指導は、単に日本語指導という技術面だけではなく、場合によっては年少者の日本滞在での悩みや学校・クラスでの不満なども打ち明けられるので、カウンセラーの役割も必要である。日本語の知識と同様に、児童心理学や発達心理学も必要に応じて身に付けることが望ましい。そして、さらにいえば、漫画やテレビ番組など、年少者の興味がある事柄についての情報を持っておくことも、学習意欲を高める上で助けになる。

5.5.2 ｜ 取り出し授業と入り込み授業

　年少者への日本語の授業形態は、どうなっているのだろうか。インターナショナル・スクールなど特別の施設で授業を受ける場合以外は、サブマージョンの形態である。つまり、大勢の日本人児童生徒の中で日本人の教師によっ

て日本語で各教科が教えられる。日本語指導者がいる場合は、国語や社会などの時間に、別の教室に行って日本語の指導が行われる。このように、日本語指導が必要な子供たちを正規の授業から取り出して日本語の勉強をさせる形態を「**取り出し授業**（指導）」と呼ぶ。逆に日本語指導が必要な子供の授業に日本語指導者が入り込んで、その生徒のそばで授業内容の解説や翻訳をしながら学習を援助する形態を「**入り込み授業**」[注10]と呼ぶ。

　「入り込み授業」は「取り出し授業」と比べると、正規の授業補助が目的であり、子供の母語で補助することを要求される場合が多い。しかし、通訳できる人材が少ないこと、授業を行う教科の教員が受け入れにあまり積極的でないこと、また子供自身もクラスの仲間の中で自分だけ補助を受けることへの抵抗があること、など問題が多く、実施が困難な面も多い。一方で、母語でも未習の難しくて観念的な内容は、母語よりもむしろ易しい日本語で学ぶほうがテストや進学のことを考えると有益であるという考えもある。

　「取り出し授業」は、その学校の外国人児童生徒だけでなく、近隣の学校の生徒も参加する場合がある。これは「センター校方式」という方法で、各校に日本語指導の専門家を配置できない場合、センター校に決められた時間だけ近隣の学校の児童生徒を集めて指導を受けさせるという方法である。それに対して、「拠点校方式」という方法は、日本語指導が必要な児童生徒を拠点となる学校へ集中して在籍させる方法である。

5.5.3 ｜ 言語習得と母語喪失

　日本にいる多くの外国人児童生徒たちは、生活に早く慣れるために日本語指導を受け、クラスメートとの触れ合いの中で急速に日本語を習得していく。しかし、その一方で彼らは別の問題にぶつかることになる。次の作文は5歳で来日し、小学3年生になったある外国人児童が書いたものである[注11]。

(注9) 須藤とみゑ氏（広島市東浄小学校日本語教室非常勤講師）の私信から（2001年1月）。
(注10)「くっつき授業」という言い方などもある。
(注11) 大阪府在日外国人教育研究協議会（1998）『多文化共生の日本語教育』pp.4-5。

(10)

（中略）八時ごろ、ぼくがわり算のプリントをしていると、でんわがなりました。ぼくは宿題をやめて、だれからかかってきたのかと思って、でんわのそばにいきました。お母さんがでんわをとりました。お母さんは大声をだして、「中国のおばあちゃんやっ。」と中国語で言ったので、ぼくはびっくりして、「うそ！」と声を出しました。中国にも電話があってんなあと思いました。お父さんは、うれしそうに笑って、「かわって。」と言いました。お父さんは、たくさん中国語で話していました。つぎに、お父さんがでんわをお兄ちゃんにわたしました。ぼくはおしっこがしたくなって、おべんじょに行きました。おばあちゃんと話をするのは、日本にきてはじめてでした。ぼくは、おしっこはやくでろと思って、べんじょからもどってきました。お兄ちゃんが、ぼくにでんわをむけてきました。ぼくは、手をふって、「いい。」と、小さい声で言いました。お兄ちゃんが「なんで。」と言いました。ぼくは、「中国語、わからんから。」と言いました。お兄ちゃんは中国のおばあちゃんに、ぼくが中国語わすれて話ができないと、中国語で言っているのがわかりました。そのとき、お父さんとお母さんの顔を見ました。お母さんは手で目をおさえていた。お父さんは目になみだをためていました。ぼくが中国語をわすれたので、お父さんとお母さんはないているのかなと思いました。でも、おばあちゃんと話をすることができて、うれしいからないているのかなと思いました。ぼくもなみだが出てきました。ぼくもおばあちゃんとでんわをしたかった。

　この作文の男児の日本語教室担当の教師は、これを読んだ時のショックは言葉に表せないほどだったと言う。この作文は、日本語を教えることの意味について深く考えさせられると同時に、**母語保持**・母文化保持も重要な問題として考えなければならないことを伝えている。

　中国帰国者子女の母語喪失の実態をインタビューと観察記録をもとに調査した研究がある。それによると、i) 中国語の口頭能力と読み書き能力には喪失の程度に差があり、読み書き能力は喪失しやすい、ii) 家庭での母語使用だけでは母語保持の決め手とはならない、iii) 来日時の母語での読み書き能

力の有無が母語保持か母語喪失かを決定する要因の1つと考えられる、などの結果が報告されており、母語保持の難しさがわかる（斎藤 1997）。母語保持・伸長の重要性については、難民児童や帰国生徒への日本語教育の現場から報告されており（関口 1994, 池上 1994）、湯川（2006）は母語を年少者教育に不可欠な要<ruby>要<rt>かなめ</rt></ruby>としてとらえ、母語を学校教育の初期段階でサポートすることの緊急性を指摘している。真嶋（2019）は、小学校で行われてきた年少者への母語と日本語の二言語教育の実績から、母語を失わない全人的な教育に対する姿勢や環境整備のあり方を提示している。

5.5.4 | 年少者日本語教育の現状と問題点

近年の外国人児童・生徒の増加に伴い、年少者日本語教育に関する研究や実践報告が多くみられるようになった。(11)はその一部をまとめたものである。

(11) **年少者日本語教育に関する研究や実践報告**

研究者	調査対象	目的・方法	結果
犬飼 (1996)	小学校の日系人児童6人	参与観察（対象者の学校生活に参加して観察する研究手法(p.152)）による対人ネットワーク（他者との付き合い）を分析。	学校と家庭環境に焦点を当てた分析を行い、対人ネットワークを促進する要素は日本語能力だけでなく、彼らの内面の安定つまり環境作りであると報告した。
池上・小川 (2006)	中国帰国者定着促進センターの子供（小学校中高学年）	授業での「自己紹介」と「クイズ」の課題による書く活動の実践。	子供たちの個別性に留意しながら初期指導の段階から「書くこと」に取り組むことの重要性を示した。
齋藤 (2009)	小学校1年生の外国人児童8人と日本人児童7人	外国人児童の日本語会話力の特徴をとらえることを目的とし、インタビュー報告の発話資料を分析。	外国人児童は日本人児童に比べ、インタビュー報告の達成度が低く、情報は得られても再構成が困難。

滑川 (2015)	①子供 S （小学校 5 年生） ②S の母親 ③支援者	生活体験が抽象概念にどのように結び付くかを、親が参加する母語（中国語）と日本語による相互育成学習のやりとりから分析。	母語と日本語を介して教科学習を行う相互育成学習の有効性が再確認され、両言語による体験と交流が得られる学習環境の整備が必要であることを示した。
西川・青木・細野・樋口 (2015)	JSL の子供 （小 4〜中 1） 124人 日本語モノリンガルの子供 （小 4〜中 1） 924人	日本生まれ・育ちの JSL の子供の日本語語彙力を実証するために、和語動詞 31 語について、イラストによる記述テストを実施。	全ての学年で JSL とモノリンガルの子供の間に語彙力の差があり、学校生活で使用されない語彙は習得されにくく、母語の影響も見られた。

齋藤（2009）や西川ほか（2015）の研究で外国人児童が日本人児童と比べて、日本語力で問題があることが示されている。年少者日本語教育では、日本語力の育成だけでなく、安定した対人ネットワークの形成のための環境作り（犬飼 1996）や母語と日本語の相互育成学習（滑川 2015）による母語・母文化保持の重要性も含め、解決すべき課題が多い（真嶋 2019）。

縫部（1999）は、入国児童生徒に対して日本語教師が抱えるさまざまな問題を次のように挙げている。

(12)　1.　母語保持・帰国後の心配
　　　2.　適応・仲間づくりの心配
　　　3.　学校生活での適応と入国児童生徒に対する対処法の心配
　　　4.　異文化間教育の進め方に関する心配
　　　5.　日本語教育における心配
　　　6.　教科学習との関連の心配
　　　7.　進路の問題に関する心配
　　　8.　家庭・保護者との連携に関する心配

（縫部 1999: 28-32）

また、外国人の母語保持は、彼らの継承語(注12)の問題でもあると同時に、海外で現地の言語が優勢になって日本語力が低下した日本国籍の年少者に対する日本語教育の問題でもある。海外における継承語としての日本語教育もさまざまな問題をかかえており、中島ほか(2011)では継承語研究の文献データベースの一部が紹介され、中島(2010)は年少者の日本語教育を踏まえ、母語・継承語教育がどうあるべきかを示している。

　石井(2006)は、年少者日本語教育を子供の成長を支える言語教育としてとらえ、子供一人ひとりの言語生活や言語習得を見る「微視的な視点」と言語や教育に関する政策や制度も含めた社会環境を見る「巨視的な視点」が必要であるとし、「発達」「言語生活」「言語能力」「その評価」の４つの視点から多面的にとらえて日本語教育を行うことを説いている(石井 2006: 3)。

　日本政府は2019年４月から外国人就労者の受け入れ拡大を発表し、東南アジア９カ国(注13)から５年間で最大で34万人を超える外国人の受け入れを見込んでいる。このような現状の中で、家族として日本に住むことになる外国人の子供たちの日本語教育の問題はさらに多様化することが予測される。受け入れ拡大と共に、関係する諸機関が連携をとり、子供たちの学習環境や支援体制の整備をすることが求められる。

(注12)　外国で暮らす子供たちが親から受け継いだ言語を継承語 (heritage language) といい、外国環境で日常的に使う言語を現地語 (local language) という。

(注13)　当面、タイ・ネパール・ミャンマー・インドネシア・カンボジア・フィリピン・モンゴル・中国・ベトナムの９カ国である。

1. 言語接触とはどんな状態なのか。

言語接触とは、異なった言語を母語とする 2 つ以上の集団が社会的に接触する状況のことをいい、日本語と外国語、方言と共通語、男言葉と女言葉などの接触現象を含む。

2. 共有基底言語能力モデルとは？

バイリンガルの子供たちが 2 つの言語それぞれにおいて優秀な成績を修めている実例から、表面的には 2 つの言語を使用していても、共有の処理システムが機能していると考え、それを共有基底言語能力モデルと呼ぶ。

3. 外国人の子供たちは、日本語が話せたら学校の授業もわかるのか。

生活の中で伝達に必要な基礎的な言語能力は伝達言語能力（BICS）であり、学習するときに必要な学力言語能力（CALP）とは異なっている。従って、日常生活で話せるようになったからといって、授業が理解できるとは限らず、実際にはついていけなくて問題になる場合が少なくない。

第6章

第二言語習得研究の方法

◆第6章のポイント

ここでは、第二言語習得研究および資料収集の方法を紹介する。

1. 研究の種類にはどんな分類があるのか。
2. 学習者の発話を収集するにはどんな方法を用いたらいいか。
3. 初級レベルと中級レベルの違いは？

◆キーワード

縦断的研究と横断的研究　　日本語能力試験　　OPI

6.1　研究の方法

6.1.1 ｜ 記述研究と実験研究／理論研究と実証研究

　研究の分類はさまざまである。一般的に、**記述研究**に対して**実験研究**、**理論研究**に対して**実証研究**という分類がある。記述研究では多くの場合、少人数を対象として、授業や会話場面でのフィードバックや言語行動を観察し、現象を詳しく正確に記述して分析する。例えば、中国人児童の発話における語彙を1年間記述した研究（松本 1999）が挙げられる。それに対し、実験研究では、統計分析を行う場合が多く、一定の人数を対象として、実験計画をたて、研究課題に関する仮説を検証する研究である。例えば、条件文「と」「ば」の指導に関して2つの実験調査を行った研究（小柳 1998b、本書 p.187）などがある。

　理論研究と実証研究の分類では、前者が新しい理論を構築したり、既成の理論そのものを根底から問い直したり修正したりする研究であるのに対し、

後者はデータなどを使って、既成の理論や研究課題の仮説を検証する研究である。理論研究の例では普遍文法理論の研究が挙げられ、1960年代から研究の進展に伴って理論の内容が変化し続けている。データによって普遍文法理論を検証しようとする実証研究も多くみられる。

6.1.2 | 質的研究と量的研究

　前述の研究区分以外に、データの内容を分析するか、数量的な内容を分析するかという点で、**質的研究**と**量的研究**にも分類される。質的研究は、ケース・スタディーという事例研究の方法でよく知られている。多くはありのままの状態を観察し、データを収集していく。例えば、自分の子供の発話データを収集し、子供の言語発達を研究する場合などがこれにあたる。根気強く、時間をかけて観察をしながら記録をしていく方法である。

（1）質的研究と量的研究の特徴

	質的研究	量的研究
方法	ありのままの状態を観察し、自然な言語行動を記録して研究する。	タスクやテストを行うことによって言語データを得て、研究する。
タイプ	記述型研究：ありのままの状態を正確に記述する。	仮説検証型研究：仮説をたてて、それが正しいかどうかを検証する。
ねらい	「発見すること」が中心。正確にデータを記述することが重要。	「証明すること」が中心。推測して仮説をたて、それを証明するのが重要。
重点	状態変化の過程が研究の対象。発達や変化のプロセスに重点。	統計分析によって仮説が証明されるかどうかが重要。結果に重点。
一般化	被験者（調査を受ける人）数が少ないので、一般化は難しい。	被験者数が多く、統計分析などの客観的な分析を行うので、一般化が可能である。
データの質	示唆に富んだ豊富なデータ。	再現可能な信頼性の高いデータ。
データ収集	参与観察・観点描写法・ダイアリー・スタディーほか。	文章完成法・文法規則操作法・文法性判断テストほか。

（ラーセン-フリーマン＆ロング 1995: 11 に基づく）

他方、量的研究というのは、多量のデータ収集を行い、多くの場合はそのデータを統計分析し、結果を一般化する。一般的な能力テストやアンケート調査などによって行う研究がこれにあたる。両者の特徴を（1）にまとめる。

　両者の方法は、それぞれに長所や短所があり、研究の目的によってどちらの研究方法が適切であるのかを熟考しなければならない。

6.1.3 縦断的研究と横断的研究

　第4章の中で紹介した指示詞コ・ソ・アの習得過程の調査(p.78)では、中国人と韓国人3人ずつに対して、3年間にわたりインタビューが行われた。また、同じく第4章で、ブラウンが別々の地域の3人の幼児に第一言語としての英語習得を長期間観察し、研究を行ったことを紹介した(p.74)。このように、特定の学習者を研究対象として、長期にわたって、観察し、記述していく研究を**縦断的研究**と呼ぶ。

　他方、デュレイとバートは3つの地域のスペイン語話者の幼児151人に同時期に対話調査を行い、英語習得の過程を調査した(p.69)。このように不特定の大勢の学習者を研究対象として、ある一時点の習得状況を調査する研究を**横断的研究**と呼ぶ。研究の内容や調査対象の制約などで、縦断的研究を行うか横断的研究を行うかが決まってくる。具体的な内容の比較を（2）に示す。

（2）縦断的研究と横断的研究

	縦断的研究 (longitudinal study)	横断的研究 (cross-sectional study)
特徴	定期観察による研究とも呼ばれ、少人数の特定の対象者に、長期間にわたって行う研究である。	集団テストによる研究とも呼ばれ、大きな集団を対象に、特定の一時期に同時または短期間に行う研究である。
外国の研究例	別々の地域で3人の子供たちの第一言語の英語習得を4年間かけて観察した（Brown 1973）。	3つの地域のスペイン語母語話者の子供151人を対象に、面接により英語習得状況について対話調査を行った（Dulay and Burt 1973）。

日本の研究例	指示詞コ・ソ・アの習得研究で6人の日本語学習者に3年間の対話調査を行った（迫田 1998）。	動詞「て形」の習得研究で、82人の英語母語話者に直接記述テストを行った（坂本 1993）。
長所	(1) 収集されたデータによって、被験者（調査を受ける人）のある一定期間の言語使用の実態を提示できる。 (2) 研究対象の項目以外のデータが多く収集されている場合も多いので、コンテクストからの習得にかかわる多くの要因が検討できる。	(1) 研究対象の特定の言語データが多量に得られるので、統計的な検定ができ、一般化することが可能である。 (2) 初級・中級・上級レベル別に調査することにより、ある程度の習得段階の流れが把握でき、縦断的な発達傾向もとらえられる。
短所	(1) 少人数のデータのため、研究対象の言語データが少ないので、個人差などの影響を受けやすく、変則的な結果を生む場合がある。 (2) 少人数のデータのため、統計的な検定が行いにくく、結果を一般化することが難しい。	(1) レベル別に調査を行ってデータを収集しても、被験者が異なっているので正確な発達過程を示すことは難しい。 (2) 研究対象の項目以外のデータは収集されないので、習得にかかわる要因などの検討が難しい。

6.2 資料収集の方法

　習得研究のためのデータを具体的にどのようにして収集するかについて紹介する。具体的にはいくつかの方法があり、観察方法や研究対象や研究場所などによって、さまざまな分類がある（ラーセン-フリーマン＆ロング 1995, 小池ほか 1994, Gass and Selinker 1994）。ここでは、その一部を問題例および研究例を含めて紹介する。

■ 参与観察

　異文化間コミュニケーションや異文化接触に関する研究などで多く用いられている方法である。研究対象の人々の生活や授業に密着し、行動や経験を共にする中で、その人々の社会や文化を観察者が自分の目で直接観察し、分析していく。例えば、年少者を対象とした場合、ある程度の期間にわたって、

授業や休憩時間などを共に過ごし、家庭訪問や担任教師・日本語指導協力者へのインタビューを繰り返しながら、観察者の目を通して、学習者の様子や周囲の様子などを記録に取り、資料を作成する。

■ 観点描写法

クラスルーム・リサーチ（教室内における学習活動の分析や調査）においての、教師と学習者のインターアクション分析（教師と学習者がどのようにやりとりを行っているかの分析）などで用いられる方法である。参与観察と異なる点は、研究の範囲をあらかじめ特定の要因や言語形式に限定して記録し、検討しようとする点である。どのようにして教師の誤用訂正が行われているか、学習者の聞き返し行動はどんなインターアクションの中で起きるのかなどの研究は、この方法でデータが収集されることが多い。

■ ダイアリー・スタディー

参与観察と共に、異文化間コミュニケーションや異文化接触の問題、また最近では学習ストラテジーなどを扱う研究でも使われている。学習者が書く日記から、調査者は学習者の状態や行動などを観察し、記録をとっていく。

■ 自由作文・日記

書かれた文章の言語形式や形態を研究する目的で作文を書かせたり、日記を書かせたりする方法である。発話では、量的分析を行う場合、発話の単位（つまり、どこまでを1つの発話とするかの単位）の認定が問題となる[注1]が、文字資料の場合は一般的に文が完結しているので、その問題はない。しかし、学習者によって書かれた文の量が異なったり、研究対象の項目が使用されるかどうかが不明であったりするため、学習者間の比較は困難である。

（注1）発話の単位を決めるのは難しい。作文では、句読点が1つの文の目安になる。しかし、発話の場合は「繰り返し」「言いさし」「言いよどみ」に加え、「他者の発話介入」などもあり、1つの発話をどう規定するか、難しい。例えば、「昨日見た映画は、おいしいだ……えー、ちがう、えーと、何と言う？あ、おもしろい、おもしろいだった、いえ、おもしろかった、はい、おもしろかった」という発話の場合、「ちがう」「何と言う」はどう分類し、「おもしろい」「おもしろいだった」「おもしろかった」「おもしろかった」は1つの発話か、3つの発話か4つか、など発話数が異なってくる。

■ 面接法・対話法・抽出法

　自然な発話を収集するために、調査者と学習者とで面接して対話をする方法である。学習者に主導権を与えて、できるだけ多くの発話を引き出すような方法もあれば、研究対象の項目を引き出すための誘導を行う方法（抽出法という）などもある。しかし、たとえ抽出法を行っても、場合によっては研究対象の項目を引き出せない場合もあり、データが十分に得られないこともある。

[問題例]

　接続表現の使用を調査するために、1日の生活について尋ね、接続表現を「誘引する」。

　　調査者：今は、朝9時半から4時半まで勉強しますよねえ。
　　学習者：はいはい。
　　調査者：その後は、何をしますか。
　　学習者：その後はちょっとコンピュータールームへ行って、ちょっとインターネットで、うー、私の国の新聞なー読んで、あー、またー、あーイーメール見て、あー、後で、帰ります。　　（初級・英語話者）

■ ロールプレイ

　教室活動で利用される方法の1つだが、自然な発話で、かつ研究対象の項目を引き出したい場合などの調査に用いられる。ロールカードか口頭で、設定した役割と状況を説明し、調査者と会話をする方法。実際の場面との違いに対する考慮が必要であり、研究対象の項目が出現するかどうかは不明である。

[問題例]

〈ロールカード〉

> レストランで食事をして、家に帰りましたが、かばんの中にサイフがあ
> りません。レストランで、お金をはらうときに近くのテーブルにかばんを
> 置いて、かばんからサイフを出したことを思い出しました。レストランに
> 電話をかけて、あなたのサイフのことを尋ねてください。

(下記の実施例の場合、ロールカードの内容は英語で書かれている。)

　これは、忘れ物をした場合に、その処理が日本語でできるかどうかの課題
を通して、「んですが」などの表現が適切に使用できるかどうかを見ようと
したロールプレイである。しかし、次の中級レベルであるヒンドゥー語話者
の学習者の発話には「んですが」の表現は出現していない。

　調査者：はい、こちらB（レストランの名前）です。
　学習者：あー、私は、ごめんなさい、私はSG（学習者の名前）です、この前、
　　　　　あなたのレストランで、あー、料理食べました、この後、私の財布は、
　　　　　ここで、払って、帰りました、ちょっと、見て、ごめんなさい、あー。
　調査者：えー？　はいはい、えーと、えーと、財布ですか？
　学習者：はい財布です。
　調査者：えーと、もう一度、それじゃ、その財布をどこに忘れたのかわか
　　　　　りますか。
　学習者：あー、このcasherいるのテーブルの、近くのテーブル、ちょっと
　　　　　見てください（中略）あの、右の、あー、初めて、あー、テーブ
　　　　　ルです。　　　　　　　　　　　　　　　　　（中級・ヒンドゥー語話者）

■ 発話思考法

　個人またはグループに、ある課題を与え、その作業の途中に、課題の解決
のために学習者が何をどう考えているかを発話させる方法。例えば、12×12
の答えを出すという課題を発話思考法で行う場合、「えーと、まず10×12は、
120だから、その次の2×12は24、120と24を足して、答えは144」という

第
6
章

第二言語習得研究の方法

具合に、学習者がどのような順序で計算し、どんな日本語を使って考えているのかがわかる。しかし、作業しながらの発話は負担が重く、作業に集中できない場合もある。

[研究例]

谷口(1991)は、グループ・ワークによる発話思考法を用いて、問題解決の過程から読解ストラテジーを調査している。

　教材例の一部：『物質の三態と分子運動』物質はすべて、分子や原子という微小な粒子の集まりである。(後略)

　以下は、上記の教材を受けた、「物質」という語に関する会話のやりとりである。(Y、M、O は学習者を表す。)

　　Y：this should be states（これは状態のはずだ）
　　O：ぶっしつ、ぶつ means もの、しつ問のしつ
　　M：questioning, or quality? quality of もの、ものの quality（質）
　　O：state（だから状態）　　　　　　　　　　　　　　　　　　（谷口 1991: 45）

■ ストーリー (再) 構築法

　学習者が課題の絵や漫画などを見て物語を作る方法（ストーリー構築法、またはストーリーテリング）、あるいは課題の物語を読んだり聴いたりした後で、その内容を口頭か文章かで再び作る方法。研究対象の項目が使用されるかどうかは不明なので、絵や漫画の選定を慎重にすべきである。また、物語を読ませたり、聴かせたりした後で再構築させる場合は、読解や聴解能力も関係するので、真の意味での発話能力かどうかは疑問が残る。

[研究例]

問題

©植田まさし／蒼鷹社

　渡邊 (1992) は、日本語学習者の談話における視点の調査で、中国・韓国・ドイツ語話者の日本語学習者および日本人に上記の4コマ漫画を見せて日本語と母語でストーリーを作らせた。その結果、日本人は「お金を払わされて〜」と子供の立場寄りの発話をしているのに対し、学習者は「お母さんが〜頼んでる」などの発話をし、日本人と異なった視点をとっていることを報告している。

■ 音読法

　特定の音を含む語彙リストや文章、物語などを読ませ、音声的特徴を見る。学習者の言語的な背景 (どの地域の出身か、言語形成期はどこで過ごしたかなど) や調査環境 (どこで調査を行うか) などに注意を払い、人工的なデータにならないように気を付ける。

[研究例]

a. パス—バス／たんか—だんか／カード—ガード……
b. パパ　　バパ　　タタ　　ダダ　　カカ　　ガガ……
c. 打打　　肉肉　　他他　　脚脚　　加加　　楽楽……

沈(1997)は a.ミニマル・ペア、b.無意味語、c.台湾語の畳語の音声実験
によって、台湾人日本語学習者の無声破裂音・有声破裂音が習得困難である
原因を調査した。その結果、台湾人学習者は北京方言を基本とした標準語の
音声で代用していることを確認した。

■ 文章完成法

　学習者に、ある文章の書き出しの部分を聴かせたり、読ませたりして、そ
の文の続きを完成させる。または、キーワードを与えて、それを使って文を
完成させる方法である。書き出しやキーワードが作為的になりすぎたり、調
査回答のヒントになったりしないよう、注意が必要である。

［研究例］

> 問題　親しい友達から、テニスに誘われました。でも、あなたは身体が疲
> れているので、あまり行きたくありません。
>
> 友達：ねぇ、こんどの土曜日、テニスコートの予約がとれたんだけど、テ
> 　　　ニスいっしょに行かない？
> あなた：_____

　藤森(1994)は、上記の調査から断るときの弁明の形式の使用状況を学習者
（中国人・韓国人）と日本語母語話者で調べた。その結果、学習者は母語話
者に比べると「カラ」を多用する傾向にあり、「身体が疲れていて行けない」
という指示文に含まれている理由を挙げているものもあるが、「特に、テニ
スは私にとって、関心もないカラ、行きたくないね」などの表現が見られた
と報告している。

■ 文法規則操作法

　空所補充テスト（穴埋めテスト）、多肢選択法（いくつかの選択肢が与えら
れて、その中から正答を選択する方法）、文章や語句の書き換えなど、文法
規則の操作をさせる方法である。調査項目や選択肢が妥当かどうか、ほかの

回答の可能性はないかなどの十分な検討が必要である。

［研究例］

> 問題　〔　〕に入れるのに、いちばんよい表現を1つだけ選んで、○をつ
> けてください。
>
> 1時間も前に出発したから、もう今ごろはうちに着いて〔　　　〕。
> 1.　いる　　　　　　　2.　いそうだ　　　　3.　いるようだ
> 4.　いるだろう　　　　5.　いるそうだ　　　　6.　いるらしい
> 7.　いるかもしれない　8.　いるのだ　　　　　9.　いるみたいだ

　上記の9種の文末表現から選択して最適なものを選ばせる調査である。日
本語学習者のモダリティ表現習得を調査した大島 (1993) は、このテストに
よって日本人は「着いているだろう」とする割合が高かったのに対し、学習
者は「着いている」という表現を選択する割合が高かったと報告している。

■ 文法性判断テスト

　聞いたり、読んだりしてその文が正しいかどうかを正誤で判断させるテス
ト。短時間で答え、直感的な言語能力を測定する。判断を問うテストなので、
実際の発話で同様に産出がされるかどうかの保証はないという問題がある。

［研究例］

> 問題　次の会話文を読んで、正しい、自分も言うと思ったら○、おかしい、
> 自分は言わないと思ったら×をつけてください。
>
> 　　A：てんぷらとスイカを一緒に食べるとおなかが痛くなるよ。
> 　　B：えっ、**これ**はほんとうですか。（　　）

　迫田 (1997a) は、ソ系指示詞を選択すべき場合にコ系指示詞を使用してし
まう誤用に母語の違いが影響しているかどうかをこの方法で調査し、中国語
話者にこの種の誤用が多いことを指摘している。

6.3 レベルの判定

　調査を行う場合、データ収集の方法も重要であるが、調査対象となる学習者のレベルの判定も重要な点である。横断的研究の場合、初級・中級・上級という3つのレベルの集団に一斉に調査を行い、それによって習得の過程の特徴を探ろうとする研究が多い。そのため、学習者がどのレベルなのかという判定は、調査の中でも常に客観性が問われる点である。

　これまでの研究では、(1)学習時間、(2)滞日歴、(3)在籍クラス、(4)入学時のプレイスメントテスト、などから初級レベル・中級レベル・上級レベルに集団を分けていた。しかし、客観的なテストを実施する場合を除いて、学習時間や滞日歴だけでは、必ずしも正確なレベル判定の基準にならない場合もある。そこで、習得研究で用いられるレベルの判定方法のいくつかを簡単に紹介する。

6.3.1 │ OPI（Oral Proficiency Interview）

OPI（Oral Proficiency Interview）とは、ACTFL（American Council on the Teaching of Foreign Languages）の言語能力基準に基づいて行われる「話す技能」を評価する方法であり、機能的にどのくらい話す力があるかを総合的に評価するための、標準化された手順である。判定基準は(3)の4つの観点で行われ、訓練を受けた「テスター」と呼ばれるインタビュアーによって判定される。

　(3) **OPI の判定基準**

　　　a. 機能・タスク……目標言語で何ができるか。

　　　b. コンテクスト……どんな場面で使用されているか。

　　　c. 談話の型…………語句・文・連文・連段落のどのレベルの発話か。

　　　d. 正確さ……………文法・語彙・発音・社会言語学的能力・会話運用能力・流暢^{りゅうちょう}さ。

上記の判定基準によって、(4)の10段階のレベルに判定される。テスター
は、ある程度構成されたインタビューを時間内で行い、学習者が口頭能力に
おいてどのレベルであるかをさまざまな話題や方法で判定する。学習者は、
自分たちの自信のある話題などでは上手に話せるが、言語によるさまざまな
機能（例：説明、反論など）をチェックされると十分にこなせない場面も出
てくる。そのため、学習者の言語運用能力の上限を見極めるために、自然な
会話の流れを壊さないように注意を払いながら、何度も話題を変えて話を展
開させる。調査対象である学習者をこの方法でチェックすることで、さまざ
まな側面から口頭運用能力が客観的に測定できる。しかし、調査時間が10分
から30分程度かかるため、多数の学習者のレベル判定には時間と労力が必要
となる。また、このインタビューは訓練を受けて認定された有資格者のテス
ターによって行わなければならないという制約がある。

（4）OPI における評価の基準 —概略—

基準＼レベル	下位分類	機能・タスク	場面・内容	テキストの型
超級 Superior	①	意見・仮説が述べられる。高度の交渉ができる。裁断ができる。	すべての場面で、専門的な話題を扱える。	複段落。
上級 Advanced	②上③中④下	詳細な説明・叙述ができる。異常な状況が処理できる。	学校・職場での色々な場面で、具体的な事実関係の話題を扱える。	段落。
中級 Intermediate	⑤上⑥中⑦下	単純な応答ができる。サバイバルの状況が処理できる。	日常的な場面で、身近な話題が扱える。	文。
初級 Novice	⑧上⑨中⑩下	機能的能力なし。暗記した語句の使用に限られている。	非常に卑近な場面と内容（あいさつことば）しか扱えない。	語。

（鎌田ほか 2000,「下位分類」の欄は筆者加筆）

6.3.2 SPOT（Simple Performance-Oriented Test）

　SPOT とは、Simple Performance-Oriented Test の略称である。被験者は自然な速度の音声を聞きながら、解答用紙に書かれた同じ文を目で追っていき、文中の（　）に聞こえた音（ひらがな 1 字）を書き込む。

　（5）a. どうぞよろ（　）く。
　　　 b. ここは静（　）ですね。
　　　 c. おはよう（　）ざいます。
　　　 d. わたし（　）たなかです。
　　　 e. ごはんを食（　）ました。

　（5）は SPOT の問題例であるが、実際にはこの例よりも難しい問題も多く、いくつかのバージョンから 1 回のテストで 60〜120 問が行われる。実施時間が 5〜10 分と非常に短いこと、ひらがな 1 字を聞き取って書く簡易なテストであること、自然な速度の音声の聞き取りが行われることなどに加えて、日本語の総合的な能力の評価ができるということが大きな特徴として挙げられる（小林ほか 1996）。テスト結果により、調査集団を上位群・下位群、あるいは上・中・下のグループに分けることが可能となる。
　現在、この SPOT は TTBJ（Tsukuba Test-Battery of Japanese）に文法や漢字のテストと共に提供されている。詳しくは、以下を参照のこと。

　　　http://ttbj-tsukuba.org/p1.html

6.3.3 日本語能力試験 JLPT（Japanese-Language Proficiency Test）

　日本語能力試験は日本語学習者の日本語能力認定のために国際交流基金と日本国際教育支援協会により、実施されている。2004年からこの試験の見直しが行われ、課題遂行能力とそのためのコミュニケーション能力を測定することを目指す試験となった。旧日本語能力試験では、認定基準の級が 1 級〜4 級の 4 段階であったが、2010年からは旧試験の準 2 級にあたるレベルを加

えて、（6）のように N1 〜 N5 の 5 段階となっている。詳細は、以下を参照のこと。

https://www.jlpt.jp/about/levelsummary.html

（6）認定の目安（HPより【聞く】の場合のみ抜粋）

レベル	典型的な言語行動例
N1	幅広い場面において自然なスピードの、まとまりのある会話やニュース、講義を聞いて、話の流れや内容、登場人物の関係や内容の論理構成などを詳細に理解したり、要旨を把握したりすることができる。
N2	日常的な場面に加えて幅広い場面で、自然に近いスピードの、まとまりのある会話やニュースを聞いて、話の流れや内容、登場人物の関係を理解したり、要旨を把握したりすることができる。
N3	日常的な場面で、やや自然に近いスピードのまとまりのある会話を聞いて、話の具体的な内容を登場人物の関係などとあわせてほぼ理解できる。
N4	日常的な場面で、ややゆっくりと話される会話であれば、内容がほぼ理解できる。
N5	教室や、身の回りなど、日常生活の中でもよく出会う場面で、ゆっくり話される短い会話であれば、必要な情報を聞き取ることができる。

（出典：日本語能力試験公式ウェブサイト　URL：https://www.jlpt.jp）

これまでの習得研究では、判定対象とする技能やタスクの違いでテスト結果が異なっているという報告があり（Larsen-Freeman 1975, 大神 1999）、そのテストが何を測定しているのかを明確に把握することは重要である。妥当性と信頼性の高い評価方法を追求する上でも、さまざまな調査方法を用いての第二言語習得研究の成果が期待される。

1. 研究の種類にはどんな分類があるのか。

　研究の種類は、方法によってさまざまに分類される。言語現象の詳細を記述し分析する「記述研究」、実験計画をたてて仮説検証を行う「実験研究」、理論構築や理論の問い直しのための「理論研究」、データを使って理論や仮説の検証を行う「実証研究」がある。また、調査したデータの内容を細かく分析していく「質的研究」とデータの中に出現した頻度や割合で分析していく「量的研究」という分け方がある。さらに、特定の少人数の学習者を長期間にわたって調査する「縦断的研究」と短期間に大勢の学習者を対象に一斉に調査する「横断的研究」という分け方もある。データの収集にも多種多様な方法があり、研究方法と同様に、目的や状況に応じて選択することが重要である。

2. 学習者の発話を収集するにはどんな方法を用いたらいいか。

　面接法・対話法・抽出法・ロールプレイ・発話思考法・ストーリー（再）構築法・音読法などがある。できるだけコントロールしないで自然な発話を収集する場合は、面接法や対話法が使われ、ある程度調査の対象項目が決められている場合には、その項目を引き出すような抽出法やロールプレイ、ストーリー（再）構築法などが使われる。

3. 初級レベルと中級レベルの違いは？

　OPIでは、初級は対話相手の発話を繰り返し、単語レベルでの応答が中心で文の生成が困難なレベルであるのに対し、中級になると正しい文で応答ができ、質問も含んだ日常的な会話ができるとされている。

　日本語能力試験（JLPT）では、初級〜上級とN1〜N5を明確に対応させていないが、CEFRの基準や日本語学校のクラス分けを参考に、ここではN4を初級レベル、N3を中級レベルと仮定する。聞く場合の認定の目安では、N3では「やや自然に近いスピードのまとまりのある会話」が、N4では「ややゆっくりと話される会話」がほぼ理解できるとなっている。

第二言語としての日本語の習得研究

◆第7章のポイント

　ここでは、これまでの日本語の習得研究の流れを踏まえ、特に2000年以降の学習者研究の特徴および今後の課題を考える。1970年代後半から始まった学習者言語の研究は、当初は誤用分析から始まり、1980〜1990年代には次第に学習者の習得過程解明の研究へと移行し、2000年代には習得研究から指導の応用研究へと発展していった。近年の研究例を紹介しながら、習得研究の領域の拡大と深化について考える。

1. 2000年代に入ってからの研究は、それ以前とは異なった特徴を持っているが、それは何か。
2. 日本語の習得研究で検証しようとした習得理論や仮説には、どんなものがあるか。
3. 本章で述べる「学習者の視点に立った研究」とはどういうことか。

7.1　誤用分析から中間言語研究、そして応用研究へ

　1970年代後半から1980年代後半の研究を見ると、日本語の習得研究は誤用分析が中心であり、その方向は大きく2つの流れに分けられる。1つは、誤用から日本語の文法を考える言語研究の流れであり、もう1つは誤用の原因を探りながらどのように指導すべきかを考える教育研究の流れであった（長友 1993, 1998）。

　1990年代に入ると、誤用も正用も含め、学習者の言語使用を分析して、習得順序や習得過程を明らかにしようという中間言語研究が行われるようになった（坂本 1993, 市川 1993, 久保田 1994）。また日本語を第二言語とする学習

者の研究も、文法項目だけでなく、社会言語学・語用論の分野や、聴解・読解など技能面での習得研究が登場し、研究領域の拡大と細分化が見られるようになった（生駒・志村 1993, 舘岡 1996, 岡本・吉野 1997, 長友 1998）。

2000年代に入ると、社会の変化や科学技術の発展などと共に日本語の習得研究の内容や領域もさらに拡大と深化を遂げた。2000年以降の研究は、それまでの研究と比べて、次の3つの大きな特徴が見られる。

1つ目は、コミュニケーション重視の指導が強調され、日本語の「正確さ」より「適切さ」に焦点があたるようになり、以前にも増して社会言語学・語用論（p.48）の領域の研究が増えたことである。「誘い」や「断り」の談話研究に加え、「不満表明」や会話スタイルなどの研究が登場した（李 2004, 楊 2015）。

2つ目は、日本での外国人就労者の増加により、生活者としての外国人や日本の教育機関で学ぶ外国籍の年少者が増え、彼らを対象とした研究が多くなったことである。5章で日本における年少者の日本語教育について触れたが（p.139）、習得研究の分野でも語彙力や文法力の発達、作文や会話の能力を日本人モノリンガル児と比較するなどの興味深い研究が登場している（池上・小川 2006, 齋藤 2009, 滑川 2015, 西川ほか 2015）。

3つ目の特徴は、日本語教育への応用研究が多くみられるようになったことである。フィードバックやリキャスト（p.106）の研究がさかんになり、海外の第二言語習得研究の研究成果を受けて、フォーカス・オン・フォーム（Focus on Form: FonF）やインプット処理指導（Input Processing Instruction: IPI）[注1]など、具体的な日本語指導の効果を検証する研究が行われるようになった（小柳 2002, 岩下 2006, 中上 2012, 中浜 2013）。

日本語を第二言語とする習得研究の広がりは、1980年から1990年代までにとどまらず、2000年以降も研究領域の拡大と細分化が進んでいる。さらに、近年ではICTを使った指導（p.193）や人工知能（AI）の利用可能性も検討されてきており（金 2017, 戸田ほか 2018）、研究領域の拡大を生んでいる。2000年以降の第二言語習得に関する研究を中心に、どのような研究が行われ、どのような結果が得られたのかをまとめる。

7.2 各領域の習得研究

7.2.1 | 文法の習得

①助詞の習得

　日本語学習者が日本語を習いはじめて、最初にする質問は「先生、『は』と『が』はどう違いますか」が多い。「これ**は**わたしの本です」「それ**は**あなたのかばんです」などの練習をした後で、「どれ**が**あなたの本ですか」を導入すると彼らの答えは一斉に「これ**は**わたしの本です」となる。そこで、「どれ**が**あなたの本ですか」に対しては、「これ**が**わたしの本です」が正しいことを示すと、必ずといっていいほど先述の質問が返される。

　2000年以降では、それまでに比べると助詞の習得研究の件数はそれほど多くはないが、2010年代にも見られる（永井 2015, 岡田・林田 2016, 小口 2017）。1970〜1980年代に形態素の習得順序研究が盛んになり、1990年代に日本でも、日本語の助詞の習得順序の研究が盛んに行なわれた（Yoshioka 1991b, 八木 1996, 富田 1997, 迫田 2001a ほか）。過去の研究では「『は』が『が』よりも習得が早い」（八木 1996）「『に』と『で』の使用には、学習者の固まりを作るユニットストラテジーが影響している」（迫田 2001a）などの結果が出ている。新たな研究では、作文における助詞の誤用率を比較した場合、「スリランカ人学習者は、『が』を『を』と誤用を起こしやすい」（永井 2015）、「『食堂に（→で）ごはんを食べる』などの誤用には、『食堂』から『に行く』が連想され、『に』の使用が多くなる」（岡田・林田 2016）などの新たな見解が示されている（下記（1）（2）参照）。

（1）日本人は自分の気持ち（×ガ→ヲ○）あらわす時にことばだけでなく、
　　ひょうじょうもつかいます。　　　　　　　　　　　　　（永井 2015：35）

（2）あの喫茶店**に**（→で）コーヒーを飲む。　　　　（岡田・林田 2016：49）

（注1） インプット処理指導（Input Processing Instruction: IPI）とは、学習者に文法形式を含んだインプットを与えることによって意味理解を集中的に経験させ、インプットからインテイクへと導く指導である（山岡 2004：31より）。バンパタン（B. VanPatten）が提唱した指導法で、「処理指導」（Processing Instruction: PI）とも呼ばれている。

②「〜ている」の習得

　日本語の「〜ている」には、(3)の「動作の継続」と(4)の「結果の状態」の2つの使い方があり、その習得はなかなか困難である。初級学習者14人に選択式の穴埋めテストを行った結果によると、(3)の「動作の継続」の用法のほうが(4)の「結果の状態」より習得が易しいことが明らかになっている（黒野 1995）。

　　(3)　山田さんは図書館で本を**読んでいる**。（動作の継続）
　　(4)　部屋の窓が**開いている**。（結果の状態）

「〜ている」の研究は、アスペクトの研究でもあり、「〜ている」のどちらの用法がどんな動詞と結び付いて使用されるかを明らかにしようとする研究が多い。

　菅谷(2003)は、日本語学校に通わずに自然環境で日本語を学んでいるロシア語母語話者と日本の教室環境で日本語を学んでいるインドのテルグ語母語話者の2人の会話を分析した結果、自然環境のロシア語話者は調査当初から「結果の状態」と「動作の持続」の両方をさまざまな動詞で用いていること、教室環境のテルグ語話者は「動作の持続」のほうが動詞の異なり数や正用率の点で成績が高く、出現も早いという結果を報告している。さらに菅谷(2004)は、母語に「テイル」の形式のない母語の学習者（ロシア語、ブルガリア語、ドイツ語）と「テイル」の形式を持つ母語の学習者（英語）を対象に文法テストを行った結果、母語の違いにかかわらず、成績の下位群では「動作の持続」の得点が「結果の状態」よりも有意に高いこと、上位群では両者の得点差はないが、「結果の状態」では「テイル」と「タ」の使い分けで混乱している様子が観察された。この結果から、「動作の持続」のほうが「結果の状態」よりも習得が早いという従来の研究の結果を支持すること、母語以外の要因が影響していることを述べている。

　菅谷以外にも、塩川(2007)は文法性判断テストによって連体修飾節中と文末のアスペクト形式の使用の違いについて、また、橋本(2006a)は英語を母語とする幼児1人の発話を対象として「タ形と到達動詞[注2]」「テイ（ル）形

と活動動詞」の結び付き（「作った、食べた」「見ている、待っている」など）について分析している。いずれも、従来の「夕形と到達動詞」「テイ（ル）形と活動動詞」が結び付きやすいとするアスペクト仮説を支持する結果を示しており、2000年代に入って増加した、データによる理論検証の研究となっている。理論検証の習得研究については後述する（p.181）。

③条件表現の習得

　日本語学習者に文法の何が難しいかを尋ねた場合、いくつかの文法項目を挙げる。「助詞」「受身」「授受表現」「使役」などと並んで登場するのが「条件表現」である。表現の数が多いことに加えて、それぞれに使用の制約があり、（5）のような誤用を産み出してしまう。

　　　（5）春になると、桜が見たい。
　　　　　　1年生になれば、自分で何でもやりなさい。　　　　　　（稲葉 1991: 88）

　（5）に示されるように、「と」「ば」は、文末に「〜たい」「〜なさい」などのモダリティ（話し手の意志・希望や相手への依頼・命令などの心的態度）を表す表現が来る文には使えないという制約がある。稲葉（1991）は、英語には、そのような制約がないことから、「英語話者（45人を対象）は『と』と『ば』の習得が遅れる」ことを仮説として立て、文法性判断テストによって仮説が正しいことを検証し、母語の影響の可能性を示した。また、ニンジャロンスック（1999）もタイの日本語学習者（338人）に文法性判断テストを用い、結果にタイ語の影響が見られると報告している。

　2000年以降の研究では、梁（2016）が韓国人日本語学習者（中上級レベル）の作文コーパスを分析し、日本語母語話者との比較による、「〜と」の使用実態の研究を行っている。韓国人学習者の場合は、以下の仮説条件の誤用が多く観察された。

（注2） アスペクト仮説の背景にあるVendler (1967) の動詞の分類には、「ある・いる」など状態を表す「状態動詞」、「見る・待つ」など継続期間を持つが終点のない「活動動詞」、「作る・〜を食べる」などの継続性を持つが終点のある「到達動詞」、「できる・わかる」など瞬間に動作・作用が終わってしまう「達成動詞」の4つがある (橋本 2008)。

（6）そして、世界は広くて言語も違うということを教える**と**、子供のごろから世界を見る視線が広くなる**と思う**。　　　　　　　　　　（梁 2016：32）

　梁（2016）は、韓国人学習者の仮説条件の「〜と」の多くが「〜ば」の誤用であること、中上級レベルになっても両者を混同していること、「〜と」の後件に「と思う」を多用する傾向があることを述べており、母語の影響については言及していない。（7）は、これまでの日本語の文法の習得に関する主な研究をまとめたものである。

（7）文法に関する習得研究

研究者	調査対象	目的・方法	結果
許 (2002)	中・上級台湾人日本語学習者（在台湾67人、在日本49人）116人	過去を表す「テイタ」の習得状況を文法テストで調べ、先行研究の結果と比較。	「テイタ」の「運動効力」「結果の状態」「状態の変化の結果」の用法は最も習得が困難である。
菅谷 (2003)	自然習得中心のロシア語（L1進行形無）母語話者と教室習得中心のテルグ語（L1進行形有）母語話者の各1人	インタビュー発話の縦断調査により「テイル」の「動作の持続」「結果の状態」の習得過程を調査。	教室習得のテルグ語母語話者は「動作の持続」の習得が早く、自然習得のロシア語母語話者は両方の用法が調査当初から出現、正用率も高かった。
菅谷 (2004)	「学習者の母語の影響に関する研究」（p.92）を参照		
橋本 (2006a)	英語を母語とする幼児1人	幼稚園幼児の自然発話を縦断的に調査し、タ形とテイ形の動詞タイプの使用状況を分析。	習得初期の「タ形＋到達動詞」「テイ形＋活動動詞」の使用割合が高く、内在アスペクトが習得に影響している可能性を指摘。
塩川 (2007)	初中級・中級・上級レベルの63人の学習者	文法性判断テストを実施し、文末・連体修飾節中の、動詞と「テイル」の結び付きについて先行研究の結果と比較。	従来の研究結果「到達・達成動詞＋タ」「活動動詞＋テイル」の結び付きを支持する結果となった。

サウェット アイヤラム (2009)	タイの大学生44人（成績上位群と下位群）日本語母語話者22人	3種類のナレーションタスク（物語構築法）を実施し、受動文の機能別の習得を調査。	タイの日本語学習者（下位群）は、受身の形式を「被害」の機能のみに結び付ける傾向があり、教科書の影響の可能性を示した。
庵 (2010)	日本語母語話者26人、中国の大学生2年生48人、3年生49人、4年生48人、大学院生26人	アンケート調査を用いて、サ変動詞の使用について調査し、一部、フォローアップインタビューを行った。	「される」の回答が高い場合と逆の場合が存在する。学習者が「外的な力」を感じるか否かが「される」の使用動機の可能性あり。
永井 (2015)	スリランカ在住の高校・大学の日本語学習者（成績上・中・下位）の作文130編	15〜30分で書かせた作文の助詞「ガ・ヲ・ニ・デ」を誤用分析し、その要因を考察。	絶対他動詞[注3]をとる「×ガ→○ヲ」の誤用が多く、シンハラ語の格標示の影響を指摘。
岡田・林田 (2016)	N2合格の中国語母語話者49人	選択テストと10人へのフォローアップインタビューで「に・で」の習得過程を探った。	まず「移動先の『に』」、次に「動作場所の『で』」が習得されると思われる。
梁 (2016)	韓国人日本語学習者と日本人母語話者の3種の作文コーパス	条件表現「〜と」の誤用分析を行い、韓国人日本語学習者と日本語母語話者の使用の違いを検証。	韓国人学習者は「〜と」の後件に「と思う」を多用し、中上級レベルになっても、「〜と」と「〜ば」を混同。
胡 (2016)	LARPatSCU[注4]の作文1のデータ959篇から「させる」に関する事例183例	使役文の用法別の使用実態を台湾人日本語学習者の作文コーパスから明らかにする。	使用率も誤用率も「他動的」＞「心理的」＞「基本的」の順で高く、「他動的」「心理的」な用法は学習年数を経ても習得が困難。
小口 (2017)	日本語母語話者、上級レベルの中国語・英語母語話者各20人（計40人）	特定の絵本を聞き手に見せないで内容を語るタスクを行い、「は」と「が」の運用と知識の実態を探った。	上級でも、「未出」「既出」という言語知識に従って「は」と「が」を使い分ける段階には至っていないことがわかった。
Chauhan (2018)	「学習者の母語の影響に関する研究」（p.92）を参照		

(注3) 対応する自動詞を持たない他動詞。詳しくは、寺村（1982）を参照。

(注4) LARPatSCUとは、Language Acquisition Research Project at Soochow University の略称で台湾東呉大学の日本語学科の学生27人を対象として、大学在学期間の3年半における作文とインタビューのデータに基づいて習得過程を研究するプロジェクトである。

文法研究の中には、調査対象が1つの言語の母語話者のみの研究が多く、その上で母語の負の転移と論じるケースも依然として多く見られ、この点は今後の習得研究の大きな課題の1つである。母語の転移の項でも述べたが (p.82)、母語の影響を論じるためには、複数の母語の学習者を対象としてデータを収集し、その結果に違いが見られるかどうかを分析しなければならない。公開されているコーパスを利用して、母語の異なる日本語学習者の多くのデータを分析することが重要である。

7.2.2 | 語彙・意味の習得

　カナダで日本語を教えている友人の話である。日本で生まれ、6歳まで日本で育った男の子がカナダに帰り、その後はずっと英語とフランス語で育った。19歳になった彼はやっと念願の日本語を再び習おうと大学で日本語クラスを受講した。13年ぶりに聞く日本語は懐かしく、意欲に燃えていた。同級の女子学生が欠席していたので、先生が彼に「メアリーさんはどうしたのでしょう」と尋ねたところ、彼は懐かしい日本語を必死で思い出して「メアリーさんは、病気。ねんねしたいと言いました」と答えて、教師を驚かせた。
　また筆者は、あるデータ収集調査で「店長役 (筆者) にアルバイトの日数の短縮を申し出る」ロールプレイでの学習者の発話に驚かされたことがある。日本語母語話者なら「店長、今、少しお時間、いいでしょうか。ご相談したいことがあるんですが……」と切り出すところを、その日本語学習者に「店長、今、暇ですか。私、言いたいことがあります」と言われてしまい、絶句した。「お時間」と「暇」、「ご相談」と「言いたいこと」では、聞き手の話し手への印象はまったく異なってしまう。語彙の習得は、コミュニケーションの要となる内容語の習得を意味し、重要な領域である。

　中石 (2005) は、「つく／つける」「きまる／きめる」のような「有対自他動詞」の使用を、運用データを用いて語彙的側面から分析している。まず、発話データである KYコーパスを調べてみると、同一の学習者の発話で「活用によって自他動詞が固定している場合」と「対の片方のみが使用され、もう

一方が出現しない場合」の2つの可能性があることに気が付いた。「＊」は、使用された動詞が誤用であることを示す。

  （8）活用によって自他動詞が固定している場合
     ・＊大学**決まる**ときは、お父さんにも一緒に考えたんだけど
     ・おかあさんが決ま、**決めた**んですね、やっ、なんかお姉さんの結婚も全部お母さんが**決めた**し、（中略）全部お母さんが**決めた**んですね

KYコーパス（KAH03）

  （9）対の片方のみが使用され、もう一方が出現しない場合
     ・どんなふうに使ったらいいか、あの決め、**決められない**わけですね。
     ・＊私の意見、あの、はっきり**決めて**いませんね。

KYコーパス（EAH03）

  中石（2005）は、この結果を検証するために、初級後半レベルの中国語母語話者88人、韓国語母語話者126人、計214人の学習者を対象として、文完成法タスクを用いて自他動詞の産出調査を行った。その結果、a）活用にかかわらず自動詞のみを使用する場合、b）活用にかかわらず他動詞のみを使用する場合、c）活用形によって使用が固定している場合、d）1つの活用形に自他動詞いずれも使用している場合の4つの使用パターンがあることを明らかにしている。a）〜d）の結果から、学習者にとって自他動詞は対立した存在であるというより、使いやすい語彙が選び出されている可能性が推測できる。

  菅谷（2010）は、日本語の動詞活用が項目学習（item learning）か規則学習（rule learning）かを検討するために、実在しない造語動詞と実在動詞を使って調査を行っている。項目学習とは、規則ではなく一つひとつを記憶していく学習であり、規則学習とは規則に沿って習得していく学習である。調査では、「はつ」「ほむ」「かぷ」のような実在しない造語と「食べる」「来る」のような実在語の、活用を推測させるテストを使用した。調査対象者は日本在住の大学生で、2人の韓国語母語話者と39人のモンゴル語・中国語のバイリ

ンガルである。実在しない造語を使って活用形のテストを行うのは、造語の活用の正答率が低ければ、動詞活用は規則学習ではなく、一つひとつの活用形をボトムアップで記憶して学習する項目学習であることを暗示する。反対に、造語の活用の正答率が高い場合は、トップダウンで規則を適用して学習する規則学習であることが推測される。菅谷(2010)は、この結果を、日本語母語話者対象の調査(Klafehn(2003))と比較し、日本語母語話者と学習者は動詞活用の処理方略が異なっている可能性を示唆した。つまり、日本語母語話者は造語の活用の正答率が低く、規則学習ではなく頻度の高い語彙によってボトムアップで活用を覚えていく項目学習が推測され、学習者は造語の正答率が高いことから、規則学習を行っていることが推測された。

　劉(2017)は、日本語学習者の「名詞＋動詞」コロケーションの使用と日本語能力の関係を明らかにするために、上位群・中位群・下位群に分けられた作文コーパスを調べた。
　コロケーションとは、「傘をさす」「命令を下す」「風邪をひく」など、語と語の習慣的な結び付きのことを指す。学習者のコロケーションの使用実態（正用と誤用）を調べた結果、コロケーションの使用頻度は日本語の能力が上がるにつれ、高くなること、コロケーションの誤用は、成績中位群になると多くなるが、上位群になると減少することがわかった。
　また、大神(2017)は多義動詞「とる」のコロケーションについての調査を行い、日本語学習者は「いい成績をとる」や「写真をとる」は正しいと判断できる割合が高いが、「魚をとる」「ごまから油をとる」などは正答率が低く、学習者の共起語彙理解の範囲に偏りがあることがわかった。

　語彙に関する習得研究は、2000年代に入って多くみられるようになった。その背景には KYコーパス、LARPatSCU、YNU書き言葉コーパス[注5]など、作文や発話の学習者コーパスが公開されてきたことに起因すると思われる。

7.2.3 社会言語学・語用論の分野の習得

　2000年以降の習得研究の特徴の1つに、コミュニケーション能力の重視から「正確さ」より「適切さ」が重視されるようになり、社会言語学や**語用論**に関する研究が増えたことを挙げた。(10)〜(12) は、文法的に誤用とはいえないが、聞き手に不快感を与える可能性がある。

（10）調査者（初対面で目上の人）：では、今から調査をします。宜しくお
　　　願いします。
　　　学習者：先生、よろしくね。

（11）調査者（初対面で目上の人）：日本では、学校は4月から始まりますよ。
　　　学習者：へぇ、そうなんだ。
　　　調査者：この学校では、9月から始まりますか。
　　　学習者：うん。9月から。

（12）（店長にアルバイトの短縮の依頼をするロールプレイで）
　　　学習者：店長、忙しくなりましたから、3日から2日、働きたいです。
　　　　　　　いいですか。

コミュニケーション場面での助詞や活用などの文法的な誤用は、意味の理解に支障がなければ、大きな問題とならないので、安全な誤用といえるが、(10)〜(11)のような表現は、なれなれしい印象を与えたり、(12) は「いいですか」と念押しをしたりして、目上の人に押しつけがましい印象を与えるので、危険な正用といえるかもしれない。
　現在は日本の社会でも多くの外国人が働いており、多文化共生社会になりつつある。そのような中でコミュニケーション場面において適切に日本語が使えるかどうかは、人間関係のトラブルをおこさないためにも重要である。

（注5）『YNU書き言葉コーパス』とは、横浜国立大学が作成した書き言葉コーパスで、日本語母語話者30人と中韓の留学生計60人の作文コーパスである（金澤 2014: ⅲ）。

これまでの研究では「断り」や「交渉」などの発話行為に焦点があてられることが多かった（生駒・志村 1993, 町田 1998）が、最近では不満表明や再勧誘、さらに母語話者同士のデータの分析も行われるようになり、社会言語学や語用論の分野での研究の広がりが見られる。

　李 (2004) は、不満をどのように相手に言語で表明するかを分析対象とし、20〜30代の日本語母語話者（以下 JJ）、韓国語母語話者（以下 KK）、JSL 学習者、JFL 学習者の各40人に対して文完成テストを実施した。具体的には、(13) のような場面で自分ならどのように言うかを記入させた。

(13) **談話完成テスト**（# は設問番号を示す。）

　#2　S（被験者）の同性の友だちが待ち合わせに遅れた。以前にも同じことがあった。

　#7　切符売り場で見知らぬ若い男性が S の前に割り込んできた。

　#9　デパートで買い物をし、配達を頼んだが、予定日を過ぎても届かない。

（李 2004: 28, 一部抜粋）

　記入された言語資料を、内容と相手のフェイスを脅かす度合（the degree of face-threat 以下 FT 度）によって「不満を表明しない（ストラテジー 1）」〜「非難（ストラテジー 8）」の 8 段階のストラテジーに分類した。その結果を (14) に示す。

(14) JJ、JSL、JFL の FT 度からみたストラテジーの使用頻度（回）

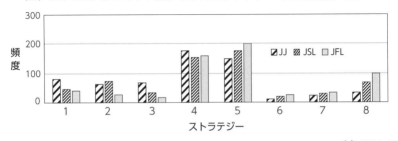

（李 2004: 32）

この結果から、不満を表明する際に JJ は、より FT 度の低いストラテジーを使用し、韓国人日本語学習者 (JSL, JFL) のほうがより FT 度の高い言い方をしていることがわかる。さらに、上記の #7 の割り込み場面では、日本人であれば「後ろに並んでいただけますか」を多く用いる場面で、KK や JSL, JFL 学習者は次のような表現を使用し、母語の影響の可能性が示唆された (李 2004: 33)。

(15) a. おじさん、いい年してるんだから、<u>公共秩序は守ってください</u>。
（韓国語で表記）　　　　　　　　　　　　　　　　　　　【KK29】

　　 b. ちょっと公衆道徳を守って下さい。　　　　　　　【JSL24】

　　 c. 礼儀を守ってくださいませんか。　　　　　　　　【JFL43】

社会言語学および語用論の分野の習得研究の一部を (16) にまとめる。

(16) 社会言語学および語用論の分野の習得研究

研究者	調査対象	目的・方法	結果
伊藤 (2002)	日本語母語話者 52 人 マレー語母語話者 68 人 学習者 4 群（来日 3 年目〜来日経験無の学習者）計 221 人	勧誘に対する「断り」行為の談話完成テストにより、学習者、相手の地位、相手との親疎の各要因でポライトネスを検討。	1）学習者のポライトネスは、JSL より JFL のほうが日本語母語話者との隔たりが大きい。2）JSL 内で、滞日期間が長くなるとポライトネスは日本語母語話者に近くなる。
ワンウイモン (2004)	「学習者の母語の影響に関する研究」(p.92) を参照		
李 (2004)	「JFL と JSL の学習者を扱った日本語の習得研究」(p.96) を参照		
楊 (2015)	女性の中国語母語話者同士、日本語母語話者同士の各 18 組の自由会話	話題展開や会話参加の仕方の相違について、中国語母語話者同士と日本語母語話者同士の会話を分析。	日本語母語場面では話し手と聞き手が比較的固定的であるが、中国語母語場面では話し手の役割が競合し、両者は異なる特徴がある。

| 黄
(2016) | 大学生の中国語母語話者同士(CNS)と日本語母語話者同士(JNS)各35組 | 再勧誘の言語行動をロールプレイによって、25の意味公式に分類し、日中の言語行動を比較。 | 再勧誘のやりとり回数はCNSがJNSより多く、再勧誘の切り出しは、CNSは自分を強く押し出し、JNSは無理強いをしない傾向が見られた。 |

7.2.4 | 技能別に関する習得

　ここでは「話す・聞く・読む・書く」の四技能の活動に焦点を当てた習得研究を紹介する。烏(2010)は、中国語母語の上級日本語学習者と日本語母語話者各8人が絵本の説明を行うときの語り方の違いを明らかにすることを目的として、字のない絵本を用いて言語データを収集分析した。調査には『アンジュール ある犬の物語』の絵本(54枚)を用い、被験者の語りと絵本の内容の一致度に着目し、発話の特徴を調べた。その結果、日本語母語話者は絵本の内容に忠実に描写するのに対し、中国人学習者は内容を脚色して大胆な描写を行ったり、絵本に書かれていない内容を付加したりすることがわかった。これらの背景には、学習者の心理的要因として、日本語能力への自信のなさから説明的になってしまうこと、わかりやすく伝えるためにより多くの情報を与えてしまうことがあると述べている。また、一方で中国人学習者の文化的な背景による語りのスタイルの影響も考えられるとしている。

　野田ほか(2017)は、中国語母語の大学院生の日本語学習者が学術論文を読む際に、どこで読み誤るかを思考発話法[注6]によって調査している。多くの日本語を学ぶ留学生にとって、目標言語で正確に論文を読む能力は、研究に直結する重要な技能であるといえる。しかし、例えば(17)の下線「怒りを抑制することは望ましくない」という内容を、上級レベルでも学習者によっては「望ましい」と理解することがある(野田ほか 2017: 15)。

　(17)　その結果、友人から言語による被害を受けた場面で生じた怒りを抑制することが、友人関係満足感にとって望ましくないことを見出している。

野田ほか (2017) は、検証のために、日本の大学院で学ぶ上級レベル中国語母語の学習者30人を対象として「専門の学術論文をどこでどのように読み誤るか」を詳細に調査した。被験者には、初見の専門分野の学術論文を、普段と同様に辞書やパソコンを使いながら読ませた。そして、読んだ後でなく、読みながら同時に、理解したこと、考えたこと、理解できないところを中国語で話してもらい、読み誤りの箇所205例について (18) の a から d の分類・考察を行った。

　(18) a. 語の意味理解に関する読み誤り

　　　　　（文字列の中での単語の認識の誤りなど）

　　　　b. 文構造のとらえ方に関する読み誤り

　　　　　（修飾と被修飾の関係の把握が困難など）

　　　　c. 文脈との関連づけに関する読み誤り

　　　　　（省略部分を文脈から推測できないなど）

　　　　d. 背景知識との関連づけに関する読み誤り

　　　　　（背景知識の不足で関連づけが困難など）

（野田ほか 2017, （　）は筆者補足）

　「語の意味理解に関する読み誤り」の具体例には、「プレーヤー」を「プレッシャー」と勘違いしたり、「手入れ」を「手に入れる」ことだと推測してしまったり、「トップダウン」を「トップは上、ダウンは下」と考え、「上の人から下の人まで全部」と推測してしまうなどが挙げられている。

　(19) は、四技能に関しての習得研究をまとめたものである。

（注6）「発話思考法 (p.155)」と同義。ここでは、読みながら理解した内容を母語で語らせる方法で調査（野田ほか 2017: 16-17）。

第 7 章 第二言語としての日本語の習得研究

(19) 四技能の習得に関する研究（【　】は技能を表す）

研究者	調査対象	目的・方法	結果
烏 (2010) 【話す】	日本語母語話者8人 中国人上級レベル日本語学習者8人	『アンジュール ある犬の物語』を見て物語を語らせ、発話の特徴を分析し、発話と物語の内容の一致度を調査した。	母語話者は内容を忠実に再現する表現を使うが、学習者は、大胆な内面描写や感想を述べて脚色する傾向があるため、一致度が低い。
横山 (2005) 【聞く】	中級レベルの非母語話者12人 （露・泰・尼ほか） 統制群13人 （露・泰・尼ほか）	「過程」重視の聴解指導を行い、被験者の聴解過程の変化の有無、聴解力の向上への効果の有無を調査した。	対面聴解調査と聴解テストの結果、中級レベルの非母語話者は、モニターや質問が増えるなどの効果的な変化があり、テスト得点では統制群より優位となった。
浅井 (2002) 【書く】	中国語母語の上級レベル日本語学習者32人 日本語母語話者30人	作文調査により日本語学習者の文のわかりにくさの要因を解明。	わかりにくさの要因は、副詞節と連体節の使われ方の違いや、節間の論理展開の違いである可能性がわかった。
松本 (2003) 【書く】	英語母語の日本語学習者が書いた日本語ワープロ文章中の文字表記の誤用340件	学習者が日本語入力で直面する問題点を検討した。	問題点は、1)同音・同訓漢字の誤変換、2)音韻の誤入力に続く漢字形の認識エラー、3)音韻以外の誤字など。
田川 (2012) 【読む】	大学進学予備教育の中級レベルの中国語圏の日本語学習者86人	読み条件を5群に分け、説明文を読んだ後、筆記再生課題などのテストを行った。	全体構造理解には差がなく、要点理解では構造要点探索群が他の群より効果があることがわかった。
野田ほか (2017) 【読む】	日本在住の大学院生の中国人日本語学習者30人	学習者が日本語の学術論文を読む際の読み誤りを、思考発話法によって調べた。	1)語の意味理解、2)文構造のとらえ方、3)文脈との関連づけ、4)背景知識との関連づけ、が読み誤りの原因となることがわかった。

7.2.5 | 習得理論の検証

　日本語の習得研究において、2000年代になって理論検証の研究が増加した。アスペクト仮説、コンペティション・モデル（競合モデル）、処理可能性理論、用法基盤モデル、名詞句接近性階層（NPAH：Noun Phrase Accessibility Hierarchy）の理論など、言語学で議論されている内容を、日本語学習者で検証しようとする研究が登場するようになった。

　アスペクト仮説とは、動詞の持つ内在的意味（状態動詞か活動動詞かなど）がテンスやアスペクトの習得に影響を与えるとする考え方で（Andersen and Shirai）、日本語の習得研究で応用した研究には、菅谷（2003, 2004）、Sugaya and Shirai（2007）がある。

　用法基盤モデルは、使用依拠モデル、Usage-Based Model とも呼ばれ、言語習得は、他者とのコミュニケーションを通して受ける多くのインプットの用例から学ぶプロセスであると考え、言語は周囲の多くの用例から習得されるとする理論である（p.44）。この理論を用いた研究には、橋本（2006b, 2009）がある。橋本（2006b）は、中国生まれで英語を第一言語とし、日本語を第二言語とする3歳半の幼児Kの、約1年間の縦断調査のデータを分析した。データから、特徴的な傾向を見せていた「動詞＋『た』形」（以下Ｖタ）、「ちゃった」形（以下、チャッタ）、「だった」形（以下、ダッタ）を取り上げ、1年間の変化を追っていき、(20)(21)のような発話例から、(22)のようなスキーマを形成していると考えた。以下、（　）は発話状況、［　］内は発話意図、（　）内の数字は産出年月日を表す。

(20)「Kちゃんと 3 years ちゃった」（皆が自分の歳を言い出した時）［Kちゃん今3歳だよ］（03. 11.28）

(21)「cat ちゃった」（図書室で借りてきた本をみせる）［猫の本（「のんたん」という猫が主人公の本）を借りた］（03. 11.28）

(22)　　　　SLOT　　　　PIVOT

　　　　　　┌──────────┐
　　　　　　│　　　　　　│　+　chatta
　　　　　　└──────────┘

(橋本 2006b: 27-28, 下線筆者)

　幼児Kは、その後も「できるちゃった」(コマがやっと回ったとき) [でき
ちゃった](04.01.14) や「ちいいさいーちゃった」(ランチョンマットを小
さくたたんでみせる) [ランチョンマットを小さくしちゃった](04.04.22)、
「降ってちゃったの」(空を見て) [雨が降ってきちゃった](04.05.24) などの
発言があり、橋本 (2006b) は、「チャッタ」の発達過程を (23) のように示した。

(23) **チャッタの段階的習得プロセス**　　(橋本 2006b: 29,［ ］筆者補足)

Stage 1	Chatta (Formula)	インプットから固まり抽出
Stage 2	□ (Slot) + Chatta (Pivot) (Formula)	ピボット・スキーマの生成
Stage 3	Overgeneralization	スキーマの修正
Stage 4	Target Like Use	TL[Target Like Use] のみの産出
Stage 5	Overgeneralization	高次のスキーマ修正
Stage 6	Target Like Use	TL のみの産出

　データの発話から「ダッタ」と「Ｖタ」の分析も同様に行い、L2 幼児の
動詞形習得において、固まりの表現が言語を組織的に習得していく出発点と
なっていることを支持した。

　言語理論が支持されなかった研究として大関 (2005) の「名詞句接近性階
層 (NPAH)」の研究を紹介する。NPAH は、Keenan & Comrie (1977) が世
界の 50 以上の言語を調査して提唱した理論で、関係節化され易い序列を表
した考えである。NPAH の予測する関係節化され易さの階層および日本語
の名詞修飾の例文を (24) に示す。NPAH には、属格の後に比較級の目的語
(OCOMP) があるが、日本語ではないので、表では省略した。また、日本語
の場合は、「外の関係」と「その他」のような名詞修飾が存在する。

(24) 関係節化され易さの階層と日本語の例文

	分類	略	例
易 ↑ ↓ 難	主語	SU	[本を読んでいる]<u>人</u>(→人<u>が</u>本を読んでいる)
	直接目的語	DO	[私が読んでいる]<u>本</u>(→私が本<u>を</u>読んでいる)
	間接目的語	IO	[私が電話をかけた]<u>友だち</u>(→私が友だち<u>に</u>電話をかけた)
	斜格	OBL	[京都で泊まった]<u>ホテル</u>(→京都でホテル<u>に</u>泊まった) [コーヒーを飲む]<u>カップ</u>(→カップ<u>で</u>コーヒーを飲む)
	属格	GEN	[ご主人が亡くなった]<u>女性</u>(→女性<u>の</u>ご主人が亡くなった)
	外の関係	外	[ドアをたたく]<u>音</u>・[飛行機が落ちた]<u>ニュース</u>
	その他	他	[家を売った]<u>お金</u>・ [今までで一番おいしかったと思う]<u>料理</u>

(大関 2005: 65-68 を参考に筆者が作成)

　大関(2005)は、「自然習得者」「長期的な習得過程を観察した縦断的データ」「KYコーパス」の3種類の発話データを用いて、名詞修飾節を取り出し、修飾節と被修飾名詞の文法関係に対応する使用数および使用比率を調べた。その結果、名詞修飾節の使用が始まる段階で、主語(SU)の名詞修飾節と比較して、難易度の高い直接目的語(DO)や斜格(OBL)が使用されており、NPAHを支持する結果とはならなかった。(25)は中級学習者の斜格(OBL)の名詞修飾の使用例である(大関 2005: 72)。

(25) a. [生まれた]<u>街</u>はリノですけど、いろいろなところ住んでいました
(英語・中級中)

　　 b. [あの人が、出てくる] あの、<u>おもしろいドラマ</u>を見ていました
(韓国語・〃)

　　 c. [ボール入れる]*の、<u>はこ</u>、はこじゃない…(略)　(中国語・中級上)

さらに、分析を進めていくと、(26)(27)のような発話例から学習者の使

用には、主語 (SU) は有生の被修飾名詞の場合に使用し、直接目的語 (DO) は無生の被修飾名詞に使用するという分布があることが示唆された。

(26) ［SU の修飾節＋有生の名詞］
　　　a. なんで、［もっと遊んでいる］人、捕まえないかな。
　　　b. ［このホテルで泊まった］人ー、んー、フリー

(27) ［DO・OBL の修飾節＋無生の名詞］
　　　a. ［私の娘に教えている］ものは、友達に対してなんか違うなーって
　　　b. ［スーパーで買った］茶碗蒸しは、あまり好きじゃない

（大関 2005: 73, 一部省略）

　大関 (2005) の結果は、日本語の名詞修飾節の使用では、NPAH が予測するような文法関係の難易への影響がみられない可能性を示した。

　コンペティション・モデル (Competition Model) は、競合モデルとも呼ばれ、言語処理の際に言語によって意味理解の手がかり (cue) が異なっており、外国語習得の場合はその手がかりが競合すると考える理論である (p.46)。この考え方は、Sasaki (1991) や富田 (1997) でも検証されたが、最近では白・向山 (2014) がモンゴル語母語話者、中国語母語話者、モンゴル語・中国語のバイリンガルの 3 群の日本語学習者を対象として、コンペティション・モデルを踏まえた文処理の調査を行っている。

　処理可能性理論は、プロセサビリティ理論 (Processability Theory) とも呼ばれ、人間の認知能力により、処理できる言語情報は制約を受け、この制約が段階的に取り払われることが習得だとする考え方である (p.49)。この理論を日本語教育で検証した研究の 1 つに峯 (2007) がある。峯 (2007) は、韓国、中国、英語話者の日本語学習者 90 人の発話データの KY コーパスを利用して、「〜テ」「〜カラ」などの接続辞表現の使用状況を分析し、処理可能性理論の有効性を検証した。

（28）言語理論を検証した研究

研究者	調査対象	目的・方法	結果
菅谷 （2004）	「学習者の母語の影響に関する研究」(p.92) を参照 　　　　　　　　　　　　　　　【アスペクト仮説：支持】		
大関 （2005）	３種の発話データ ①タガログ語母語話者５人 ②縦断データ３人 ③ KYコーパス 90 人	日本語の名詞修飾産出難易度が、関係節化の NPAH の理論を支持できるか検証。	【NPAH：不支持】 NPAH の理論を支持する結果とはならず、被修飾名詞の有生性の影響の可能性を示唆。
橋本 （2006b）	３歳半の英国人(日本語 L2) 女児１人 ２歳の日本人幼児１人	「タ形」の縦断研究を行い、発話の形態を数量的、記述的に分析。	【用法基盤モデル：支持】 動詞タ形がスキーマ生成や修正を経て発達することを明らかにした。
峯 （2007）	KYコーパス 90 人の発話データ	「～テ」「～カラ」などの接続辞の使用に基づいて、言語処理能力の認知的な発達を説く本理論の検証を行う。	【処理可能性理論：支持】 日本語能力が上がるにつれて、接続辞表現は、事実的なものから仮定的なものへ広がる傾向を示した。
白・ 向山 （2014）	モンゴル語母語話者21人 中国語母語話者 20人 モンゴル語・中国語のバイリンガル 25 人	競合モデルを踏まえ、日本語の文処理の手がかりの構築プロセスを、３タイプの学習者を比較して検証。	【競合モデル：支持】 モンゴル語母語話者のほうが中国語母語話者より文処理が速く、言語類型の類似性が影響している可能性を示唆。

7.2.6 習得から指導へ

　2000年代以前と以後で最も大きな違いは、習得研究をどう教育現場の指導に生かすかを考える研究が増えたことである。フィードバック（Feedback）、フォーカス・オン・フォーム（Focus on Form）、TBLT（Task-Based Language Teaching）や CBLT（Content-Based Language Teaching）など具体的な指導法への研究範囲が拡大している。最近では、CLIL（Content and Language Integrated Learning）やアクティブ・ラーニング（Active Learning）などの

新しい指導の研究も見られるようになった。

　1990年代、Long（1991）により「言語形式の焦点化（Focus on Form）」という概念が提唱され、習得研究から具体的な指導法への提案の1つとして注目されるようになった。2000年に入るころから、日本語教育でも**フォーカス・オン・フォーム**（以下、FonF）の研究がさかんになり、小柳（1998b, 2002）や近藤（2001）による研究が行われた。

　FonF について Long（1991）は、「FonF を伴うシラバスは、その他のこと——生物学、数学、作業の練習、車の修理、外国語が話されている国の地理、文化など——を教え、意味やコミュニケーションへの焦点を優先したレッスンの中で、必要が生じた際に、偶発的に学習者の注意を明確に言語要素へ向けるものである」（Long 1991：45-46, 訳小柳 2002：166）と述べている。つまり、コミュニカティブなタスク活動を行いながら、誤用訂正の必要が生じたら、その際に言語形式に焦点をあてて、正確さの観点からの適切なフィードバックを与えるという考え方である。

　FonF に対する概念として、FonFS と FonM があり、指導のタイプによって区別をつけている。FonFS とは、Focus on FormS（フォーカス・オン・フォーム**ズ**）を指し、「Form**S**」[注7]に示されるように、オーディオ・リンガルなどの構造シラバスによる文法項目の学習が目標となる指導である。FonM は、Focus on Meaning（フォーカス・オン・ミーニング）を指し、ナチュラル・アプローチやイマージョンのように意味中心で言語形式や正確さは重要視しない指導である。FonF は意味を処理しながら、注意を言語形式に向けさせるので、認知心理学の影響も受けているといえる（詳細は、第4章 p.108および小柳 2001, 2002）。

　FonF の具体的な指導法として、コミュニカティブな活動が重視される**TBLT**や**CBLT**が提唱されている。前者は、「タスク中心教授法」、後者は「内容中心教授法」とも呼ばれ、文型や文法などの言語形式を明示的に教えるのではなく、さまざまな課題を与えることで、考えさせる言語活動を行う指導である。1990年代から2000年代にかけて FonF や TBLT、CBLT の効果の検証に関する研究が多く行われるようになった。

小柳 (1998b) は、アメリカの大学の日本語学習者を対象に、条件文「と」「ば」の指導に関して２つの実験調査を行っている。事例１では**フィードバック**（FB）の効果を、事例２ではタスクの効果を検証した。事例１では、14 人の学習者を「明示的フィードバック」群と「暗示的フィードバック」群 (p.105)とフィードバックなしの統制群の３群に分け、複数のタスクを行わせた。例えば、教師が前件の「車があると」を言い、学習者に後件を発話させ、誤用が産出されたら、明示的か暗示的にフィードバックする。結果的には、暗示的フィードバック群と統制群の間で有意差 (p.213) が出て、暗示的フィードバックの効果が検証された。また、事例２では、タスクの効果に関する実験（対象者30人）を、インプット群、アウトプット群、ドリル群、統制群の４群で行い、インプット群、アウトプット群は、(29) のようなタスクを行った。インプット群は、発話はせず、正しい絵を選ぶ作業を行う。アウトプット群は、インプット群と同じタスクを行いながら、「と」や「ば」の文を産出する。ドリル群は文字のみのドリル練習を繰り返し行った。

(29)「と」のタスク

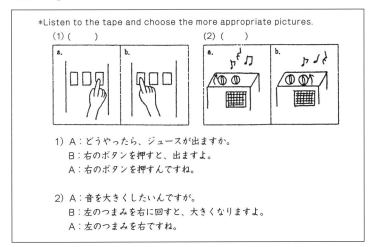

*Listen to the tape and choose the more appropriate pictures.
(1) (　　　)　　　　　　　　　　(2) (　　　)

1) A：どうやったら、ジュースが出ますか。
　 B：右のボタンを押すと、出ますよ。
　 A：右のボタンを押すんですね。

2) A：音を大きくしたいんですが。
　 B：左のつまみを右に回すと、大きくなりますよ。
　 A：左のつまみを右ですね。

（小柳 1998b: 22）

(注7)「Focus on FormS」は、構造シラバスによる文型練習中心の指導であることから、言語形式を強調して「FormS」と表している。

調査の結果、タスクを用いたインプット群とアウトプット群は実験後2カ月も効果を維持したのに対し、ドリル群は2カ月後のスコアの減少が著しく、タスクによる指導の効果が検証された。

以下、(30)に指導の効果検証に関する研究の一部を示す。

(30) **指導の効果検証に関する研究**

研究者	調査対象	目的・方法	結果
小柳 (1998b)	事例1では米国大学生14人を3群に、事例2では米国大学生30人を4群に分けて調査	「と」「ば」の条件文の習得に関する指導の効果検証。	事例1では、暗示的FBの効果、事例2では、文法に焦点をあてたタスクの効果が明らかになった。
近藤 (2001)	米国の大学生50人を4群に分けて指導	指導法の効果検証 1. 機械的アウトプット、2. コミュニカティブ・アウトプット、3. コミュニカティブ・インプット、4. 説明のみ（統制群）。	産出テストでは、群間に有意差はなく、聴解テストでコミュニカティブ・インプット群、機械的アウトプット群が統制群との間で有意差が出て、効果が明らかになった。
ウェイ (2002)	米国の大学生9人を対象として日本語クラスをビデオ撮り	授業後、授業中の言い直しをビデオで見ながら、教師のFBの意図に対する理解の正誤を分析。	学習者は文法、発音、語彙の誤りに対する言い直しの意図を約50〜60%理解していたが、誤解していることも多いことがわかった。
椿 (2010)	中級レベルの日本語学習者（中・英・尼・米ほか）13人	「聞き返し」の指導の前と後で日本語母語話者との会話を分析し、指導効果を検証。	指導後の会話で、約半数の学習者が「聞き返し」を意識的に使用しており、教育効果が認められた。
青木ほか (2013)	日本語夏期集中コースに参加した米・泰・台・仏などの大学生7人	現代演劇を扱ったCLIL（内容言語統合型学習）(注8)の活動の効果検証。	講義前の体験学習活動などにより内容理解の効果が見られるなど、CLILによる可能性と問題点を指摘。
中浜 (2013)	英語母語話者（中級11・上級10人）韓国語母語話者（中級10・上級10人）日本語母語話者10人	2つの異なったタイプのタスクを実施し、タスクの複雑性が助詞の言語運用に及ぼす影響を調査した。	中級英語母語話者は1つのタスクで正確さが向上、上級英語母語話者・中・上級韓国語母語話者はタスクに関わらず日本語母語話者のレベルに達していた。

7.3 これからの第二言語習得研究

　これまでに日本語に関する第二言語習得研究がどこまで行われているかを見てきた。最後に、これからの習得研究の目指す方向性について、①学習者の視点に立った研究、②データに基づく実証的研究、③多領域の研究と日本語教育の実践、の3つの観点から考える。

①学習者の視点に立った研究

　学習者の真の習得過程を追究するためには、研究者の仮説が学習者の立場に立っているかどうかという点が重要である。Bley-Vroman（1983）は、'a comparative fallacy'という用語を用いて、多くの習得研究において、学習者の言語使用の研究が、母語話者との比較でなされていることに疑問を投げ、学習者の視点で言語現象を観察し、学習者の視点で仮説を立てることの重要性を説いている。

　たとえば、指示詞「コソア」の習得研究では、コソアのどれが学習困難なのか、なぜ誤用が出るのかを明らかにするために、1980年代は（31）のような3肢選択を多く使っていた。これは、学習者は「コソア」を対立概念でとらえているとの想定に基づく。

　しかし学習者が必ずしも「この・その・あの」や「これ・それ・あれ」のコソアの対立を意識しているとは限らないのである。迫田（1998）の研究では、学習者はある時期、ア系は具体物（あの人・あの先生）と、ソ系は抽象物（そんなこと・その話）と固まりで覚えて使う傾向があることを指摘している。もしそうであれば、コソアの問題は、（32）のように後続する名詞を共通にせず、また選択肢も広げることで、学習者のとらえ方の可能性を探ることができるのではないだろうか。

（注8）CLILとは、Content and Language Integrated Learningの略で、内容言語統合型学習と呼ばれる。理科や社会などの教科学習、時事問題、異文化理解などのトピックを取り上げ、外国語学習と合わせて行う学習法のことである。CLILは、外国語を使って教科などの内容を学ぶ学習法であるのに対し、CBLTやTBLTは教師がタスクを使って目標言語を指導する外国語教授法である。

(31) 山田：昨日、第一商会の田中一郎さんに会ったよ。│あの・その・この│
　　　　人、君のこと、知っていたけど、昔から知っている人なの？

　　　佐藤：え？　だれ、│あの・その・この│人。私、知らないわ。人ち
　　　　がいじゃない？　佐藤って名前は多いから、│あの・その・この│
　　　　人、まちがえたんだと思うよ。

(32) ［あの・その・この・あんな・そんな・こんな・ああいう・そういう・
　　こういう］から選ばせる問題

　　　山田：昨日、田中一郎さんに会ったよ。（　　　）人、君のこと、知っ
　　　　ていたけど、昔から知っている人？　昔、一度、カラオケで朝
　　　　まで歌ったって言ってたよ。

　　　佐藤：え？（　　　）話、うそだよ。田中一郎なんて、知らないし、
　　　　別の人とまちがえているんじゃないかな。佐藤って名前、多い
　　　　から。

　Huebner（1983）は、英語の定冠詞・不定冠詞の習得研究で、モン語話者の
学習者1人を長期に観察し、結合する名詞の意味特徴が定冠詞の習得に影響
を与えていること、規範とは異なった学習者独自のルールで使っていること
を明らかにしている。また、大関（2008）もロシア語母語の日本語学習者を9
カ月にわたり観察し、条件表現の習得について、形式と意味機能をどのよう
に結び付けているかを学習者の視点から分析している。
　これらの研究は、従来の規範的な日本語文法の用法や分類に基づく研究で
はなく、学習者の言語使用を質的に観察し、学習者のとらえ方、学習者の立
場に立って習得のメカニズムを探ろうとするもので、これからの習得研究の
重要な視点を示している。

②データに基づく実証的研究

　学習者言語を質的に観察していくためには、ある一定量の学習者の言語
データが必要となる。Huebner（1983）や大関（2008）、橋本（2006a, 2006b）は、
長期にわたる調査、縦断調査のデータの分析を行い、峯（2007）や大関（2005）

は、KYコーパスという英・韓・中の言語話者90人の横断調査のデータを分析した。

　日本語学習者の実際の言語使用を観察、分析することによって学習者の視点に立った仮説が生まれるが、これまでは、そのためのデータが極めて少なかった。作文や発話、書物などを大規模に収集して電子化されたデータのことを**コーパス**といい、日本語に関する大規模コーパス（現代日本語書き言葉均衡コーパス：BCCWJ）も公開され、言語研究の分析材料として利用されている（https://pj.ninjal.ac.jp/corpus_center/bccwj/）。近年公開されている学習者の発話に関する主なコーパスを、(33)に挙げているが、規模はいずれも大きくない。

(33) **主な日本語学習者発話コーパス**（日本語を母語とするデータ数は除外）

コーパスの名称	データ量（時間）	学習者の母語	縦断／横断	背景調査	データ収集方法	レベル判定
KYコーパス	90本（30分／1本）	中国語 (30人)，韓国語 (30人)，英語 (30人)	横断	×	OPI	OPI
会話DB（横断編）	339本（30分／1本）	韓国語，中国語，英語，インドネシア語，その他 (73人)	横断	○	OPI	OPI
会話DB（縦断編）	20数本（約30分／1本）	タガログ語，韓国語，中国語，ロシア語，マレー語，ポルトガル語	縦断（3年）	×	OPI	OPI
BTSJ	333会話（約79時間／全体）	韓国語，中国語，フランス語	横断	×	対話：・雑談・論文指導・電話	×
上村コーパス	66本（20〜30分／1本）	英語 (27人)，韓国語 (22人)，中国語，デンマーク語，ロシア語 (各2人)，その他9カ国 (9人)	横断	×	OPI 準拠：・会話・ロールプレイ	×
発話対照DB	190人	中国語 (69人)，韓国語 (70人)，タイ語 (51人)	横断	○	・朗読3課題・スピーチ4課題・ロールプレイ4課題	SPOT（一部）
LARPat-SCU	37本（20分／月1×3年半）	中国語 (37人)	縦断（3年半）	○	作文→フォローアップインタビュー	SPOT
C-JAS	47本（60分／1本）	中国語 (3人)，韓国語 (3人)	縦断（3年）	△	NSとの自由会話（テーマ有）	×

（迫田ほか2016, 一部修正）

これらの学習者コーパスを観察、分析することによって学習者独自のルールを見つけ出し、それを仮説として提示し、実験調査することで、質の高い実証的な研究へとつなげられる。言語学や日本語学の分類に基づいたテストや調査だけを行い、学習者の実際のデータを扱わなければ、学習者の習得の実態を理解することは難しい。「は」と「が」の習得研究も1990年代に多く行われていたが、ほとんどの研究が習得順序や用法の研究といった、言語学的な観点からの分析であった。しかし、学習者の実際の使用を見ると、必ずしも言語学的な使い分けをしているとは限らない。例えばある学習者は(34)のような穴埋め問題の場合、「象は鼻が長い」のような「〜は〜が構文」を学習した影響か、最初のカッコには「は」、次には「が」を入れる傾向があるとの指摘がある(野田ほか2001)。

　(34)　私（　）大学時代に通ったコーヒーのおいしい店（　）もうなくなっていた。

　このような学習者独自の使い方は、学習者の実際の言語使用に触れなければ見えてこないのである。是非、学習者の生データにあたり、観察してほしい。

　筆者は、習得研究や言語研究のために、12の異なった言語の母語を持つ海外の日本語学習者(JFL)と、日本在住の教室環境と自然環境の日本語学習者(JSL)に、日本語母語話者を加えた大規模な日本語学習者コーパスを構築している。I-JAS（多言語母語の日本語学習者横断コーパス、International corpus of Japanese as a second language）というコーパスは、母語や環境の異なりによる習得の違いを明らかにするための1050人のデータであり、ストーリーテリングやロールプレイ、対話などの発話やエッセイなどの作文を含んでいる。全員、統一の日本語能力テストを受け、学習者の背景情報や音声資料も公開している。積極的に活用していただきたい（詳しくは、迫田ほか(2016)およびhttp://lsaj.ninjal.ac.jp/）。

③多領域の研究と日本語教育の実践

　日本語を第二言語とする習得研究をとりまく研究領域は、日本語学・言語学・音声学・社会言語学・言語心理学などの従来の関連領域だけでなく、記憶や注意などの研究を扱う認知心理学、言語処理と脳反応の研究を扱う脳科学、多言語翻訳・通訳などでの可能性が期待される人工知能（AI）の研究など、拡大と深化を続けている。

　2017年、日本語教育学会の大会では、人工知能の研究者を交えて「人をつなぎ、社会をつくる——日本語教育の現代的可能性を拓く：人工知能との対話」というテーマでディスカッションが行われ、人工知能研究の現状と今後のAIを用いた言語教育、AIと日本語教育の関連について討論が行われた。AIが得意とする作業は記憶であり、すでに存在する対話ロボットが、学習者のレベルや興味に合わせて話ができるようになったり、作文の自動校正、添削ができるようになったりする可能性も高い（金 2017：33）。しかし、これらの作業を実現させるためには、関連する大量のデータが必要となり、日本語教育との連携が求められる。

　脳研究の専門家である植村（2009）は、脳科学の観点から言語習得や教育について興味深い提言を行っている。植村は、英語・日本語のバイリンガルと日本語のモノリンガルに、英語と日本語のニュースを聞かせた際の大脳言語野を検査したところ、モノリンガルは脳の同じ部位の血流が増加しているのに対し、バイリンガルは異なった部位が活性化されていることを明らかにした。そこから、脳内に新たに英語野を作ることが、日本人の英語習得促進につながると指摘し、そのために、シャドーイング（shadowing）やレペティション（repetition）などの聴き取りの練習を推奨している。

　また、日本語教育における実践研究もあらたな動きを見せ始めている。第二言語習得研究の理論の１つであったモニター理論からナチュラル・アプローチが提唱され、その後、意味のある活動をしながら必要に応じて言語形式に注意を向けるFonFが登場し、TBLTやCBLTが登場した。

　さらに、ICT（Information Communication Technologies）を利用した指導が行われるようになった。例えば、個人のタブレット型端末などから映像や

デジタル教材にアクセスして授業時間前に知識習得を済ませ、授業では知識確認や問題解決学習を行う**反転授業**（flip teaching）なども可能となった。

戸田ほか（2018）は、世界に向けて無料配信した大規模公開オンライン講座（MOOCs, Massive Open Online Courses）による発音の相互評価を分析し、オンラインによる学習が発音学習の継続を可能にし、相互評価が受講者の学びを促すことを報告している。

これからの第二言語習得研究の発展には、これまで述べてきたように、脳科学・人工知能の研究や、さらに広い研究領域の成果が生かされることが期待される。また、第二言語としての日本語の習得研究を、実際の教育現場でどのように活用するのか、ICTを活用した指導にどうつなげるのかを考えていくことが重要となる。

◆第7章のまとめ

1．2000年代に入ってからの研究は、それ以前とは異なった特徴を持っているが、それは何か。

1つ目は日本語の場面における「適切さ」が注目されるようになり、社会言語や語用論の習得研究が増えたこと、2つ目は外国人就労者などの増加により、生活者としての日本語学習者や年少者の研究が増えたこと、3つ目は、フィードバック（FB）やフォーカス・オン・フォーム（FonF）などをテーマとした指導に関する研究（池上・小川 2006, 小柳 2002）が増えたことである。

2．日本語の習得研究で検証しようとした習得理論や仮説には、どんなものがあるか。

菅谷（2004, 2007）は、日本語学習者の「〜テイル」のデータを用いてアスペクト仮説を、橋本（2006a, 2006b, 2009）は中国生まれの3歳半の幼児のデータを用いて用法基盤モデルを、大関（2005）は縦断や横断のデータの名詞修飾節のデータを用いて、名詞句接近性階層（NPAH）の理論を、白・向山（2014）は中国語とモンゴル語のバイリンガルの日本語習得のデータを用いてコンペ

ティション・モデルを、峯 (2007) は KY コーパスの接続辞表現のデータを用いて処理可能性理論を仮説検証している。

3. 本章で述べる「学習者の視点に立った研究」とはどういうことか。

　初期の日本語の習得研究では、学習者の言語データがほとんどなかったため、規範的な日本語文法の用法や分類に基づく研究が多かった。しかし、学習者独自の使い方やルールが規範的な文法とは異なる場合もあるので、これからの第二言語習得研究では、学習者の実際の言語データを観察し、「学習者の文法」に基づいて研究を行うべきである。

第二言語としての日本語の習得研究

第**8**章

日本語の習得研究と日本語教育

◆第8章のポイント

　ここでは、第二言語習得研究が日本語教育にどのように活用できるのかという可能性を探りながら、これから求められる日本語教師像について考える。

1. 第二言語習得研究は日本語指導にどのように活用できるのか。
2. 学習者に求められる日本語教師とは？
3. 経験の長い日本語教師が大切にしているのはどんなことか。

8.1　学習者言語の変化

　次の2つの会話資料を比べてほしい。

（1）日本語学習者の会話資料（Ⅰ）

> NS：いつ日本においでになりましたか。
>
> Ch：あーのー、あ、くげつ、ようかに、あー着いた。
>
> NS：えーと、日本の生活はどうですか。忙しいですか。
>
> Ch：うーん、いそがしい、楽しかったです。
>
> NS：あの、大体何時ごろ起きるんですか。
>
> Ch：あーのー、なんじごろ……。
>
> NS：おきますか。朝は何時ごろ起きますか。
>
> Ch：あーうーん、7時半ぐらい。
>
> （中略）
>
> NS：アメリカでは日本料理は食べましたか。

Ch：はい、食べました、でも、あのー、日本ではもっとおいしい、アメリカはちょとおかしい、<u>ちょとちがう</u>。

NS：あ、違うんですか、例えばどんなものが違う？

Ch：あのー、お茶、あのー、アメリカではとっても弱いです、でもー。

NS：弱いというのは？

Ch：よわ、あのー、<u>weak tea</u>、あのー、でも、日本ではとってもおいしい。

NS：あー、お茶がまず違うんですね、ほかに料理で違っていますか。

Ch：あのー、うーん、miso-soup、も、あー、日本ではたくさん物が入る、でも、アメリカでは味噌、とか豆腐だけ。

NS：あーそうなんですか。

（2）日本語学習者の会話資料（Ⅱ）

NS：もうすぐ（米国へ）帰りますよね。Chさんはいつ日本に来ましたか。

Ch：あー、くがつよっかに、<u>着いた、あー、着きました。(a)</u>

NS：あー、そうですか、えっと、その前に日本に来たことがありますか。

Ch：来たことないです、これが初めてです。

NS：そうですか、日本に来て初めのころ、どうでしたか。

Ch：あのー、最初には、うん、ほんとに面白かったけど、<u>アメリカと日本はどう違うのか、ぜんぜんわかりませんでした(b)</u>。すごく<u>似てると思いました(c')</u> けど、<u>ぜんぜん違いますと思っています。(c)</u>

NS：あーそう、最初のころは似てると思ったけど……。

Ch：そう、そうです、でも、文化はぜんぜん<u>違います。(d)</u>

NS：あーそう、どんなところが違いますか。

Ch：あー、あー、難しいです、あのー、<u>男の人と女の人の関係とか</u>、なんか、あのー、<u>何でしょうか、(e)</u> 手伝うときにとか、あのー、<u>女の人、重い荷物を持ったら、自分で持ちましょうを言わない(f)</u>、日本人はぜんぜん言わないから、<u>ちょっとおかしいと思います(c')</u>、ぼくはいつも、あの、ドアを開けて、<u>荷物を持ってってー(g)</u>、うん、<u>ま(h)</u>、ちょっと違いますね。

覚えていらっしゃるだろうか。会話資料 I は、第 1 章の「学習者の誤用」で紹介したものである (p.12)。この 2 つの会話資料の話し手と聞き手は同じ人物であり、違うのは会話資料 I が来日 1 カ月後の発話、会話資料 II が来日から約 7 カ月経過後の発話だという点である。

第 1 章でいくつかの誤用のポイントを指摘したが、それらは会話資料 II で（3）のような変化を示している。

（3）学習者Chにおける 6 カ月の日本語の変化

来日 1 カ月（会話資料 I）の場合		来日 7 カ月（会話資料 II）の場合
常体（「着いた」「違う」など）のみ出現し、「ます」の使用が見られない。	➡	敬体（「着きました」「違います」「思います」など）の使用が見られる。(a) (c) (d) の部分。
決まった言いよどみ（「あのー」）や繰り返しが多い。	➡	言いよどみの種類が増えて（「なんか」「何でしょうか」など）沈黙を上手に埋める。(e) (h) の部分。
単語や単文の使用が多く、文構造が単純である。	➡	文構造が複雑化している（引用・条件表現など）。(b) (c) (f) の部分。

このように、会話資料 II の学習者 Ch の中間言語は、会話資料 I の時の中間言語とは異なっており、半年の日本滞在と学習によって、Ch は日本語習得の歩みを進めていることがわかる。

しかし、会話資料 II の発話から、部分的には習得が進んでいることはわかっても、新たな誤用が存在することも観察される。例えば、「〜と思う・思います」が後に接続する場合に、正用 ((c')) と誤用 ((c)) の間で揺れている。

また、(f) の文では前文と後文では主語が異なっているために、文がわかりにくくなっており、「〜たら」の使い方が不適切であり、「女の人が荷物を持ったら（→ていても、または、持っているときに）、（日本人の男の人は）自分で（→から）、持ちましょうを（→と）言わない」のように誤用が目立つ。

さらに、(g) の部分では「持ってってー」の後続部分が不明のままになってしまっている。「持ってあげましょうって」か「持ってあげようって」な

どの授受表現を探していたのかどうかはわからないが、迷ってそのまま回避したと思われる。

Chはその後、日本語の学習を続けた結果、来日10カ月後の会話では（4）のように「〜てしまう」などのモダリティを使用しながら、長い談話を話せるようになった。

（4）日本語学習者の会話資料（Ⅲ）

> T：それから？　朝何時ごろ起きたんですか。
> S：うーん、よく眠れなかった、あのー、エアコンはつけてないから、つけてなかったからほんとに暑かったので5時と、5時に<u>起きてしまって</u>、もう一度寝て6時半ぐらいとかと7時半ぐらいに<u>起きてしまいました</u>。あのー、その後に、あのー、ほんとに調子は悪かった。（中略）うちに帰ったら、ちょっと冷たいシャワーしてあのー、その後には勉強しました。自分で勉強して、1時間ぐらい勉強しました。あとは、あのー、友達に電話かけて一緒に勉強しようかと聞きました。あのー、その後もう一度本通りに行って、あのー、図書館で勉強しました。あのー、後に、ビアガーデン、一緒に食べに行きました。ちょっと高かったけど、楽しかったです。

これらの会話資料は、Chの中間言語の軌跡の一端である。Chの日本語指導の担当教師は来日1カ月後の最初の授業で発話資料Ⅰのデータ分析によって、聞き取りが弱いこと、語彙が少なく、複文の出現が少ないこと、動詞活用に誤用が見られることなど、Chの中間言語の特徴を考慮し、Chにいくつかの課題を与え、個別学習の指導(注1)を行った。このように学習者の中間言語の状態を把握し、どのような指導を行うかは、患者に対する医者の正確な診断と治療に相当するものであろう。正しい診断をしなければ、効果的な治

(注1) Chの日本語教師は、毎回、(1) 音声の聞き取りと書き取りの課題 (2) 周囲の日本人へのインタビュー課題を与え、聴解力の養成と日本人との接触の機会を増やすことによる語彙力と口頭能力の養成を目指した。

療にはつながらない。正確な診断をするためには、教師は多くの事例を明確に知っていることが必要であろう。「Chは母国で3年も勉強しているが、定着していないなぁ」という診断だけでは、治療の手掛かりにはならない。診断には体系的なエラーかどうか、動詞や形容詞の活用形の誤りには規則性があるのかどうか、語彙や文型に偏りがないかどうかなど、詳細な分析が必要である。

8.2　第二言語習得研究と日本語指導

　誤用分析をどのように指導に生かすか、教師はどのように指導を工夫したらいいかを、具体的な文法事項を取り上げ、紹介する。第4章で紹介した格助詞「に」と「で」の使い分けにおいて学習者が「中に・上に」、「東京で・会館で」のように、固定して覚えてしまっている可能性があることを述べた (p.119)。この原因には、周囲のインプットや教科書にそのような使われ方が多いことが考えられる。この「に」と「で」の練習に使用される問題は、（5）のような穴埋めテスト形式が多い。しかし、これでは上記の学習者のルールが訂正されないまま適用される可能性が大きい。

（5）a.　バスの中（×に）小学校のときの先生に会いました。
　　　b.　国際交流会館（×で）住んでいます。

　そこで、（5）のような誤用例を踏まえて、学習者に意図的に「に」と「で」の使い分けは後続の動詞によるものであることを気付かせる（6）のような問題を提示している教材がある。（　　）の部分を聞いて後に来る動詞を選ぶ問題である（小林ほか 2017）。

（6）（サリーさんと図書館で）　a.　います。　　　　b.　会います。
　　　（大学の事務室に）　　　a.　会いました。　　b.　行きました。

（小林ほか『新わくわく文法リスニング100』凡人社 2017: 114-115）

また、先の節に登場したChの誤用（会話資料Ⅱの(c)部分：「違います
と思っています」）の対策としては、(7)のように鈴木さんの発話を（　　）
に書かせ、「～と思います」に接続する形を明確に認識、理解させる。「来る
だと思います」や「いいだと思います」等の誤用を産出する学習者にも有効
である。

（7）1）　A　：鈴木さん、田中さんはきょう来ますか。
　　　　　鈴木：（ええ。来る）と思います。
　　　2）　A　：鈴木さん、この本はいいですか。
　　　　　鈴木：（ええ。いい）と思います。

（同上：100）

　このように見てくると、日本語指導の根本的な部分においても習得研究の
成果が生かされるべきであろうと考える。つまり、学習者の習得過程を踏ま
えた日本語指導の在り方である。外国の習得研究においても、研究成果をど
のように生かすかは重要な課題である。一方では、決まった習得段階を飛び
越えて教えることは習得に結び付かないと主張する考え方があり（Pienemann
1989、本書p.51）、他方ではより有標性の高い項目、つまり難しい項目を教え
ると有標性の低い項目、つまり易しい項目は自然に習得されるとする考え方
もある（Zobl 1983）ので、得られた研究成果についても今後十分な検証が必要
であろう。日本においても、学習者の習得過程解明に向けての研究が始まっ
たばかりの現状では、まだまだ日本語のカリキュラムへの示唆を示すことは
できないが、フォーカス・オン・フォーム（FonF）などの研究が盛んになり、
教室指導の効果や誤用訂正の研究が進められてきている（第4章・第7章 参
照）。小林（2001）は、日本語授業における学習者の誤用を分析し、効果的な
練習方法を考えた上で、学習レベルに応じて学習すべきことの重点を変化さ
せるカリキュラムを提案し、図1のような模式図を示している。

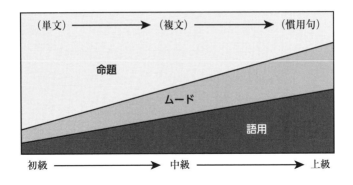

（単文） ⟶ （複文） ⟶ （慣用句）

命題

ムード

語用

初級 ⟶ 中級 ⟶ 上級

図1　カリキュラムの重点の模式図（小林 2001: 160）

　この図は、学習が進むにつれて、短い単文から長い複文へ、そして慣用句の使用へ、そしてさまざまなムードや語用論で扱われるような表現などへとカリキュラムの重点が変化することを示している。今後の習得研究の成果によって、この図の順序の妥当性を証明することが期待される。また、習得順序だけでなく、教え方の違いによる学習者の反応なども研究され、その習得研究の成果がカリキュラムや指導技術などに還元されるものと期待する。

　1990年代に入って、FonF の登場により第二言語習得研究の指導に向けての応用研究は、その理論的背景も含め大きく広がった（Long 1991, Doughty & Williams 1998, Norris & Ortega 2001, 小柳 2002）。指導の効果に関する研究では、コンピューター実験によるフィードバックの効果を調べた Nagata（1997）や条件文でフィードバックやタスク別の効果の比較を行った小柳（1998b）、授受動詞を扱った近藤（2001）がある。2000年代に入り、タスク中心の教授法（TBLT）に関する研究が盛んになり、日本語教育に関してもタスク中心の指導や教材に関する研究へと広がった（畑佐 2006, 小山 2008, 百済 2013）。

　英語教育の分野では、和泉（2016a）や廣森（2015）が第二言語習得研究の成果をより実践につなぐための試みを具体的に示している。

　さらに近年では日本語教育での ICT 利用やアクティブ・ラーニングの実践についても研究が進んでいる（山田 2017, 當作・李 2019, 横溝・山田 2019）。また、演劇を活用した教室活動（野呂ほか 2012）や人工知能（AI）と日本語教育

に関する取り組みなども見られ（金 2017）、他分野とのつながりの可能性が示されている。

8.3　学習者に求められる日本語教師

　ある日本語教育機関が約700人の日本語学習者に「学習者が望む日本語教師」のアンケートを行い、「次の条件はあなたの先生に不可欠ですか」と質問をしたところ、結果は（8）のとおりであった（安達ほか 1987）。

（8）学習者が日本語教師に望む条件

1位	**柔軟性**（176人）	6位	生徒の母語能力（40人）
2位	**楽しい授業**（174人）	7位	相談相手（34人）
3位	**幅広い知識**（143人）	8位	学習者の専門知識[注2]（9人）
4位	標準的な日本語（78人）	9位	論文発表（4人）
5位	経験（42人）	10位	修士号（2人）

　「楽しい授業」「幅広い知識」を抜いて第1位だった「柔軟性」とはどういうことなのだろうか。調査には、「柔軟性」の部分は「学習者の必要に応じて柔軟に対応できること」と書かれており、「少々予定からはずれても学習者の持っている疑問点を拾い上げたり、偶然起きた出来事を上手に利用したりして授業に結び付けられること、また学習者に合ったカリキュラムを組む力も必要である」と説明している（安達ほか 1987: 11）。いわゆる、臨機応変に対処すること、個々のその時のニーズに機敏に、かつ、的確に対処することが要求されているのである。

　現場の日本語教師や日本語教師を採用したり教育したりしている立場の先生方の意見はどうだろうか。「日本語教師に大切なことは何か」という問い

（注2）学習者が研究する専門領域の知識を持っているという条件。

に3人の日本語教師の回答は（9）のようであった。

（9）「日本語教師に大切なことは？」

[教師Aの回答]

「自分の周りにアンテナを張って、いろいろなことに興味を持って、その情報に対して自分の意見をしっかりと持つように心掛けることが大事だと思います」

（教師歴約10年・公的機関日本語教員）

[教師Bの回答]

「日本語を教えることというのは、いろいろなことが要素になると思うので、教室外でもいろいろなことに興味を持つことが必要だと思います」

（教師歴約15年・留学生教育担当大学教員）

[教師Cの回答]

「日本語も含めて多くの引き出しがあること、早取り先取り精神があり、かつ実行に移すときには慎重であること、社会参加型で自立の精神があること、そして最後に奉仕の精神があって体力があることが大切だと思う」

（教師歴約20年・民間日本語学校主任講師）

「いろいろなことに興味を持ち、多様な経験を積極的に積み重ねていくこと」が結果的に柔軟性を育てるといえるのではないだろうか。最後に、日本語教師に求められる柔軟性について、第二言語習得研究を関連させながら具体的な方法を考えてみたい。

①学習者中心の視点でさまざまな点に気配りができること

　まず、主な視点を教授法や教材ではなく、学習者に向けることであろう。学習者の視点でさまざまな点に配慮することが重要である。経験の少ない日本語教師は、教え方や教材作成に多大な注意を払うが、自分が日本語を自在に使えるために学習者の不安が理解できず、学習者に十分なインプットを与

えないで、すぐ文型練習で言わせたり、タスクをさせたりしがちである。第3章で紹介したモニター理論では、学習者に十分なインプットを与え、余計な不安感を取り除くことが習得を促進するとされる。学習者をよく観察した上で、教え方や教材の準備をすることが大切であると考える。

　長年、日本語教育に携わってこられた木村宗男氏の講演で、「良い日本語教師になるためにはどんなことを心掛けたらいいか」という質問が出た。そのときの氏の答えは「準備は周到に、授業は大胆に」だった。授業する前に学習者一人ひとりを念頭におき、これまでの進度やその日の導入項目を考えてどの教材やタスク活動を使って教えるかを決めるには、綿密な計画と周到な準備が必要である。どのように復習をするか、復習からどう新規導入項目へ展開させるか、その際の語彙は教科書とどう関連させるか。よりオーセンティックな（現実により近い）場面にするためには、語彙の選択も工夫しなければならない。さらに、導入した項目を運用に導くためには、機械的なドリル練習にならないような、よりコミュニカティブな練習を考えなければならない。さらに、学習者たちの調子が悪かったり、以前に教えた内容がまったく定着していなかったりする場合、準備したその日のプランを急遽変更し、以前に教えた内容の定着に切り替えることも必要である。このように、常に学習者の状況を見ながら、そのとき、その場面に合った授業を展開させることが学習者の求める柔軟性ではないだろうか。

②学習者の誤用から学び、習得研究の成果を生かすこと

　学習者の誤用は教師にとってとても重要であることを第1章で述べた（p.16）。誤用は学習者の習得段階の現在地点を示し、その原因や対策を考える重要な鍵となるからである。「こんなに何度も教えているのに、どうして間違うのか」とか「なぜ、わからないの」と嘆く前に、学習者の反応や発話や書いたものに注意を払い、じっくり見ることが大切である。
　なぜなら、誤用は第二言語を習得する途上で、必ず出現するものであり、学習していることの証しでもある。従って、学習者が誤用を犯したとしてもイライラせずに、その原因や対策を考えるように心掛けることが重要である。

筆者が台湾のある大学で講演をし、最後の質疑応答の時間になったときに、大学の学部生の1人から質問が出た。まだ日本語を習い始めてあまり時間が経っていないらしく、たどたどしい日本語で、繰り返し、言い換えながらも時間をかけて自分の伝えたいことを主張した。それは、「僕は、今まで日本語の授業で、何度も何度も間違え、先生に間違いを直されたので、そのたびに自分は頭が悪い、僕はばかだとずっと思っていた。けれど、今日の話を聞いて、間違うのはばかじゃないとわかって、とてもうれしかった」という内容だった。少ない語彙でとつとつと時間をかけて必死で話す学生の様子に多くの聴衆が拍手を送った。

　このような学習者に寄り添い、誤用は習得過程で出てくる必然的なものであること、成長の証しであることを伝えることも、教師の大事な役割の1つである。

　学習者が間違うのは、わかっていない場合だとは限らない。「わかる」と「できる」は違う作業なのである。

　テストの成績が良く、テスト内容を十分に理解しているとしても、必ずしも運用できる、つまり上手に産出できることを意味するのではない。つまり、運用できないからといって、知識がないとは限らないこともある。「わかる」と「できる」は同じではなく、知識としては理解できていても使うことは難しいことが多いのである（野田ほか 2001）。従って、日本語指導の際にはこれらのことを十分に理解し、知識を運用に結び付ける練習が重要になってくる。実際、学習者の誤用などの観察からいかに教えるべきかを模索している現場の教師も多い（小林ほか 2017）。

　日本語指導の現場から問題を取り上げ、その研究を行うことができるという点では、第二言語習得研究は現場に密着した研究であるといえる。現場からの報告を問題の出発点として、研究者の成果を検証することによって、教育現場と研究の統合が図られる。また、現場の問題を取り上げ、教師自身がその改善を目指してさまざまな試みを行うことができるという点では、第二言語習得研究は**アクション・リサーチ**[注3]にも利用することができる。

　アクション・リサーチは、教師が自己成長のために計画を立て、行動（ア

クション）を起こし、その結果を観察して内省するという一連のプロセスを持つ。研究のトピックとして、一般的には「指名の仕方」や「ほめ方」などがあるが、第二言語習得研究との関連では「誤用訂正の方法」や「発音矯正の指導」なども考えられ、第二言語習得研究の研究トピックは、教育現場での日々の取り組みに生かすことができる。

③授業を楽しむこと

　ある日本語教師は良い教師の条件として、「自分自身、授業がつまらないと思えば、良いアイデアも浮かばないし良い授業もできないと思うので、まず自分が楽しむこと。そして柔らかい心を持つことだと思う」[注4]と述べている。

　柔らかい心というのは、先の柔軟な対応につながるが、教師自身が授業を楽しむことはもうひとつの重要な事柄であると考える。

　「先生、『ありがとうございます』と『ありがとうございました』はどう違う？」など、学習者たちは日本語母語話者が考えもしないような発想の質問をする。このような質問も調べてみると意外な発見があり、学習者と一緒に教師も日本語の知識を増やすことができる[注5]。

　日本語教師が学習者の質問や誤用から自らも学び、その過程を楽しめることは、授業においても学習者を受容する雰囲気づくりに大きく影響すると思われる。ある日本語学校の主任は、日本語教師の面接において採用を決断するポイントは、面接時に生き生きとした表情や話し方をしているかどうか、前向きな態度があるかどうかであると話している。

　学習者の望む教師の要素の2番目にあった「楽しい授業」とは、必ずしもゲームばかりの楽しさではない。自分自身が楽しめる授業をいかに行うか、

（注3） アクション・リサーチとは、教師が教室の内外から問題点を抽出し、その改善を目的として行うシステマティックな調査研究であり、そのプロセスによって教師は自己成長していくと考える。詳しくは、横溝（2000）や川口・横溝（2005a, 2005b）を参照。

（注4） 横溝紳一郎氏（西南女学院大学英語学科）の談話から（2000年3月）。

（注5） 「ありがとうございます」は当面の事柄に対しての感謝の表現であり、「ありがとうございました」は過去または完了した事柄に対しての感謝の表現である。従って、電車の車内アナウンスが始発駅では「ご乗車、ありがとうございます」であるのに、終着駅が近くなると「ご乗車、ありがとうございました」となる（文化庁 1995より）。

さまざまな可能性を考えて準備を周到にし、そして教師が自信を持って授業を行うことによって生き生きとした表情が生まれるのである。

　第二言語習得は、学習者が自分の中間言語のプロセスを一歩一歩たどっていると仮定するなら、教師自身も「熟達した日本語教師」を目指す長いプロセスをたどっていくと考えられるのではないだろうか。そして、学習者が誤用の産出によって、自己のルールを検証しながら習得を促進していくように、教師もまた失敗を繰り返しながら自己の教え方を獲得していくと思われる。さまざまな困難に耐え、化石化することなく目標としての熟達した教師を目指して一歩一歩進んで行くことが大切であると筆者は考える。

◆第8章のまとめ

1. 第二言語習得研究は日本語指導にどのように活用できるのか。
　学習者の誤用を分析しながら、彼らの採るストラテジーを考慮し、学習プロセスを理解することによって、レベルに応じて学習すべきシラバスやカリキュラムを検討し、提案することなどができる。

2. 学習者に求められる日本語教師とは？
　幅広い知識を持ち、楽しい授業を行い、柔軟性のある教師（安達ほか 1987 による）など。

3. 経験の長い日本語教師が大切に思っているのはどんなことか。
　多くの引き出しがあること、教室内外のいろいろなことに興味を持つことと同時に、自分の意見が言えること。

付録

データ分析方法の理解のために

　第二言語習得研究では、多数の学習者を対象とした穴埋めテストや聞き取りテストなどを行った場合、データを統計にかける。ここでは、データ分析方法の理解を深めるために、なぜ統計が必要なのか、統計を理解するための基本的な用語や第二言語習得研究で多く使用されている基本的なデータ分析方法にはどんなものがあるのかを紹介する。

　具体的にどのように統計的処理を行うかについては、さらに詳しい知識が必要であるため、ここでは扱わない。また、日本語の習得に関する調査を例にとって紹介しているが、ここで扱っている数値はすべて仮想データであることをお断りしておく。

1. なぜ統計分析が必要なのか

　資料収集で得られたデータは、ローデータまたは生データと呼ぶ。頻度の場合もあれば、テストの素点の場合もあり、その形態はさまざまである。しかし、ローデータを集計した値や平均値から直接の結論を導くことには問題がある。例えば、ある日本語学校の初級レベルのクラス1（10人）とクラス2（10人）の日本語学習者の成績を比べると平均で10点の差があった（（1）参照）。中級レベルのクラス1（10人）とクラス2（10人）の成績を比べると同様に平均で10点の差があった（（2）参照）。この場合、初級レベルではクラス1（以下「初級1」）がクラス2（以下「初級2」）より、また中級レベルではクラス1（以下「中級1」）がクラス2（以下「中級2」）より習得が進んでいる[注1]といえるだろうか。

（1）初級1と初級2における学習者の素点の一覧表と平均得点

	1	2	3	4	5	6	7	8	9	10	平均
初級1	50	90	40	30	60	70	90	60	80	80	65.00
初級2	80	50	80	70	40	60	30	40	70	30	55.00

	1	2	3	4	5	6	7	8	9	10	平均
中級1	60	70	60	50	60	70	80	60	70	70	65.00
中級2	70	50	70	60	50	50	40	50	60	50	55.00

　上記の平均を見た限りでは、平均点は確かに初級１のほうが初級２より、中級１のほうが中級２より10点高く、数値の上では習得が進んでいるように思える。しかし、それぞれ統計的に検討してみると（t検定を行った結果）、初級１と初級２の10点の差は統計的に意味のある差とはいえない（有意差がなかった）ことがわかった（（　　）は統計分析法と専門用語である。2.以降を参照）。一方、同じようにクラス間で10点の差がついている中級１と中級２のデータを統計的に検討してみると（t検定を行った結果）、この10点の差は統計的に意味のある差であることがわかった（有意差があった）。つまり、初級１は初級２よりも習得が進んでいるとはいえないが、中級１は中級２よりも習得が進んでいるということができる。これは、データの性質の差異が統計的な結論の違いをもたらしたのである。（1）のケースでは、学習者の個々の素点が平均値よりもかなり離れて高い得点や低い得点があり、個人差が著しいデータであるのに対し、（2）のケースでは、個々の学習者の素点がさほど平均から離れていないため、学習者の個人差が小さいデータであるといえる。

　このように、単に得点などの平均値のみでは、調査の結果が意味するものを正確に読み取ったり、伝えたりすることは難しい。そこで、得られたデータを整理し、客観的に評価したり、あるいは効率的に記述したりするために統計分析が必要となるのである。

2. 統計分析の基本的な専門用語

●**母集団**　検討しようとする研究対象全体のこと。例えば、「日本語学習者の中級レベル」という場合、世界に存在する中級レベルの日本語学習者すべてが母集団である。しかし、現実にはそのすべての学習者に調査はできないので、想

（注1）この場合、実施されたテストが習得の進度を測定するのに十分な妥当性があることが前提である。

定する母集団から一部を抽出して調査を行う。

- **標本（サンプル）**　母集団全体（上記の例であれば、世界中の「中級レベルの日本語学習者」）を調査することはできないので、一部を抽出して調査を行う。その抽出された集団を標本（サンプル）と呼ぶ。

- **標準偏差**　個々のデータが平均値からどれだけ離れているかの散らばりの程度を示した値。個々のデータと平均値との差が大きければ標準偏差の差は大きくなり、個々のデータが平均値に近い値であれば、小さくなる。標準偏差の値が大きいということは、先述の日本語学校の例で紹介した初級1・2クラスのデータ（（1）参照）で見たように、学習者の個人差が大きいことを意味する。
　　英語では、Standard Deviationといい、「SD」と略して表される場合もある。

- **正規分布**　データをグラフで表した場合に、平均値を中心として、左右対称の釣鐘状になる分布。標準偏差の値によって、釣鐘の傾斜がなだらかになったり、険しくなったりする。図1〜図3は、成績と取得した学習者の人数の関係をグラフで示している。

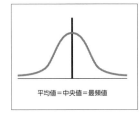
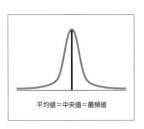

平均値＝中央値＝最頻値　　　平均値＝中央値＝最頻値　　　平均値＝中央値＝最頻値

図1　正規分布の場合　　　図2　分散が広い場合　　　図3　分散が狭い場合

図1は、平均値の人数が最も多く、平均値から遠くなるにつれ、人数が減少している。

図2は、平均値の人数が少なく、その周辺の値を取得した人数が多く、広がりが大きい。

図3は、平均値の人数が突出して多く、周辺の点数を取得した人数が少ない。

- **要因**　結果に影響を及ぼすか否かを実験や調査で確かめようとする事柄のこと。例えば、学習者の母語の違いによって結果に違いが生じると仮定するなら「母語」を、年齢の違いが影響すると仮定するなら「年齢」を要因とする。

- **水準**　1つの要因が含むカテゴリーや質のこと。例えば「母語」を要因とした

場合、いくつの母語集団を取り上げるのかが水準となり、中国語話者・英語話者・韓国語話者の３カ国語であれば、３水準となる。

● **被験者** 調査の対象となる人、または実験を受ける調査対象者。

● **被験者間要因** 水準によって調査される人たちが持つ異なる要因のこと。母語を要因にする場合、母語が異なることによって学習者も異なるので、この場合（要因：母語）は被験者間要因である。また、年齢では、20代・40代・60代と設定して異なった人たちを対象とする場合（要因：年齢）、同様に被験者間要因という。

● **被験者内要因** 水準によって調査される人たちが主として異ならない場合の要因のこと。読解テストと聴解テストの成績の違いを調べる場合、２つのテストを受ける学習者が同じならば、この場合（要因：テストの種類）は被験者内要因である。

● **有意差** 統計的に意味のある差のこと。例えば、調査する２集団あるいは３集団の平均値の違いを統計的に検定した結果、その平均値の差が統計的にも認められた場合は、有意な差があるとする。つまり、平均値に違いがあると認められる。

反対に、有意差があるとはいえないという結果が出た場合は、表面上、数値的な違いはあっても統計的に違いがあるとは認められないと考える。

有意差がある場合、統計結果の表などには「＊」、または「s（significance）」が、有意差が認められなかった場合には「n.s.（no significance）」の記号が用いられる。

● **有意確率（p値）と有意水準（α）** 調査する集団の間に、本来は差があるのに「差がない」と想定する仮説（帰無仮説）を設定し、その仮説が正しいとする確率を有意確率「p値」と言う。そして、有意水準とは、調査前に設定される基準のことであり、結果のp値がこれよりも低ければ、さきの仮説（帰無仮説）が否定（棄却）されるとする。つまり、p値が十分に低ければ、「差がある」と判断できる。有意水準は「α」で表わされ、多くは５％か１％に設定される。

● **相関係数** 測定された２つの事柄に直線的な関係（一方が増えると他方も増えたり、減ったりする関係）があるかどうかを示す値で、「r」で表される。

データ分析方法の理解のために

3. 主な統計分析法

3.1 カイ二乗（χ^2）検定

【内容】

　人に意見を聞いた結果や事柄が起きた回数のように、人数や頻度などが2つ以上の項目に分けられる場合に、それぞれの調査結果の値が期待値[注2]と異なるかどうかを吟味する検定。ある項目がほかの項目より有意に多いとか、少ないなどが判断できる。

【例】

　ある外国の中・高等学校の学習者360人に日本語学習の動機を聞いたところ、以下のような回答数となった。この結果から、日本語学習の動機に偏りがあるといえるかどうか。つまり、この国の中学・高校生の日本語学習者は、「旅行・留学」を目的として勉強する学習者が有意に多いといえるだろうか。

表1　日本語学習の動機別の人数

理由	旅行・留学を希望	音楽・漫画が好き	日本企業に就職を希望	合計
人数	143	112	105	360
（期待値）	(120)	(120)	(120)	(360)

【結果】

　上記の値はカイ二乗検定の結果（カイ二乗値　6.82，自由度[注3]2）、有意水準5％で有意であると判定された。この判定は $\chi^2 = 6.82, p \leq .05$[注4]のように表記する。

　つまり、このデータから日本語学習者の学習動機に偏りがあることがわかる[注5]。この国の中学・高校生の日本語学習の目的に日本への旅行や留学への興味が強くかかわっているといえる。

【先行研究】　カイ二乗（χ^2）検定を使った研究例

■ 金慶珠（2001）「談話構成における母語話者と学習者の視点」

■ サウェットアイヤラム・テーウィット（2009）「受身文の談話機能の習得―タイ
人日本語学習者を対象に―」

3.2　*t* 検定

【内容】

　2グループの被験者から得られた平均値の違いや、同じ被験者の2つの条件下
での平均値の違いなどが有意かどうかを検定する。3つ以上のグループや条件を
扱うことはできず、その場合は分散分析を使用する。

【例】

　A学校の日本語学習者とB学校の日本語学習者を8人ずつ選出し、日本語能力
テストを行った結果、以下のデータが得られた。2つの学校で成績に違いが見ら
れるかどうかを検定する。

表2　日本語能力テストの結果（100点満点）

	1	2	3	4	5	6	7	8	平均	標準偏差
A校	70	76	60	64	58	65	80	75	68.5	7.48
B校	80	70	67	74	78	85	65	73	74.0	6.32

【結果】

　上記の例は、*t* 検定の結果（*t* 値1.49、自由度14）、有意な差があるとはいえな
いと判定された。この判定は $t(14) = 1.49, p > .05$ のように表記する。この結果、
A校とB校では平均点で5.5点の数値的な差が示されているが、統計分析の結果、
両校の平均の差は有意ではないことがわかった。従って、A校とB校の日本語能

（注2）　理論的に導き出した値を指し、総数を項目数で割った値となることが多い。

（注3）　自由度とは、自由に変動できる測定値の個数を表す。詳しくは、統計に関する文献を参照。

（注4）　通常は、あらかじめ有意水準を5％に設定して統計的検定をかける。したがって、そのことを文で
明示していて有意な結果が出た場合、「*p* < .05」を示さない場合もある。近年は検定の際に自動的
に有意確率も産出されるため、その値を記述することが多い。

（注5）　ただし、どの動機によって偏りが見られたかについては、下位検定（残差分析）を行う必要がある。

　付
録
1

　デ
ー
タ
分
析
方
法
の
理
解
の
た
め
に

力テストの結果には差があるとはいえないことが明らかになり、日本語能力に違いは見られないことがわかった。

【先行研究】 t検定を使った研究例
- 戸坂弥寿美ほか（2016）「学外での日本語母語話者へのインタビュー活動に関する一考察—学習者の不安とその変化を中心に—」
- 久保田美子（2017）「ノンネイティブ日本語教師のビリーフと学習経験—2004・2005年度と2014・2015年度の量的調査結果の比較—」

3.3 分散分析

【内容】

　3つ以上の集団の平均値に有意な差があるかどうかを検定する。また、2つ以上の要因によって生じる平均値の差を同時に検定することもできる。テストや実験などの数値を扱う場合、一般的に多く用いられる検定法である。要因のばらつきの影響をF値によって推定するのが分散分析であり、そのことから「分散」という名前がついている。

参考：http://lang.sist.chukyo-u.ac.jp/classes/R/Rstatistics-06.html

【例題】

　どのような漢字の覚え方が記憶に残りやすいかということを探るために、4つの学習方法を示し、20個の単語を同じレベルの12人ずつの学習者グループに覚えさせ、その後で再生テストを行った。要因は、漢字記憶に関する学習方法で、水準は4（自由方略・反復方略・熟語方略・イメージ方略）、方略ごとのデータ数は12人である。（3）には、それぞれの方略の内容がわかりやすく説明されている。データの一覧表は表3である。

　　（3）a. 自由方略・・・特に方略を指定しない。
　　　　 b. 反復方略・・・漢字をただ反復しながら覚える。
　　　　 c. 熟語方略・・・熟語を作りながら覚える。
　　　　 d. イメージ方略・・・視覚的イメージを構成しながら覚える。

表3　漢字の覚え方による漢字再生テストの結果

	学習方法				
	a. 自由方略	b. 反復方略	c. 熟語方略	d. イメージ方略	合計
データ	10	5	9	10	34
	8	4	14	12	38
	9	7	9	13	38
	9	4	12	15	40
	11	7	10	15	43
	10	6	14	14	44
	9	8	16	14	47
	12	10	18	13	53
	11	10	15	16	52
	8	9	10	17	44
	12	8	11	18	49
	10	5	16	10	41
合計	119	83	154	167	523
平均	9.92	6.92	12.83	13.92	43.58

　1％の有意水準のもとで、漢字を記憶する学習の方略は有意であるという結果となった。つまり、覚え方によって成績に違いが現れたといえることがわかった。さらに、要因全体の効果が有意であっても、どの平均値間に有意差があるのかについては明らかではない。そこで、個々の平均値間の差を検定するために多重比較を行う。多重比較とは平均値の比較を2回以上同時に行う場合の手法で、ライアン法などの多くの手法がある。表4は、5％の有意水準で行った方略間の多重比較の結果である。

表4　方略間の多重比較の結果

	自由方略	反復方略	熟語方略	イメージ方略
自由方略	−	*	*	*
反復方略	−	−	*	*
熟語方略	−	−	−	*n.s.*(注6)

*p<.05

　上記の多重比較の結果から、熟語方略とイメージ方略の間には有意な差がなく、それ以外の方略間ではすべて5％水準で有意な差があることが明らかになった。この結果から、単語を記憶する場合の方略として、4つの方法には違いが見られ、熟語方略とイメージ方略の2つの方法が他の方法よりも有効であること、また残

(注6) 有意差がないこと (no significance) を表す。「2. 統計分析の基本的な専門用語」の項を参照。

りの2つの方略の中でも、自由方略が反復方略より効果が高いことが有意に認められたといえる。

　この結果から、このデータでは熟語を作りながら覚えたり、視覚的イメージを構成しながら覚えたりすることがほかの方法より有効であり、また、ただ反復して覚えることはほかの方法に比べてあまり有効でないことがわかったといえる。

【先行研究】分散分析を使った研究例
- 大神智春（1999）「タスク形式の違いによる中間言語の可変性」
- 岩下倫子（2006）「母語話者（NS）との会話練習でみられるフィードバックの第二言語習得における役割」
- 菅谷奈津江（2010）「日本語学習者による動詞活用の習得について―造語動詞と実在動詞による調査結果から―」

3.4　相関係数に関する検定

【内容】

　相関係数[注7]とは、2つの事柄の間にどの程度関連性があるのかを表す係数である。子供の身長と体重のように、一方が増加すれば他方も増加する傾向がある場合は、正の相関関係、まわりの騒音の大きさと作業の能率のように、一方が増加すれば他方は減少する傾向になる場合は、負の相関関係があるという。相関係数は「r」で表され、$-1 \leqq r \leqq 1$の範囲で示される。2つの変数の間に完全な正の相関関係が成立する場合は、相関係数は1となり、完全な負の相関関係の場合は-1となり、相関関係がまったく見られないときは0となる。相関係数の大きさの評価は、通常（4）のように表現される。

　　（4）相関係数の評価

　　　　$.0 \leqq |r| \leqq .2$　⇒　ほとんど相関なし

　　　　$.2 < |r| \leqq .4$　⇒　弱い相関あり

　　　　$.4 < |r| \leqq .7$　⇒　比較的強い相関あり

　　　　$.7 < |r| \leqq 1.0$　⇒　強い相関あり

【例】

　日本の大学で勉強している日本語学習者10人に、大学の前期と後期である学習項目に関して作文の小テスト（100点満点）を行った結果、表5のような値が得られた。前期のテスト結果と後期のテスト結果に相関が見られるだろうか。つまり、前期で良い成績をとった学生たちは後期にも良い成績をとっているといえるだろうか。

表5　日本語学習者の前期と後期の小テスト結果（n = 10）

	S1	S2	S3	S4	S5	S6	S7	S8	S9	S10
前期	92	68	45	70	85	91	56	72	53	41
後期	84	90	61	74	93	84	49	63	79	62

【結果】

　相関係数を求めたところ、$r = .664$ という結果が得られた。この結果から、前期と後期の成績の間には、比較的強い相関が見られ、前期に良い成績をとった学生は後期にも良い成績をとる傾向にあったといえる。表記は、$r = .664$（n = 10）とする。母集団においても有意に相関関係がみられるかどうかを確かめるためにこのデータについて無相関検定[注8]を行うと、5％の有意水準で、有意であった。

【先行研究】相関係数に関する検定を使った研究例

■ 石崎晶子（1999）「学習者の言語行動に対する母語話者の評価—主観的評価と客観的評価の関係—」

■ 石橋玲子（2000）「日本語学習者の作文におけるモニター能力—産出作文の自己訂正から—」

（注7）正式には、ピアソンの積率相関係数と呼ばれ、2つの変数間の直線的な関係の強さおよび方向を表す測度のことを指す。

（注8）計算された相関係数が統計的に有意なものであるかどうかを確かめるために無相関検定と呼ばれる手続きで検定する。5％水準で帰無仮説「2変数間には相関関係がない」を棄却できるならば、計算された相関係数の絶対値が0よりも大きいことが有意であるといえる。ここで注意すべきことは、無相関検定で帰無仮説を棄却できた場合、すなわち相関が有意である場合でも、相関係数の大きさの持つ意味について、研究者が慎重に判断することだ。つまり、有意ではあるが、弱い相関関係しかない場合に、その変数間の関係にどれほどの意味があるかということである。サンプル数が大きくなると相関係数が小さくても有意になるので、このような視点からの解釈が必要となる。

相関係数には、2つ以上の変数が順位で表される場合も、その順位間の相関係数[注9]を求める場合もある。第4章や第6章で紹介したデュレイとバートによる英語の形態素の習得順序の研究で使われている。彼らは、3つの地域のスペイン語話者の児童の英語習得を抽出法のインタビューによって調査し、正答率の順位を求め、それぞれの地域での結果の相関を調べた(Dulay and Burt 1973, 1974)。

4. 含意スケーリング (Implicational Scaling)

【内容】

含意スケーリング[注10]またはインプリケーショナル・スケーリング (Implicational Scaling) という方法がある。これは、統計的分析の方法ではなく、計算処理をせずに、素点や結果を配列することで複数の調査項目の達成度から見えてくる傾向を分析する方法をいう。各項目の難易度は、学習者がその項目を習得する順序を示し、より難しい項目を習得していれば、それより易しい項目も習得していることを意味する。この方法は、統計処理と異なって、有意な差を吟味するものではなく、あくまでもデータを順序ごとに配列整理することによって、ある傾向を検討するものである。

おおよその手順は以下のとおりである。

1) 調査の分類項目と学習者全員の調査結果を用意する。
2) 学習者全員を左の欄に配列する。その際に、正答の項目数と正答度を比べながら、正答の項目数が最も少なかった学習者をいちばん下に置き、正答項目が多く、最も成績が良かった学習者を上に配列する(逆の配列の場合もある)。
3) 正答度を見て、その値の差で境界ができるところで階段状の境界線を引く。
4) グループ分けした配列の個所に階段状の境界線を引く。

【例】

15人の学習者にそれぞれ「否定形」「テ形」「意向形」「可能形」のテストを行った結果、以下の成績が得られた。この4つの活用形の正答順序はどのようになるだろうか。

表6　動詞の「否定形」「テ形」「意向形」「可能形」の正答率

学生　　項目	否定形	テ形	意向形	可能形
S1	100	100	100	94
S2	100	100	95	90
S3	100	100	91	85
S4	100	100	88	58
S5	100	100	86	48
S6	100	98	84	50
S7	100	96	80	47
S8	100	93	79	44
S9	100	88	51	50
S10	100	82	47	53
S11	97	88	50	41
S12	94	57	44	39
S13	89	60	49	36
S14	60	55	56	29
S15	53	48	33	11

　この表から、「意向形」の正答率が高い学習者は必ず「否定形」も「テ形」も正答率が高いが、「可能形」は正答率が高いとはいえないことがわかる。しかし、「可能形」の正答率が高い学習者は、「否定形」「テ形」「意向形」の成績も良い。その結果、4つの活用形に関して以下の正答順序が導き出される。
　「否定形」＞「テ形」＞「意向形」＞「可能形」

【先行研究】含意スケーリングを使った研究例
■ 許夏珮（1997）「中上級台湾日本語学習者による「テイル」の習得に関する横断研究」
■ 森山新（2002）「認知的観点から見た格助詞デの意味構造」

5. データ分析で注意すること

（1）調査に入る前に綿密な計画をたてる。

　データ収集の調査に入る前に、収集しようとするデータが統計的な検定に耐え

（注9）正式には、スピアマンの順位相関係数という。
（注10）Andersen（1978）に詳しく記述されている。

得るかどうか（データ数は適当か、検定の方法は妥当かなど）よく計画をたてるべきである。

（2）「有意差がある」と「研究が有意義である」は違う。

　有意な差があるかどうかを統計的に検定すること、また有意な差があったという結果を得ることは、その研究が有意義な研究であることとは無関係である。

（3）有意差のマークの数は差の大きさを表すものではない。

　分析結果の表において、有意差がある場合、「＊（アステリスク）」の印が付加されることがある。この時、「＊」の数は、差の大きさそのものを示すものではなく、p 値の値がどれくらいなのかを示すために使われている。つまり、「＊＊＊」や「＊＊」が付いている場合が、1つのアステリスクが付く「＊」の場合に比べて差が大きいとは判断できない。

（4）傾向差と有意差は同じではない。

　分析結果の表において、有意差ではなく傾向差がある場合（p 値が0.1以下の場合）、「＋」の印が用いられることがある。傾向差は、あくまでもそのような傾向がみられるということを示すもので、有意差があるわけではない。傾向差の解釈は、研究者によっても研究の内容によっても異なっている。

（5）グラフの扱いに注意する。

　検定の結果、有意な差が認められなかったにもかかわらず、数値をグラフなどで表し、その差について「差がある」「AよりBが高い」などと言及してはいけない。例えば、3.2の t 検定（p.215）の結果をグラフにして差を強調すると、統計的な検定で差が出なくても差があるように感じられるので注意しなければならない。

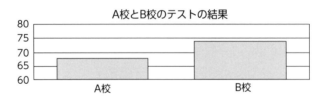

（6）相関関係は因果関係に直結しない。

　2つの事柄に相関があるということは、必ずしも因果関係があることではない。例えば、喫煙量と肺ガン患者の死亡率に正の相関関係が見られた場合、喫煙が肺ガン患者の死亡率の原因だと安易に断定することはできない。肺ガンの喫煙者は当然年齢が高い場合が多いので、肺ガンの原因に高齢が影響していることも考えられる。安易に相関関係＝因果関係と考えてはいけない。

（7）結果の一般化は慎重にする。

　安易に一般化してはいけない。例えば、アメリカの大学における日本語学習者のデータを分析して結果を得た場合、その結果を日本語学習者全般の結果として示すことはできない。ほかの言語の母語話者の場合や日本在住の学習者などの場合も同様の結果が出るかどうかは不明である。得られた結果を一般化することに関しては、さまざまな点を考慮して判断すべきである。

6. データ分析のための文献

　ここで取り上げた例や方法は、森・吉田（1990）を参考にして作成した。最後にいくつかの初心者用の統計に関する文献を紹介する。心理学や教育学の分野の研究者からの推薦図書も含まれている。

- 森敏昭・吉田寿夫（編著）（1990）『心理学のためのデータ解析テクニカルブック』北大路書房：統計を用いて研究する人への必携書。具体的な事例をたくさん取り上げ、そのデータの分析をしながら、各種の検定を解説している。
- 石川慎一郎・前田忠彦・山崎誠（2010）『言語研究のための統計入門』くろしお出版：大量のデータを扱う言語研究者のための入門書。丁寧な解説と添付CDの分析ソフトにより、初学者でも統計を使いこなせるような工夫がなされている。
- 島田めぐみ・野口裕之（2017）『日本語教育のためのはじめての統計分析』ひつじ書房：日本語教育に携わる教員・研究者に向けて、基礎的な内容がわかり易く書かれた統計分析のための書籍で、分析ソフト（SPSS）の使い方や実際の研究例も記載されている。

第二言語習得研究のキーワードおよび関連用語

I-言語 (I-language) ···【第3章】

チョムスキー (N. Chomsky) の言語理論、普遍文法理論を基盤として研究を行っている学者たちは、人間の中にある知識としての「言語能力」と、実際に私たちが言語を使用する「言語運用」とを区別する。前者の知識としての言語能力を内在化された言語 (internal language)、あるいは内包的な言語 (intensional language) という意味でI-言語と呼び、後者の言語運用を外在化 (表出) された言語 (external language)、あるいは外延的な言語 (extensional language) という意味でE-言語と呼ぶ。「言語能力」参照。

アウトプット仮説 (Output Hypothesis) ······································【第3章】

出力仮説ともいう。スウェイン (M. Swain) が提唱した、アウトプット (出力) の重要性を指摘する考え方。習得促進のためには、理解可能なインプットだけでなく理解可能なアウトプット (comprehensible output) も重要であると主張した。理解可能なアウトプットとは、対話者に理解できる発話で文法的に正確な発話。

アクション・リサーチ (action research) ···································【第8章】

教師が自己成長のために自ら行動 (action) を計画して実施し、その行動の結果を観察して、その結果に基づいて内省 (reflection) する研究 (横溝 2001b:14)。研究のトピックには、「指名の仕方」「誤用訂正の仕方」「教室活動の工夫」など、教師が日々の授業の中で感じる問題や関心事を取り上げる。

足場かけ (scafolding)

他者の助けがあれば、できるようになる段階 (領域) を最近接発達領域 (p.233) と呼び、その他者の助け・サポートのことを指す。

暗示的フィードバック ··【第4章】

学習者の誤用を訂正するフィードバックを訂正フィードバックといい、その方法として暗示的フィードバックと明示的フィードバックがある。誤用部分を直接指摘して訂正せずに、学習者に気付かせるようなフィードバックを暗示的フィードバックという。例えば、学習者の「きのう、寿司を食べた。とても**おいしいだった**」という発話に対

し、「あー、おいし……?」と途中まで言って、再度、学習者に正用の言い直しを求めたり、「あー、とてもおいしかったですか?」と教師が正用を与えたり(リキャスト)して指導する方法が暗示的フィードバックである。「明示的フィードバック」参照。

暗示的知識 (implicit knowledge) ··【第4章】

明確には説明できないが、直感で判断できる知識。例えば日本語母語話者であれば、「スイカを**冷やすように**(→を冷やすために/が冷えるように)冷蔵庫に入れた」の文が誤用であり、(　　)内のように直感的に修正することができる。このような知識を暗示的知識という。潜在的知識ともいう。「明示的知識」参照。

※目的を表す「ように・ために」では、「ように」の場合、「冷える」などの無意志動詞(自動詞・可能動詞)をとり、「ために」は「冷やす」などの意志動詞(他動詞)をとるという規則があるため、先述の文は誤用となる。

E-言語 (E-language) ··【第3章】

「I-言語」参照。

意図の読み取り (intention reading) ··【第3章】

「意図理解」や「伝達意図の理解」ともいう。トマセロ(M. Tomasello)の用法基盤モデル(p.245)の重要な用語の1つ。第一言語習得の過程で、親と子が共に同じ事物や行為を見て(「共同注意(p.228)」)、そこで示される意図を理解すること。例えば、犬を見て、親が「ワンワンよ!」と言えば、子供はその対象が「ワンワン」だと理解する。別れるときに「バイバイ」と手を振れば、別れの行為だと理解し、次第に子供は別れる際に「バイバイ」と手を振る行為を行うようになる。

イマージョン (immersion) ···【第5章】

イマージョン・プログラム (immersion program) とは、目標言語を用いて教科を教えるというバイリンガル教育の1つ。カナダなどのように、広い範囲で2言語が使用されている地域でよく見られる。授業時間の量によって、最初の数年間は100パーセント、第二言語で教える全面的イマージョン (total immersion)、部分的に第二言語を使用する部分的イマージョン (partial immersion) などの種類がある。「CLIL」参照。

インターフェイスの立場 (interface position) ··································【第3章】

学習と習得は互いに交わる、つまり、意識的な勉強で得た学習の知識は習得に影響を与えるという考え方。この立場には弱い立場と強い立場があり、学習した知識が部分的に習得に影響を与えると考える場合を弱いインターフェイスの立場、学習した知識が全面的に習得に作用すると考える場合を強いインターフェイスの立場という。これ

に対し、意識的に学習した知識は習得には影響を与えないという「ノン・インターフェイスの立場」がある。「ノン・インターフェイスの立場」参照。

インプット仮説 (Input-Hypothesis) ································【第3章】

クラッシェン (S. Krashen) のモニター理論の仮説の1つで、言語習得を促進するためには理解可能なインプット (comprehensible input) を十分に受けることが必要であるとする考え。理解可能なインプットとは、現在より少しレベルの高い段階、「i＋1」(アイ・プラス・ワン) のインプット。「i」は現在のレベル、「＋1」はそれより少し高いレベルを表す。入力仮説ともいう。

運用能力

実際に言語を使って話したり、書いたりできる能力。言語の「知識」が多くても「運用能力」が低い場合もあり、言語の「知識」と「運用能力」のレベルは必ずしも一致するとは限らない。

MLU (Mean Length of Utterance：平均発話長)

第一言語習得研究で用いられる発話の単位で、1発話における形態素の数の平均によって求められる数値。「ボク、パン、食べた」の形態素数は、「ボク」「パン」「食べ」「た」で4.0となり、「ボク、行かない」は「ボク」「行か」「ない」で3.0となり、MLUは3.5となる。

エラー (errors) ···【第1章】

第二言語習得の分野では、「エラー」と「ミステイク」の2種類の誤用がある。「エラー」は、学習者がその項目や事柄に関して一貫して間違う誤りを指す。例えば、「旅行はおもしろいでした。たのしいでした」のようにイ形容詞の過去形を常に「〜かった」ではなく、「でした」で表現する場合。「ミステイク」参照。

横断的研究 (cross-sectional study) ···································【第6章】

集団テストによる研究とも呼ばれる研究方法の1つ。多数の被験者(学習者)を対象に、特定の一時期に同時または短期間で行う研究。特定の研究対象の言語データが多量に得られるので、統計分析による処理ができ、一般化することが可能である。「縦断的研究」参照。

OPI (Oral Proficiency Interview) ····································【第6章】

ACTFL (American Council on the Teaching of Foreign Languages) の言語能力基準に基づいて行われる、学習者の話す技能をインタビューにより評価する方法。

回避 (avoidance) ··【第2章・第4章】

学習しても使い方がよくわからなかったり、自信がなかったりするために、その表現や語句を使わないで避ける状態。日本語教育では「非用」ともいう。「非用」参照。

学習可能性 (learnability) ··【第3章】

心理言語学的に学習者が学習の準備がどの程度できているかを指す、ピーネマン (M. Pienemann) が提唱した概念。背景には、準備ができたときにのみ学習が可能であり、段階を飛び越えては上の段階の習得には至らないという学習可能性仮説 (Learnability Hypothesis) がある。この考え方は教える側にも当てはめられて、教授可能性仮説 (Teachability Hypothesis) と呼ばれる。「教授可能性」参照。

学習言語能力 (Cognitive Academic Language Proficiency: CALP) ····【第4章・第5章】

「学力言語能力」参照。

学習 — 習得仮説 ···【第3章】

「習得 – 学習仮説」参照。

学習ストラテジー (learning strategy) ·······················【第2章・第4章】

学習効果を高めるための学習者の具体的な行動あるいは態度。学習方略ともいう。オックスフォード (R. Oxford) の定義によると「学習ストラテジーとは、学習をより易しく、より早く、より楽しく、より自主的に、より効果的に、そして新しい状況に素早く対処するために学習者がとる具体的な行動である」とされる。

学力言語能力 (Cognitive Academic Language Proficiency: CALP) ····【第4章・第5章】

学校での勉強に必要な抽象的な思考や分析力が要求される言語能力。学習言語能力や認知的学習能力ともいう。これに対して、日常の生活場面に必要な言語能力を、伝達言語能力 (Basic Interpersonal Communicative Skills: BICS) または生活言語能力と呼ぶ。児童の場合、通常伝達言語能力は速く身に付けることができるが、学習に必要な言語能力を身に付けるのが遅いのは、学力言語能力が伝達言語能力とは異なっていることに起因しているからである。「伝達言語能力」参照。

過剰一般化 (overgeneralization) ·······························【第2章】

ある1つの規則を別の語へも適用できると考えて、広く一般化する現象。言語内エラーの一種で、過剰般化あるいは過般化とも呼ばれる。例えば、英語学習者が動詞の過去形を作る際に、不規則活用の動詞の"go"や"teach"に規則活用を当てはめて"goed""teached"（本来は"went""taught"としなければならない）としてしまう場合を指す。

化石化 (fossilization) ·· 【第2章】

第二言語学習者の習得過程において、ある項目や事柄が、習得が進まないでいつまでも誤用として残ってしまう現象。

記述研究 (descriptive study) ··· 【第6章】

授業や会話場面での、フィードバックや言語行動を観察し、現象を詳しく正確に記述して分析する。観察には、参与観察や観点描写法などが用いられる。多くの場合、少人数を対象とする。「実験研究」参照。

教室指導環境 ··· 【第4章】

第二言語習得研究の調査対象者の言語環境は、大きく2つに分けると、「教室指導環境」と「自然習得環境」がある。教室指導環境とは、国内でも海外でも、学習者が学校などの教育機関で学習した場合の環境を指す。「自然習得環境」を参照。

教授可能性 (teachability) ··· 【第3章】

学習可能性と共に抽象的な概念で、教師が教えることが有効に機能する学習者の状態のこと。学習者が次の段階に行く準備ができたときにのみ教授が可能となるという考え方。「学習可能性」参照。

共同注意 (joint attention) ··· 【第3章】

「共同注視」ともいい、トマセロ (M. Tomasello) の用法基盤モデル (p.245) の重要な用語の1つ。事物や行為に対し、他者と共に注意を向けること。第一言語習得においては、親と子が同じ絵本の事物を指さしたり、おもちゃを持ってきて見せたりして、その対象を共有することで、親と子の会話が生まれる。

共有基底言語能力 (CUP) モデル (Common Underlying Proficiency Model)
·· 【第5章】

バイリンガルの子供たちが2つの言語それぞれにおいて優秀な成績を修めている実例から、表面的には2つの言語を使用していても共有の処理システムが機能しているという、カミンズ (J. Cummins) の考え。「分離基底言語能力 (SUP) モデル」参照。

均衡理論 (Balance Theory) ··· 【第5章】

バイリンガリズムにおける第一言語と第二言語の知能と認知の関係に関する理論。第一言語と第二言語が別々の基底を持ち、秤（はかり）のように、第二言語が発達すると第一言語が喪失するとするモデル（分離基底言語能力モデル）と、両言語が共通の基底を持ち、互いの知能や認知力は互いの言語発達に伴って影響し合っていくとするモデル（共有

基底言語能力モデル）の2つを提示している。「分離基底言語能力（SUP）モデル」、「共有基底言語能力（CUP）モデル」参照。

CLIL (Content and Language Integrated Learning) ························【第7章】

内容言語統合型学習とも呼ばれ、教科科目やテーマの内容（content）と、外国語（language）が統合された指導法（学習法）を指す。現在では、一般的に英語と別の教科の一体型の学習が多く、小中学生の子供を対象としてスポーツやダンスなどを英語で学習するプログラム（例 英語サッカースクール）などが、成人向けにはMBA、料理、ヨガ、茶道などのプログラム（例 英語茶道教室）などが実践されている。教科を外国語で指導する点では、イマージョンと似ている。しかし、イマージョンは米国やカナダで実施されており、一般的に幼児期や小学校から導入される英語漬けの教育である。一方、CLILは欧州で提唱され、多くの場合、小中学生以降の母語が定着した後の生徒が、特定の教科を外国語で学ぶ学習法である。「イマージョン」参照。

クレオール (creole) ··【第5章】

共通語がない地域で用いられる、一時的な伝達手段としての単純化した言語をピジンといい、日常的にピジンが話される地域に生まれた子供たちがそれを母語として育ち、より言語的に複雑に発達した場合をクレオールと呼ぶ。ピジンに比べて語彙が増え、文法が複雑になる。「ピジン」参照。

グローバルエラー (global errors) ···【第2章】

第二言語学習者の誤用を、聞き手の側が理解可能かどうかという観点で分類した場合、文全体の理解に支障を来すような誤用のこと。「ローカルエラー」参照。

訓練上の転移 (transfer of training) ···【第2章】

学校や言語教室などで教師からの指導や練習が、学習者の習得にマイナスに影響すること。例えば、通常の場面で質問に答える際に、いつも主語をつけて「私はイギリス人です。私は学生です。私は22歳です」と言ったり、教師が繰り返し練習をさせるときに「もう一度」という表現を使うので、学生も目上の教師に向かって「先生、よく聞こえません。もう一度」と使ったりすること。

言語運用 (linguistic performance) ···【第4章】

実際の場面で言語が使われること。運用には感情や体調などの多くの要因がかかわっているので、「言語能力」をそのまま反映しているとはいえない。「言語能力」参照。

言語間エラー (inter-lingual errors) ································【第2章】
言語と言語の間に問題があって生じる誤用、つまり母語の影響によって起きる誤用のこと。例えば、日本人英語学習者が米国人宅で「Can I use the bathroom?」と言うべきところを日本語の「トイレを借りる」の表現をそのまま訳して、「Can I borrow the bathroom?」と言ってしまう場合などがその例である。「言語内エラー」参照。

言語処理のストラテジー (language processing strategy) ·············【第4章】
学習者が目標言語を覚えたり使ったりする際に適用する、意識的・無意識的な言語処理の方略。「ゆっくり話す、**ください**（「ゆっくり話してください」の意味）」や「家、建て、**ほしいです**（「家を建てたい」の意味）」のように、ある語や句を付け加えて、意味機能を表そうとする「付加のストラテジー」や「いい**だと思う**」や「たのしい**だと思う**」の「だと思う」のように、固まりで覚えて使う「ユニットのストラテジー」などがある。

言語転移 (language transfer) ····································【第2章・第4章】
学習者の母語（または既習の言語）が第二言語（または次の言語）を習得する場合に何らかの影響を与えること。対照分析研究では、母語が第二言語学習に悪い影響を与えると考えたため母語の干渉という表現を用いた。しかし、言語転移にはプラスに働く場合もあると考え、その場合を正の転移、マイナスに働く場合を負の転移と呼ぶ。

言語内エラー (intra-lingual errors) ····························【第2章】
学習している言語の文法規則の過剰一般化などによって起きる誤用。例えば、「天気**だった**」「休み**だった**」の過去形から「**だった**」が過去を表す標識だと考え、「おもしろい」の過去形を「おもしろかった」ではなく、「おもしろい**だった**」とするような誤用を指す。このように、複数の規則が習得されずに、ある規則に単純化してしまうことを過剰一般化といい、目標言語の中に誤用の原因がある場合を言語内エラーという。「言語間エラー」参照。

言語能力 (linguistic competence) ······························【第4章】
チョムスキーの言語理論では、「言語運用」(p.229) と対比して用いられる用語で、人間が持っている言語に関する知識。「言語運用」「I-言語」参照。

顕在的知識 ···【第4章】
「明示的知識」参照

構造言語学 (structural linguistics) ·· 【第2章】

1930年代、ブルームフィールド（L. Bloomfield）らを中心に、意味に影響されないで、構造を客観的に記述・分析することを目指した言語学の一派。構造主義言語学ともいう。

行動主義心理学 (behavioristic psychology) ······································· 【第2章】

行動を科学的・客観的な手法で研究することを追求した心理学。行動は刺激と反応の結合された習慣の形成である、という考え方を基盤にしている。構造言語学の成果と共に、外国語教授法のオーディオ・リンガル法に取り入れられ、パターン・プラクティスという文型練習を生んだ。この考え方を基盤にした研究者はbehavioristと呼ばれ、チョムスキー（N. Chomsky）たちの生まれながらにして普遍文法が備わっているとする生得主義を基盤とする研究者はmentalistやnativistなどと呼ばれる。

コード・スイッチング (code switching) ··· 【第4章】

話し手が、使用している言語をほかの言語に切り替えること。コード交替、コード交換とも呼ばれる。例えば、異なった母語を話す両親を持つバイリンガルの子供が、母親には母親の母語で、父親には父親の母語で話す場合や、学習者が最初は外国語で話していても、ある言葉がわからないときに母語を使用してしまう場合などがある。また、対話相手との親疎・上下関係によって、話し方を変えることもある。例えば、友だちには「バスが来た！」とインフォーマルな表現を使い、目上には「バスがまいりました」とフォーマルな表現で言い方を変える場合などである。

コーパス (corpus) ·· 【第7章】

大量に収集した言語資料をデータベース化したもので、資料の種類によって、作文コーパス、発話コーパス（発話を文字化したもの）、学習者コーパス（英語や日本語などの個別言語を外国語（第二言語）として学ぶ学習者の作文や発話データ）などさまざまな種類がある。コーパスに基づいて言語研究をする学問領域をコーパス言語学という。

コネクショニズム／コネクショニスト・アプローチ
(Connectionism/Connectionist Approach) ································· 【第3章】

コネクショニズムは、神経回路のネットワークとコンピューター科学の考え方から生まれた考え方。神経細胞に見立てられた多数のユニットとそれらユニット間の結び付き（connections）が変化することによって、情報処理が行われるとする。この考え方によると、言語習得の仕組みはインプットとアウトプットによって形式と意味のユニットの活性化が行われるとされる。

第二言語習得研究のキーワードおよび関連用語

コミュニケーション・ストラテジー (communication strategy) ……【第2章】【第4章】

学習者が、自分の知識や能力が足りなかったり、言葉や表現が思い出せなくてコミュニケーションに支障を来したりした場合にとる、言語行動や態度。コミュニケーション方略ともいう。言い換えたり、相手に聞き返したり、部分的に母語を使ったりするなどの、さまざまな方法がある。

コミュニケーション能力 (communicative competence) ……………………………【第4章】

コミュニケーション場面で必要な言語能力。言語の知識だけでなく、相手や場面によって適切な表現を用いる能力も必要とされる。①文法能力（言語の知識）、②談話能力、③社会言語学的能力、④方略能力などで構成されていると考えられている。

誤用分析研究 (error analysis) ………………………………………………………【第2章】

学習者の誤用を分析することによって、その原因や指導法の改善を検討する研究。「誤用は回避すべきもの」という考え方から始まり、コーダー (P. Corder) の「誤用は必然的なものであり、誤用を産出することで習得は進んでいく」という考え方への転換が、この研究の発展を促した。

語用論………………………………………………………………………【第3章・第7章】

発話行為や言語表現などを文脈や状況との関係で研究する分野を語用論という。客がコンビニエンスストアの店員に「とんかつソース、ある？」と聞く場合は、単なる疑問文であることが多いが、食事中に夫が妻に対して「とんかつソース、ある？」と言うと、それは多くの場合、「とんかつソース、持ってきて」の意味となる。後者の場合、夫婦の食事中の会話であり、文脈から「とんかつソース、ある？」は存在を尋ねる疑問文ではなく、依頼の機能を含む表現となる。

コンシャスネス・レイジング (consciousness-raising: CR) ………………………【第4章】

「意識高揚」ともいう。第二言語習得において、学習者が目標言語の文法形式や表現に意識を集中させて学習すること。コンシャスネス・レイジングによって、学習者は目標言語の規則を発見したり、間違わないように気を付けたりするようになり、その結果、習得が促進されるという考え方である。

コンペティション・モデル (Competition Model) ………………………………【第3章】

ベイツ (E. Bates) とマクウィニー (B. MacWhinney) によって提唱されたモデル。第二言語学習者の根底にある言語能力がどのように運用に結び付くかということを説明しており、学習者は文の中にある複数のキュー（「意味特性」や「語順」などのヒント）から、目標言語によってどれかを優先してその文の意味を理解していると考える。

競合モデルともいわれる。

最近接発達領域／発達の最近接領域 (zone of proximal development)

ヴィゴツキー (L. Vygotsky) が提唱した用語で、英語の略称でZPDとも呼ばれる。人間の機能の発達段階において、ある段階に到達できる手前の段階であり、他者の助けがあれば、できるようになる段階あるいは領域のことを指す。そして、この他者の助け、サポートのことを「足場かけ」(scafolding) (p.224) と呼ぶ。例えば、一人ではできない数学の問題を友だちに助けてもらいながら解いていったり、外れたシャツのボタンを母親に教えてもらいながら縫いつけたりするなど。

サブマージョン (submersion) ··【第5章】

授業の中で使われる言語が、大多数の生徒にとっては母語であるが、少数の外国人生徒にとっては目標言語である外国語の場合のこと。全員フランス語話者の子供たちが英語で授業を受ける場合はイマージョン、多数の英語話者の子供たちが英語で受ける授業の中に日本語母語の児童が少数いる場合は、日本語母語の児童にとってサブマージョンである。「イマージョン」参照。

JSL (Japanese as a Second Language：第二言語としての日本語) ······【第1章・第4章】

日本語が一般的に話されている場所（主に日本国内）で、学校に行ったり仕事をしたりして学ぶ日本語。第二言語とは、その社会で生活およびコミュニケーションの手段として使用されている母語以外の言語。

JFL (Japanese as a Foreign Language：外国語としての日本語) ········【第1章・第4章】

日本語（目標言語）が一般的に話されている地域（目標言語圏）以外の場所で、学校教科や学問の一部として学ぶ日本語。

敷居理論 (Thresholds Theory) ··【第5章】

三階建ての家に第一・第二の2つの敷居を想定することによって、子供のバイリンガリズムと認知発達の関係を説明する理論。発達が不十分な段階でバイリンガルを強要すると認知的な発達にマイナスの影響を与えるが、十分な段階でスタートさせると均衡バイリンガルに近づくことができ、かつ認知的な発達に非常にプラスになる。このことから、バイリンガルになることが子供の発達にプラスになるかマイナスになるかは、その子供の言語能力がどのレベルに達しているかによる、とされる。閾理論とも呼ばれる。

自然習得環境 ··【第4章】

第二言語習得研究の調査対象の言語環境の1つで、学校などの教育機関で体系的に外国語（第二言語）を学習するのではなく、周囲のインプットを取り入れて外国語（第二言語）のルールを無意識に学んでいく環境を指す。例えば、日本人と結婚して日本で暮らす外国人や就労目的で来日した外国人の習得環境など。「教室指導環境」を参照。

自然順序性仮説 (Natural-Order Hypothesis) ································【第3章】

クラッシェン (S. Krashen) のモニター理論の仮説の1つ。大人でも子供でも、彼らの母語の違いがあっても、どこでだれに教わっても、学習者には第二言語習得の一定の普遍的な順序が存在するという考え方。

自然な順序 (natural order) ··【第4章】

クラッシェン (S. Krashen) の自然順序性仮説で唱えられた仮説に基づいた、学習者すべてに共通する普遍的な習得順序。第二言語学習者の自然な習得順序という意味。

実験研究 (experimental studies) ···【第6章】

一般的に、少人数を対象とする記述研究 (p.228) と異なり、一定の人数の学習者を対象として行われる。言語研究では、言語理論や先行研究から仮説を設定し、その検証を実験調査によって行う。「記述研究」を参照。

実証研究 (empirical research) ···【第6章】

観察や調査によるデータを示して、仮説や理論の検証などを行う研究。「理論研究」参照。

質的研究 ···【第6章】

ありのままの状態を観察し、データを収集していく研究。根気強く、時間をかけて観察をしながら記録をしていく方法で、子供の発話データを収集し、その発話データから子供の言語発達を研究する場合などがこれにあたる。ケース・スタディーという事例研究の方法で知られている。「量的研究」参照。

縦断的研究 (longitudinal study) ··【第6章】

特定の少人数を対象に、長期間にわたって行う研究。収集されたデータによって、被験者（調査を受ける人）のある一定期間の言語の実態を提示できる。定期観察による研究とも呼ばれる。「横断的研究」参照。

習得－学習仮説 (Acquisition-Learning Hypothesis) ··【第3章】

クラッシェン (S. Krashen) の提唱したモニター理論の仮説の1つ。学校などで意識的に行う言語の学習 (learning) と、幼児が自然な環境の中で無意識に身に付ける言語の習得 (acquisition) は異なっており、実際のコミュニケーション能力は習得によってのみ養成されると考える。

習得順序 (acquisition order) ··【第4章】

目標言語の複数の項目が、どの順番で習得されるかを示した順序。一般的には長期的な観察によって使用の傾向や誤用の消滅などを分析して示すが、短期の実験テストなどで求める場合は、正用順序が習得順序とみなされる。「正用順序」参照。

出力仮説 (Output Hypothesis) ··【第3章】

「アウトプット仮説」参照。

情意フィルター仮説 (Affective Filter Hypothesis) ································【第3章】

クラッシェン (S. Krashen) のモニター理論の仮説の1つ。心理的に障害となる壁のことを情意フィルターと呼ぶ。動機づけが高く自信があり、不安のないリラックスした状態だと情意フィルターの壁が低く、多くのインプットが取り入れやすくなり習得が進むが、反対に、自信がなく不安な状態であると情意フィルターが高く、インプットが取り入れられにくいために習得が遅くなると考えた。

処理可能性理論 (プロセサビリティ理論: Processability Theory) ················【第3章】

ピーネマン (M. Pienemann) の提唱した、第二言語の習得順序を認知心理学的な観点から説明した理論。限られた時間内では、記憶や認知能力により処理できる言語情報が制約を受けると考え、言語習得とは、この制約が段階的に取り払われて次第に複雑な操作ができるようになることだとする。この理論に基づいて、ピーネマンは学習可能性や教授可能性という考え方を主張した。

心理言語的有標性 ··【第4章】

転移に影響を与えるとする学習者の心理言語的な指標。ケラーマン (E. Kellerman) は、学習者が母語のある項目が基本的でない、例外的だ、つまり心理言語的に有標であると判断した場合、その項目は転移されにくいと主張した。「有標」参照。

生活言語能力 (Basic Interpersonal Communicative Skills: BICS) ······【第4章・第5章】

「伝達言語能力」参照。

正用順序／正答順序／正確さの順序 (accuracy order) ································【第4章】

多くの学習者に対し、目標言語の複数の項目についてその使い方が正しいかどうかを問う調査をし、正しく答えられた割合を算出し、その割合の高いものから低いものへと順位を付けた場合の順序。正答順序や正確さの順序とも呼ばれる。正用の割合が高いということはその項目が習得されやすいことを示し、正用の割合の高い項目から低い項目へと習得が進むと想定され、正用順序をそのまま習得順序とみなす場合が多い。「習得順序」参照。

宣言的知識 (declarative knowledge) ···【第4章】

「手続き的知識」と共に認知心理学の分野における「技能」に関する用語。宣言的知識は、事実や法則、個人的出来事などのように「何であるかについての知識」を指し、手続き的知識は「どう行うかについての知識」である。宣言的知識は言語化できるのに対し、手続き的知識は言語化が難しいといわれている (Anderson 1980, 羽生1999)。例えば水泳であれば、「泳法にはクロールや平泳ぎなどがある」「クロールには呼吸とバタ足が必要だ」などというのが宣言的知識である。一方、実際にクロールや平泳ぎができる技能としての知識が手続き的知識である。第二言語習得研究では、この考え方に基づき、言語構造や文法規則などが説明できる場合の知識を宣言的知識、実際に目標言語を運用できる場合の知識を手続き的知識と考える。

潜在的知識 ··【第4章】

「暗示的知識」参照。

創造的構築仮説 (Creative Construction Hypothesis) ························【第4章】

デュレイ (H. Dulay) とバート (M. Burt) が英語の形態素習得の研究から唱えた仮説。チョムスキー (N. Chomsky) の考え方を取り入れ、人間にはすでに決まった共通の習得プロセスがあり、創造的に言語を構築していく能力が備わっているとする考え。第一言語でも第二言語でも、言語の習得過程は、生得的なメカニズムによって無数の言語表現を積極的に創り上げていく過程であると唱えた。

ダイグロシア (diglossia) ··【第5章】

1つの社会で2つの言語が使用される状態のこと。バイリンガルは、個人レベルにおける二言語使用であり、ダイグロシアは社会レベルにおける二言語使用を指す。例えば、南米パラグアイでは、スペイン語と原住民のグアラニー語が状況に応じて使い分けられている。

体系的変異 (systematic variation) ··【第4章】
「変異」参照。

対照分析研究 (Contrastive Analysis) ···【第2章】
外国語（第二言語）の効果的な指導を検討するため、2つの言語を比較対照し、類似点
や相違点を明らかにする研究。1940～50年代、外国語学習の困難点は、母語と外国
語の違いが影響していると考えられてこの研究が盛んになった。

中間言語 (interlanguage) ···【第2章】
習得の段階に応じて変化していく学習者特有の言語体系。目標言語とも母語とも異な
る中間的体系を示していることから、セリンカー (L. Selinker) によって命名された。

**TBLT (Task-Based Language Teaching)・CBLT (Content-Based Langauge
Teaching)** ··【第7章】
TBLTはタスク中心教授法、CBLTは内容中心教授法と呼ばれ、どちらも従来の文型
積み上げ型の指導とは異なり、目標言語を使ってタスク（課題）を遂行・達成させたり、
コミュニケーション場面を設定し、内容（意味）のある活動をさせたりすることで言
語を学習させようとする指導法。例えば、「タクシーに乗る」「日本で病院に行く」「各
国の年末年始の慣習」などのトピックをロールプレイやペアワークで練習し、実際の
コミュニケーションに近い場面を設定して言語活動を行う（瀬尾2010, 小口 2018）。

手続き的知識 (procedural knowledge) ··【第4章】
「宣言的知識」参照。

伝達言語能力 (Basic Interpersonal Communicative Skills: BICS) ······【第4章・第5章】
児童の言語習得で用いられる概念で、日常生活の伝達場面に必要な言語能力を指す。
生活言語能力や基本的対人言語能力ともいう。「学力言語能力」参照。

動詞の島仮説 (verb island hypothesis) ··【第3章】
「動詞-島仮説」ともいう。トマセロ (M. Tomasello) の用法基盤モデル (p.245) の重
要な用語の1つ。第一言語習得の過程で、最初はそれぞれの動詞が個別に固定表現と
して使われ、孤立した島を形成する。しかし、インプットの頻度が高くなると、互い
の島の類似性などのパターンを発見し、一般化して構文や規則性を習得していくとす
る考え。

トクピシン (Tok Pisin) ·· 【第5章】

クレオールの代表的な言語。Tok Pisin は Talk Pidgin（ピジンを話す）から来ており、パプアニューギニアの共通語として社会生活で広く使われている。文字で表すことができ、英語が基盤となっていて、単純化した文法を持っているのが特徴。「クレオール」参照。

取り出し授業 ··· 【第5章】

日本語指導が必要な児童を正規の授業から「取り出し」て、別の教室で日本語学習をさせる形態。「入り込み授業」参照。

ナチュラル・アプローチ (Natural Approach) ······························· 【第3章】

クラッシェン (S. Krashen) とアメリカのスペイン語教師テレル (T. Terrell) による、モニター理論の5つの仮説に基づいた聴解優先の言語教授法。不安のないリラックスした状況のもと、学習者にとって理解可能なレベルの少し上のインプットを十分に与えることを心掛け、最初は無理に話させるのではなく、聴解能力を養成することに重点をおいている。

日本語能力試験 (JLPT) ·· 【第6章】

日本語を母語としない人の日本語能力を測定し、認定することを目的として、1984年から開始された試験。1級〜4級の4段階だったレベル分けを2010年の新試験からN1〜N5の5段階に分けた。新試験では、文字・語彙・文法などの知識だけでなく課題遂行のための言語コミュニケーション能力を測ることも重視している。学習者の日本語能力をより正確に測定するためにレベルごとに試験問題が作成されている。詳しくは、https://www.jlpt.jp/about/index.html を参照。

入力仮説 (Input Hypothesis) ·· 【第3章】

「インプット仮説」参照。

認知的学習能力 (Cognitive Academic Language Proficiency: CALP) ···· 【第4章・第5章】

「学力言語能力」参照。

ノン・インターフェイスの立場 (non-interface position) ················· 【第3章】

クラッシェン (S. Krashen) の「習得−学習仮説」(p.235) で、意識的な言語学習 (learning) と、自然環境での無意識的な言語習得 (acquisition) は異なり、実際の運用能力は後者によってのみ養成されるという考え方を踏まえ、学校などで意識的に習ったことは無意識の習得には結び付かない、学習と習得は互いに交わらない、とする考え方。「インターフェイスの立場」参照。

入り込み授業 ∙∙∙ 【第5章】

日本語指導が必要な児童・生徒のいる授業に指導協力者などが「入り込」んで、その児童・生徒のそばで授業内容の解説や翻訳をしながら学習を援助する形態。「取り出し授業」参照。

バイリンガル／バイリンガリズム (bilingual/bilingualism) ∙∙∙∙∙∙∙∙∙∙∙∙∙∙∙∙∙∙∙∙∙∙∙∙∙∙∙ 【第5章】

バイリンガリズムとは、2つの言語が個人または社会の構成グループにおいて使用されること。一般的には個人における二言語使用を指し、社会における二言語使用はダイグロシア (p.236) と呼ばれる。バイリンガルは二言語を使用できる人のことで、1つの言語しか使用できない人はモノリンガルという。バイリンガルの中でも、二言語が同等に使いこなせる場合を均衡バイリンガル、片方の言語がもう一方より優勢である場合は偏重バイリンガルという。

パイロット・スタディー (pilot study)

事前調査・予備調査ともいう。本調査を行う前に、どのような傾向が出るのか、調査項目や要因の設定の妥当性などを検討し、リサーチ・デザインを明確かつ妥当なものにするために行われる。

パターンの発見 (pattern finding) ∙∙∙ 【第3章】

「パターン認識」ともいう。トマセロ (M. Tomasello) の用法基盤モデル (p.245) では、人間の認知能力の中の「パターンの発見」と「意図の読み取り」(p.225) によって言語習得がなされるという。「パターンの発見」とは、周囲のインプットから何らかのパターン、あるいは規則性に気付くことであり、それを認識することが言語の発達につながると考える。例えば、親の「食べる？食べない？」や「行く？行かない？」の発話から、「ない」のパターンを発見し、それが否定の意図であることを読み取る。その後、「ミルク、飲む？」と聞かれて飲みたくない場合、「ない」や「飲む、ない」と発話するようになり、言語発達につながる。

パターン・プラクティス (pattern practice) ∙∙∙ 【第2章】

オーディオ・リンガル法で用いられる口頭練習方法の1つで、文型練習のこと。基本文型を設定し、機械的に繰り返すことで習慣形成を目指す。以下のバリエーションがある。

・代入練習：基本文型の一部分を入れ替える。
・拡張練習：基本文型の一部分を継ぎ足していく。
・応答練習：基本文型にならって、質問に答えていく。
・変換練習：基本文型を否定形や疑問形などに変えていく。

発達順序 (developmental sequence) ··【第4章】

目標言語のある項目や表現が、どのようなプロセスを経て習得をされるかという一連の流れ。「習得順序」が英語では "acquisition <u>order</u>" なのに対し、発達順序は "developmental <u>sequence</u>" となる。これは、発達順序が一続きの流れ、連鎖という意味を表すため。

発達相互依存仮説 (Developmental Interdependence Hypothesis) ···············【第5章】

第二言語能力も第一言語能力も互いに関連し合って発達するという仮説。母語が十分に発達してから第二言語を学習しはじめると、母語の言語能力を脅かすことなく第二言語能力も発達させることができ、反対に母語が十分に発達していない段階で第二言語を学習しはじめると、母語の発達が妨げられ、第二言語能力もあまり伸びないと考えられる。「共有基底言語能力（CUP）モデル」参照。

パラメータ (parameter) ···【第3章】

普遍文法の中心である普遍原理に対して、その原理の作用の仕方を規定するもの。普遍文法理論で用いられる用語。「パラメータ（の値）が設定された」ということは、言語習得がどんな文法体系の言語の方向に進むかの方向性が決まることを意味する。「普遍原理」参照。

反転授業 (flip teaching、flipped classroom) ···【第7章】

授業と宿題の役割を「反転」させ、授業時間前にデジタル教材などにより知識習得を済ませ、授業では知識確認や問題解決学習を行う授業形態のことを指す。学習者たちは新たな学習内容を、通常は自宅でビデオ授業を視聴して予習する。教室では講義は行わず、従来であれば宿題とされていた課題について、教師が個々の学習者に合わせて指導を与えたり、学習者が他の学習者と協働しながら取り組んだりする。

ピア・ラーニング (peer learning)

ピア（peer：仲間）との協同作業を通して学習者同士が互いの能力を発揮し、助け合いながら学ぶ学習方法。ピア・ラーニングにおいて重要な概念は、「協働」であり、これは人と人とが（仲間と）互いに力を出し協力して課題の活動を行い、目標を達成することである。ピア・ラーニング、協働学習については、池田・舘岡（2007）を参照。

ピジン (pidgin) ··【第5章】

共通の言語がない地域で、接触する複数の言語から語彙や文法を取り入れて、伝達のために単純化された言語。一般的には書き言葉を持たない。「クレオール」参照。

非体系的変異 (non-systematic variation) ··【第4章】

「変異」参照。

否定的証拠 (negative evidence) ／否定的フィードバック (negative feedback)
··【第3章】

学習者が誤用を示した場合、「それは間違っているよ」と指摘するなど、相手に間違っていることを気付かせるような言語活動や行為をとること。

非用 ··【第2章・第4章】

使用すべき表現や自然な表現を使わない状態のことを指し、回避（avoidance）(p.227)ともいう。「非用」は日本語教育で使われる表現。例えば、「家を建てたい」に対して、「家を建てる、ほしいです」のように「〜たい」を使用しなかったり、「まっすぐ行くと、駅があります」と言いたいときに「まっすぐ行きます。駅があります」と言って、複文形式を使わなかったりすることを指す。

ファンクショナリズム／ファンクショナル・アプローチ
(Functionalism/Functional Approach) ································【第3章】

初級学習者が発話を出来事の起こった順に構成するなど、言語形式が意味や語用論的機能に動機づけられるとする考え方。ファンクショナル・アプローチは、それを踏まえて形式と機能の両面からの分析を試みる研究方法。

フィードバック (feedback) ··【第4章・第7章】

言語学習におけるフィードバック（feedback 略してFB）は、一般的には教師が学習者に与える「褒め」や「訂正」などの行為であり、提示の仕方によって「暗示的FB」と「明示的FB」に分けられる。気付きが習得を促すという研究により、学習者へのフィードバックの重要性が注目されるようになった。「明示的フィードバック」「暗示的フィードバック」参照。

フォーカス・オン・フォーム (focus on form) ·····························【第4章・第7章】

Focus on Form（略してFonF）は、第二言語習得研究の成果を踏まえた指導法の1つであり、フォーカス・オン・フォームズ（Focus on FormS 略してFonFS）、フォーカス・オン・ミーニング（Focus on Meaning 略してFonM）と並べて、称される。フォーカス・オン・フォームは、意味や内容を重視した練習を行いながら、誤用訂正などのフィードバックによって、言語形式の正確さにも注意を向けようとする教え方を指す。フォーカス・オン・フォームズは、オーディオ・リンガル法などの文型練習、言語形式の機械的な練習に焦点をあてた教え方を指し、フォーカス・オン・ミーニングは、コミュニカティブ・アプローチなどの意味や内容中心の練習に焦点をあてた教え方を指す。

普遍原理 (Universal Principle) ··【第3章】

すべての個別言語に存在し、普遍文法の中心となる言語知識のことで、普遍文法理論で用いられる用語。普遍原理に付随して、その原理の作用の仕方を規定するパラメータ (p.240) と共に核心文法 (core grammar) が形成される。

普遍文法理論 (Universal Grammar Theory) ···【第3章】

チョムスキー (N. Chomsky) によって提唱された理論。幼児や学習者には、生得的に内在する普遍文法と呼ばれる習得の核になる言語特性が作用して、学習が可能になる、という考え方。

ブレンディッド・ラーニング (blended learning)

オンラインによるeラーニングと教室学習を併用する教育方法。個別の学習者の習熟度に合わせて進行できるeラーニングの利点と、教室での教師による全体指導や学習者間のコミュニケーションの利点を取り入れている。教師と学習者の対面式の学習と、学習者自身が教材や指示に沿って自分のペースで進める個別の学習を組み合わせて（ブレンドさせて）行う学習法である。

プロンプト (prompt) ··【第4章】

言語学習における訂正フィードバックの1つ。学習者の誤用に対し、その誤用を直接指摘するのではなく、さまざまなヒントや助言を与えて、学習者に気付かせて自己訂正させようとするフィードバック。例えば、教師の「きのう、何をしましたか」との問いに、学習者が「きのうの日曜日は、映画へ**行きます**」と誤用を産出したのに対し、教師が「きのう？ きのうの日曜日は……？」と過去形を強調したり、「きのう、映画へ？」と動詞過去形を誘導したりして、学習者自身に正答を導き出させる。

文化変容モデル (Acculturation Model) ···【第3章】

シューマン (J. Schumann) が提唱したモデル。言語は文化の一部であり、「第二言語習得は、学習者が目標言語の文化に適応するプロセスである」と考え、習得の度合いは学習者と目標言語文化の社会的距離、および心理的距離によって決まると主張した。学習者が目標言語の文化にどの程度交わろうとするかが第二言語習得に影響を与えると考える。文化的同化モデルともいう。

分離基底言語能力 (SUP) モデル (Separate Underlying Proficiency Model)···【第5章】

人間の言語能力には限られた容量しかないので、2つの言語を与えられた場合、1つが優勢になれば他方が劣勢になると考えるモデル。「共有基底言語能力 (CUP) モデル」参照。

並列分散処理(PDP)モデル (Parallel Distributed Processing Model) ………… 【第3章】

ランメルハート（D. Rumelhart）とマクレランド（J. McClelland）が提唱したモデル。多数の神経細胞に基づいたユニットの結合（connections）とそのユニット間の結び付きの強度との関連で、情報処理が行われるとする考え方。「並列」は、物事が1つずつ順々に行われるのではなく「同時に」処理されることを意味し、「分散」は、処理が中央の1カ所で集中的に行われるのではなく、いろいろなところで行われることを意味している。この考え方をコネクショニズムといい、この考え方を背景として行われる研究の方法をコネクショニスト・アプローチという。「コネクショニズム／コネクショニスト・アプローチ」参照。

変異 (variation) ………………………………………………………… 【第4章】

ある事物に対して、学習者が状況や要因によって使用する、複数の異なる語や形式のこと。「＊楽しいだった」「＊面白いだった」の誤用例のように、使い方に一貫した規則がある場合は体系的変異（規則的な変化）、ない場合は「非体系的変異（non-systematic variation）」または「自由変異（free variation）」という。変動やバリエーションという場合もある。

変異性 (variability) ……………………………………………………… 【第4章】

変化する性質のことで、習得のある段階において、タスクの違い、場面や状況などの要因によってさまざまな形式が現れることを意味する。例えば、初級レベルの日本語学習者の否定表現には「食べません」という正用と同時に「＊食べるじゃない」「＊食べるません」などの誤用の変異が出現する。研究者によっては、可変性、変動性と呼ぶ場合もある。

ポートフォリオ (portfolio)

ポートフォリオとは、書類入れやファイルを意味する語で、総合的な学習の評価方法の資料という意味の用語として、近年注目されている。実際にポートフォリオに含まれるものは、主に学習者が産出したもので、例えば宿題やテスト、レポートなどである。ポートフォリオ評価とは、各学習者のポートフォリオの内容によって行われる評価であり、最終の学習結果だけでなく、さまざまなポートフォリオの資料からわかる学習者の学習過程も重視する。また、学習者自身がポートフォリオを作成していく段階で、自身の成長を実感し、達成までに歩んだ道のり、または残りの道のりを知ることができる評価法でもある。

母語 (mother tongue/native language) ……………………………………… 【第1章】

生まれたときに両親などから学んだ初めての言語。第一言語ともいう。「母国語」を参照。

母国語···【第1章】
母国（国籍がある国）で使用されている（主要な）言語。多民族国家では母語と母国語
が異なる場合も多い。例えば、韓国からアメリカに移住した韓国人夫婦に子供が生ま
れた場合、母語としては韓国語を話すが国籍はアメリカなので英語が母国語となる。
「母語」を参照。

母語保持···【第5章】
外国人児童・生徒が第二言語として日本語を習得する場合に、彼らの母語能力を維持
し、その能力も日本語と同様に伸ばしていくこと。日本に住んでいる場合、彼らが母
語を使う機会が減少し、母語の言語能力が低下し、日本語能力が低い両親とのコミュ
ニケーションが困難になってしまう場合もある。

ミステイク (mistake)···【第1章】
多くの場合は正しく言えるが、体調が悪かったり、緊張したりしてうっかり言い間
違ってしまう、その時だけの誤用。「エラー」参照。

ミニマル・ペア (minimal pair)··【第2章】
オーディオ・リンガル法で用いられる指導技術の1つ。区別が学習困難と思われる言
語の最小単位を取り出し、区別すべき部分に焦点を当てて、それ以外の部分は同じ環
境にして徹底的に練習をするための組み合わせ。例えば、／r／と／l／の発音が区別
できない場合は、｜rice lice｜、｜rock lock｜、｜race lace｜ などのミニマル・ペアが考え
られる。

無標 (unmarked)··【第4章】
「有標」参照。

明示的知識 (explicit knowledge)···【第4章】
教室や教科書などで学習した、そのルールが明確に言語で説明できる知識。顕在的知
識ともいう。「暗示的知識」参照。

明示的フィードバック··【第4章】
学習者の誤用を訂正するフィードバックを訂正フィードバックといい、その方法とし
て暗示的フィードバックと明示的フィードバックがある。明確に誤用だと示し、明示
的に訂正する場合を明示的フィードバックという。例えば、学習者の「きのう、寿司
を食べた。とても**おいしいだった**」という発話に対し、「『おいしいだった』ではなく、
『おいしい』はイ形容詞だから、過去形は『おいしかった』ですね」と誤用であるこ

とを指摘し、正用を示すのを明示的フィードバックという。「暗示的フィードバック」
参照。

モニター仮説 (Monitor Hypothesis) ··【第3章】
クラッシェン (S. Krashen) のモニター理論の仮説の1つ。モニターとはチェックす
ることで、「学習」した知識は発話や作文のチェック機能としての役割を持つ、とい
う考え方。学習した文法知識は、「十分な時間がある」「焦点が意味でなく、形式にあ
る」「その規則を知っている」の3つの条件のもとでモニターとして働くと考える。

モニター・モデル (Monitor Model) ···【第3章】
1970年から80年代初めにかけて、言語習得の分野に最も大きな影響を与えた理論。
クラッシェン (S. Krashen) によって提唱され、モニター理論とも呼ばれる。「習得 –
学習仮説、自然順序性仮説、モニター仮説、インプット仮説、情意フィルター仮説」
の5つから構成されている。

U字型行動 (U-shaped behavior)
第二言語学習者の習得プロセスはU字形のカーブを描くという考え。初級レベルでは
L1と目標言語の類似性を発見し、それを適用するので間違いが少ないが、中級レベル
になると学習者独自の中間言語の仮説を適用するので誤用が増え、上級になると習
得が進んで誤用が少なくなるという傾向を示すので、学習者の正確さはU字形を示す
傾向があるとする。

有標 (marked)／有標性 (markedness) ··【第4章】
その項目がより一般的でなく、目立った特徴を備えている場合を有標であるという。
反対に、形がより単純でより多く使われる項目、直感的に普通の項目のことを無標あ
るいは有標性が低いという。例えば、「行く」と「行かない」では、「行く」のほうが
より一般的で、「ない」という特別のマーカー（標識）を持たないので、無標、有標性
が低いといい、「行かない」は「行く」に比べると有標、有標性が高いという。また、
「長い」と「短い」では、「どのぐらい長くかかる？」とは言えるが「どのぐらい短く
かかる？」とは言わないことから、「長い」が無標、「短い」が有標である。

用法基盤モデル (Usage-Based Model) ···【第3章】
トマセロ (M. Tomasello) が提唱したモデルで、言語習得は、他者とのコミュニケー
ションを通して、多くのインプットの用例から学ぶプロセスであると考える。認知学
習のメカニズムを背景として言語習得を説明し、他者との共同注意 (p.228) や聴覚刺
激や語句の「パターンの発見」(p.239) によって習得が進むと考えるモデルである。

リキャスト (recast) ··【第4章】

言語学習における訂正フィードバックの1つ。会話の流れを妨げないよう、学習者に誤用であることを明示せずに、誤用を正用にして学習者に与えるフィードバック。例えば、教師の「きのう、何をしましたか」との問いに、学習者が「きのうの日曜日は、映画**へ行きます**」と誤用を産出したのに対し、「そうですか。きのう、映画に**行きましたか**」と返答し、暗示的に誤用を訂正する。

量的研究 ···【第6章】

客観的な資料のデータと多くの場合は統計分析を行って、結果を一般化する研究。一般的な能力テストやアンケート調査などによって行う研究がこれにあたる。「質的研究」参照。

理論研究 (theoretical study) ································【第6章】

新しい理論を構築したり、既成の理論を根底から問い直したり修正したりする、理論自体に関する研究。「実証研究」参照。

臨界期 (critical period) ·······································【第4章】

ある年齢を過ぎると言語習得が難しくなる境目の時期のこと。レネバーグ（E. Lenneberg）は、ある一定の年齢までに言語の習得を開始しなければ習得が困難になるという「臨界期仮説」を唱えた。背景には言語機能を支配する脳の変化が関係していると考えられ、その年齢は研究者によっていろいろな説があるが、大まかには7歳から13歳であるといわれる。

ルーブリック (rubric)

学習の到達状況を評価するための評価基準の1つ。複数の評価項目と評点とを一覧表にしたものをルーブリック表といい、その表に基づいて評価する方法をルーブリック評価と呼ぶ。

ローカルエラー (local errors) ·······························【第2章】

第二言語学習者の誤用を、聞き手の側が理解可能かどうかという観点で分類した場合、文全体の理解には特に問題を起こさないような誤用のこと。「グローバルエラー」参照。

参考文献

Andersen, R. (1978) An implicational model for second language research. *Language Learning* 28: pp. 221–282.

_____(1981) Two perspectives on pidginization as a second language acquisition. In Andersen, R. *New Dimensions in Second Language Acquisition Research.* Rowley, MA: Newbury House.

_____(1983) *Pidginization and Creolization as Language Acquisition.* Rowley, MA: Newbury House.

_____(1984) The one to one principle of interlanguage construction. *Language Learning* 34: pp. 77–79.

Anderson, J. (1980) *Cognitive psychology and its implications.* San Francisco: W.H. Freeman Company.

_____(1982) Acquisition of cognitive skills. *Psychological Review* 89: pp. 369–406.

Bailey, N, Madden, C. and Krashen, S. (1974) Is there a 'natural sequence' in adult second language learning? *Language Learning* 21: pp. 235–243.

Baker, C. (1993) *Foundations of Bilingual Education and Bilingualism.* Clevedon: Multilingual Matters.

Baradovi-Harlig, K. (1992) The use of adverbials and natural order in the development of temporal expression. *International Review of Applied Linguistics* 30: pp. 299–320.

Bates, E. and MacWhinney, B. (1981) Second language acquisition from a functionalist perspective: pragmatic, semantic and perceptual strategies. In Winitz, H (ed.) (1981)

_____(1987) Competition, variation and language learning. In B. MacWhinney (ed.) (1987)

_____(1989) Functionalism and the competition model. In MacWhinney, B. and Bates, E. (eds.) (1989)

Bates, E., Devescovi, A., and D'Amico, S. (1999) Processing complex sentences: a cross-linguistic study. *Language and Cognitive Processes* 14: pp. 69–123.

Batstone, R. (2002) Contexts of engagement: a discourse perspective on "intake" and "pushed output". *System* 30: pp. 1–14.

Bialystok, E. (1978) A theoretical model of second language learning. *Language Learning* 28: 69–84.

_____(1982) On the relationship between knowing and using linguistic forms. *Applied Linguistics* 3: pp. 181–206.

Bley-Vroman, R. (1983) The comparative fallacy in interlanguage studies: the case of systematicity. *Language Learning* 33, 1: pp. 1–17.

Braidi, S. (1999) *The acquisition of Second Language Syntax.* New York: Oxford University Press.

Brown, R. (1973) *A First Language: The Early Stages.* Cambridge: Harvard University Press.

Brown, V. (1971) *Improving Your Conversation* vol. 1, Tokyo: Meirindo.

Buteau, M. (1970) The students' errors and the learning of French as a second language. *International Review of Applied Linguistics* 8: pp. 133–145.

Canale, M. (1983). From communicative competence to communicative language pedagogy. In J.C. Richards & R. Schmidt (Eds.). *Language and communication.* 2-27. London: Longman.

_____(1983) Program evaluation: where do we go from here? Plenary address at the TESOL Summer Meeting Toronto.

Canale, M. and Swain, M. (1980) Theoretical bases of communicative approaches to second language teaching and testing. *Applied Linguistics* 1: pp. 1–47.

Cazden, C. (1972) *Child Language and Education.* New York: Holt Rinehart & Winston.

Chauhan, A. (2018)「ヒンディ語を母語とする日本語学習者における対のある自他動詞の習得について―助詞選択と述語選択に関する誤用を中心に―」『日本語教育』170号 pp.47-61.

Chomsky, N. (1965) *Aspects of the Theory of Syntax*. Cambridge MA: MIT Press.

＿＿＿＿(1975) *Reflections on Language*. New York: Panthoeon.

＿＿＿＿(1980) *Rules and Representations*. Oxford: Basil Blackwell.

＿＿＿＿(1981) Principles and parameters in syntactic theory. In Hornstein, N. and Lightfoot, D. (eds.) *Explanations in Linguistics: The Logical Problem of Language Acquisition*. London: Longman.

Clahsen, H. (1984) The acquisition of German word order. A test case for cognitive approaches to L2 development. In Andersen, R. (ed.), *Second Languages: A Cross-Linguistic Perspective*. Rowley, MA: Newbury House.

Cohen, A. (1998) Strategies in Learning and Using a Second Language. London: Longman.

Cook, V. (1985) Chomsky's Universal Grammar and second language learning. *Applied Linguistics* 6: pp. 2–18.

＿＿＿＿(1988) *Chomsky's Universal Grammar: An Introduction*. Oxford: Basil Blackwell.

＿＿＿＿(1991) *Second Language Learning and Language Teaching*. London: Edward Arnold.

Corder, P. (1967) Significance of learners' errors. *International Review of Applied Linguistics* 5: pp. 161–169.

＿＿＿＿(1971) Idiosyncratic dialects and error analysis. *International Review of Applied Linguistics* 9: pp.147–159.

＿＿＿＿(1981) *Error analysis and interlanguage*. Oxford: Oxford University Press.

＿＿＿＿(1983) A role for the mother tongue. In Gass, S. and Selinker, L. (eds.) *Language Transfer in Language Learning*. Rowley: Mass. Newbury House.

Cummins, J. (1981a) *Bilingualism and Minority Language Children*. Ontario: Ontario Institute for Studies Education.

＿＿＿＿(1981b) The role of primary language development in promoting educational success for language minority students. In California State Department of Education (ed.) *Schooling and Language Minority Students: A Theoretical Framework*. Los Angeles: California State Department of Education.

Davies, A., Criper, D. and Howatt, T. (1984) *Interlanguage*. Edinburgh: Edinburgh University Press.

De Villers, J. and de Villers, P. (1973) A cross-sectional study of the acquisition of grammatical morphemes in child speech. *Journal of Psycholinguistic Research* 2: pp. 267–278.

Dickerson, L. (1975) The learner's interlanguage as a system of variable rules. *TESOL Quarterly* 9: pp. 401–407.

Doughty, C. and Williams, J. (eds.) (1998) *Focus on Form in Classroom Second Language Acquisition*. New York: Cambridge University Press.

Dulay, H. and Burt, M. (1972) Goofing, an indicator of children's second language strategies. *Language Learning* 22: pp. 234–252.

＿＿＿＿(1973) Should we teach children syntax? *Language Learning* 23: pp. 245–258.

＿＿＿＿(1974) Natural sequences in child second language acquisition. *Language Learning* 24: pp. 37–53.

＿＿＿＿(1975) Creative construction in second language learning. In M. Burt and Dulay, H. (eds.) New Directions in Second Language Learning, Teaching and Bilingual Education. Washington D.C.: TESOL.

Dulay, H., Burt, M. and Krashen, S. (1982) *Language Two*. New York: Oxford University Press.

Eckman, F. (1977) Markedness and the contrastive analysis hypothesis. *Language Learning* 27: pp. 315–330.

_____(1984) Universals, Typologies and Interlanguage. In Rutherford, W. (ed.) *Language Universals and Second Language Acquisitio*n. Amsterdam: John Benjamins.

_____(1985) The markedness differential hypothesis theory and applications. In Wheatley, B., Hastings, A., Eckman, F., Bell, L., Krukar, G. and Rutkowski, R. (eds.) *Current Approaches to Second Language Acquisition: Proceedings of the 1984 University of Wisconsin-Milwaukee*. Bloomington, Ind.: Indiana University Linguistics Club.

Ellis, R. (1984) *Classroom Second Language Development*. Oxford: Pergamon.

_____(1985) *Understanding Second Language Acquisition*. Oxford: Oxford University Press.

_____(1988) The effects of linguistic environment on the second language acquisition of grammatical rules. *Applied Linguistics* 9: pp. 257–273.

_____(1992) *Second Language Acquisition and Language Pedagogy*. Clevedon: Multilingual Matters.

_____(1994) *The Study of Second Language Acquisition*. Oxford: Oxford University Press.

_____(2008) *The Study of Second Language Acquisition second edition*. UK: Oxford University Press.

Ervin-Tripp, S. (1974) Is second language learning like the first? *TESOL Quarterly* 8: pp. 111–127.

Eubank, L., Selinker, L. and Sharwood-Smith, M. (1995) *The Current State of Interlanguage-Studies in Honor of William E. Rutherford*. Amsterdam: John Benjamins.

Faerch, C. and Kasper, G. (eds.) (1983) *Strategies in Interlanguage Communication*. London: Longman.

Felix, S. (1978) Some differences between first and second language acquisition. In Waterson, N. and Snow, C. (eds.) *The Development of Communication*. New York: John Wiley and Sons.

Fillmore, W. (1976) The second time around: Cognitive and social strategies in second language acquisition. Ph.D. dissertation, Stanford University.

Fisher, J., Clarke, M. and Schachter, J. (eds.) (1980) *On TESOL '80*. Washington D.C.: TESOL.

Flynn, S. (1989) The role of the head-initial/head-final parameter in the acquisition of English relative clauses by adult Spanish and Japanese speakers'. In Gass, S. and Schachter, J. (eds.)

_____(1991) Government-binding: parameter-setting in second language acquisition. In Huebner, T. and Ferguson, C. (eds.) *Crosscurrents in Second Language Acquisition and Linguistic Theories*. Amsterdam: John Benjamins.

Fodor, J. and Pylyshyn, Z. (1988) Connectionism and cognitive architecture: a critical analysis. *Cognition* 28: pp. 3–71.

Fries, C. (1945) *Teaching and Learning English as a Second Language*. Ann Arbor: University of Michigan Press.

Gass, S. and Schachter, J. (eds.) (1989) *Linguistic Perspectives on Second Language Acquisition*. Cambridge: Cambridge University Press.

Gass, S. and Selinker, L. (eds.) (1993) *Language Transfer in Language Learning (revised)*. Amsterdam: John Benjamins.

_____(1994) *Second Language Acquisition: An introductory course*. Hillsdale, NJ: Lawrence Erlbaum Associates.

Gass, S. and Varonis, E. (1994) Input, interaction and second language production. *Studies in Second Language Acquisition* 16: pp. 283–302.

Gasser, M. (1990) Connectionism and universals of second language acquisition. *Studies in Second Language Acquisition* 12: pp. 179–199.

George, H. (1972) *Common Errors in Language Learning.* Rowley, MA: Newbury House.

Giles, H. (1979) Accommodation theory: optimal levels of convergence. In Giles, H. and St Clair, R. (eds.) *Language Social Psychology.* Basil Blackwell.

Givón, T. (1979) From discourse to syntax: grammar as a processing strategy. In Givón, T. (ed.) *Syntax and Semantics, Vol. 12: Discourse and Syntax.* New York: Academic Press.

_____(1984) Universals of discourse structure and second language acquisition. In Rutherford, W. (ed.) *Language Universals and Second Language Acquisition.* pp. 109–136. Amsterdam: John Benjamins.

_____(1985) Function, structure and language acquisition. In Slobin, D. (ed.) *The Cross-Linguistics Study of Language Acquisition*, pp. 1005–1028. Hillsdale, NJ: Lawrence Erlbaum.

Gregg, K. (1984) Krashen's Monitor and Occam's razor. *Applied Linguistics* 5: pp. 79–100.

Guasti, M. (2002) *Language Acquisition: The growth of grammar.* Cambridge, MA: MIT Press

Hakuta, K. (1974) A preliminary report on the development of grammatical morphemes in a Japanese girl learning English as a second language. *Working Paper on Bilingualism* 3, pp. 18–38.

_____(1976) A case study of a Japanese child learning English as a second language. *Language Learning* 26: pp. 321–351.

Hatch, E. (1983) *Psycholinguistics: A Second Language Perspective.* Rowley, MA: Newbury House.

Hilles, S. (1986) Interlanguage and the pro-drop parameter. *Second Language Research* 2: pp. 33–52.

Hirakawa, M. (1990) A study of the L2 acquisition of English reflexives. *Second Language Research* 6: pp. 60–85.

Huebner, T. (1979) Order-of-acquisition vs. Dynamic paradigm: a comparison of method in interlanguage research. *TESOL Quarterly* 13: pp. 21–28.

_____(1980) Creative construction and the case of misguided pattern. In Fisher, J, Clarke, M. and Schacter, J. (eds.) (1980)

_____(1983) *A Longitudinal Analysis of the Acquisition of English.* Ann Arbor, MI: Karoma.

Huter, K. (1996) Atarashii no kuruma and other old friends: acquisition of Japanese syntax. *Australian Review of Applied Linguistics* 19: pp. 39–60.

Hymes, D. (1971) *On Communicative Competence.* Philadelphia, P.A.: University of Pennsylvania Press.

Inagaki, S. and Long, M. (1999) Implicit negative feedback. In Kanno, K. (1999)

Ioup, G. and Weinberger, S. (eds.) (1987) *Interlanguage Phonology: the Acquisition of a Second Language Sound System.* Rowley, MA: Newbury House.

Iwasaki, J. (2013) A Processability Theory (PT)-based Analysis of the Acquisition of Japanese Morphology and Syntax: a Case of an Intensive Adult Learner. *Second Language* 12:21–42.

Kanagy, R. (1991) Developmental sequences in the acquisition of Japanese as a foreign language: The case of negation. Ph.D. dissertation, University of Pennsylvania.

Kanno, K. (ed.) (1999) *The Acquisition of Japanese as a Second Language.* Philadelphia, PA: John Benjamins.

Kawaguchi, S. (2005) Processability theory and Japanese as a second language. *Journal of Acquisition of Japanese as a Second Language* 8, pp. 83–114.

_____ (2015) The development of Japanese as a second language. In C. Bettoni & B. Di Biase (Eds.), *Grammatical development in second languages: Exploring the boundaries of Processability Theory*, pp. 149–172. European Second Language Association.

Kawaguchi, S. and Di Biase, B. (2012) Acquiring procedural skills in L2: Processability theory and skill acquisition. *Studies in Language Sciences* 11: pp.70–99.

Keenan, E. and Comrie, B.(1977)Noun phrase accessibility and universal grammar, *Linguistic Inquiry* 8,1: pp.63–99.

Kellerman, E. and Sharwood-Smith, M. (eds.) (1986) *Cross-linguistic Influence in Second Language Acquisition*. Oxford: Pergamon.

Kellerman, E. (1978) Giving learners a break: native language intuition as a source of predictions about transferability. *Working Papers on Bilingualism* 15: pp.59–92.

＿＿＿＿＿ （1979）Transfer and non-transfer: where are we now? *Studies in Second Language Acquisition* 2: pp.37–57.

Koike, I. (1983) *Acquisition of Grammatical Structures and Relevant Verbal Strategies in a Second Language*. Tokyo: Taishuukan Shoten.

Krahnke, K., Krahnke, K. and T. Nishimura (1993) Pragmatics and transfer: Japanese ellipsis in English interlanguage. m.s. at The 4th International Pragmatics Conference, Kobe, Japan.

Krashen, S. (1976) Formal and informal linguistic environments in language acquisition and language learning. *TESOL Quarterly* 10: pp.157–168.

＿＿＿＿＿(1981) *Second Language Acquisition and Second Language Learning*. Oxford: Pergamon.

＿＿＿＿＿(1982) *Principles and practice in second language acquisition*. Oxford: Pergamon.

＿＿＿＿＿(1985) *The Input Hypothesis: Issues and Implications*. New York: Longman.

Krashen, S. and Scarcella, R. (1978) On routines and patterns in language acquisition and performance. *Language Learning* 28: pp.283–300.

Krashen, S. and Terrell, T. (1983) *The Natural Approach: Language Acquisition in the Classroom*. Oxford: Pergamon.

Labov, W. (1970) The study of language in its social context. Studium Generale 23: pp.30–87.

Lado, R. (1957) *Linguistics across Cultures*. Ann Arbor: University of Michigan Press.

Lambert, E. and Tucker, R. (1972) *The Bilingual Education Children. The St. Lambert Experiment*. Rowely, MA: Newbury House.

Lardiere, D. (2007) *Ultimate Attainment in Second Language Acquisition: A Case Study*. Mahwah, N.J.: Lawrence Erlbaum.

Larsen-Freeman, D. (1975) The acquisition of grammatical morphemes by adult ESL students. *TESOL Quarterly* 9: pp.409–430.

Larsen-Freeman, D. and Long, M. (1991) *An introduction to second language acquisition research*. New York: Longman.

Laufer, B. (1990) 'Sequence' and 'order' in the development of L2 lexis: Some evidence from lexical confusions. *Language Learning* 11: pp.281–296.

Lenneberg, E. (1967) *Biological Foundations of Language*. New York: John Wiley.

Lightbown, P. and Spada, N. (1990) Focus-on form and corrective feedback in communicative language teaching: Effects on second language learning. *Studies in Second Language Acquisition* 12: pp.429–448.

Long, M. (1981) Input, interaction and second language acquisition. In Winitz, H. (ed.) (1981)

＿＿＿＿＿(1983) Does second language instruction make a difference? A review of the research. *TESOL Quarterly* 17: pp.359–382.

＿＿＿＿＿(1991)Focus on form: A design feature in language teaching methodology. In K. de Bot. D. Coste, C. Kramsch and R. Ginsberg(Eds.)*Foreign Language Research in Cross-Cultural Perspective*. pp.39–52.

Long, M. and Robinson, P. (1998) Focus on form: Theory, research and practice. In Doughty, C. and Williams, J. (eds.) (1998)

Long, M. and Sato, C. (1983) Classroom foreigner talk discourse: forms and functions of teachers' questions. In Seliger, H. and Long, M. (eds.) *Classroom-oriented research in second language acquisition*. Rowley, MA: Newbury House.

_____ (1984) Methodological issues in interlanguage studies: an interactionist perspective. In Davies, A., Criper, C. and Howatt, A. (eds.) (1984)

Loschky, L. (1994) Comprehensible input and second language acquisition: What is the relationship? *Studies in Second Language Acquisition* 16: pp. 303–323.

MacWhinney, B. (1987) The competition model. In B. MacWhinney (ed.) *Mechanisms of Language Acquisition*. Hillsdale, NJ: Erlbaum.

MacWhinney, B. and Bates, E. (eds.) (1989) *The Crosslinguistic Study of Sentence Processing*. New York: Cambridge University Press.

McBride, H. (1990) 『きもの』 Melbourne: CIS Educational.

McLaughlin, B. (1978) The Monitor Model: some methodological considerations. *Language Learning* 28: pp. 309–332.

_____(1987) *Theories of Second-Language Learning*. London: Arnold.

Meisel, J., Clahsen, H. and Pienemann, M. (1981) On determining developmental stages in second language acquisition. *Studies in Second Language Acquisition* 3: pp. 109–135.

Milton, J. (1974) The development of negation in English by a second language learner. *TESOL Quarterly* 8: pp. 137–143.

Mori, H. (1999) Error correction through Japanese immersion classroom interaction at different grade levels. *Japanese Society for Language Sciences First Conference Handbook* 45–48. JCHAT Gengo Kagaku Kenkyuukai.

Moroishi, M. (1998) Explicit vs. implicit learning: The case of acquisition of the Japanese conjectural auxiliaries. Ph.D. dissertation, Georgetown University, Washington, D.C.

Muranoi, H. (2000) Focus on form through interaction enhancement: Integrating formal instruction into a communicative task in EFL classrooms. *Language Learning* 50: pp. 617–673.

Nagata, N. (1997) An experimental comparison of deductive and inductive feedback generated by a simple parser. An International Journal of Educational Technology and Applied Linguistics 25-04: pp.515–534.

Nemser, W. (1971) Approximative Systems of Foreign Language Learners. IRAL, 9: pp.115–123.

Neufeld, G. (1979) Towards a theory of language learning ability. *Language Learning* 29: pp. 227–241.

Norris, M. and Ortega, L. (2001) Does type of instruction make a difference? Substantive findings from a meta analytic review. *Language Learning* 51. Supplement 1. pp.157–213.

Odlin, T. (1989) *Language Transfer: Cross-linguistic influence in language learning.* Cambridge: Cambridge University Press.

O'Malley, J., Chamot, M., Stewner-Manzanares, G., Kupper, L. and Russo, R. (1985) Learning strategies used by beginning and intermediate ESL students. *Language Learning* 35: pp. 21–46.

Oxford, R. (1990) *Language Learning Strategies: What Every Teacher Should Know.* Rowley, MA: Newbury House.

Patkowski, M. (1980) The sensitive period for the acquisition of syntax in a second language. *Language Learning* 30: pp. 449–472.

Pica, T. (1983) Adult acquisition of English as a second language under different conditions of exposure. *Language Learning* 33: pp. 465–497.

Pienemann, M. (1989) Is language teachable: Psycholinguistic experiments and hypotheses. *Applied Linguistics* 10: pp. 52–79.

_____(1998a) Developmental dynamics in L1 and L2 acquisition: Processability Theory and generative entrenchment. *Bilingualism: Language and Cognition* 1: pp. 1–21.

_____(1998b) *Language Processing and Second Language Development: Processability theory*. Amsterdam/Philadelphia: John Benjamins Publishing Company.

_____(2005) *Cross-Linguistic Aspects of Processability Theory*. Amsterdam: John Benjamins.

Pienemann, M. and Johnston, M. (1987) Factors influencing the development of language proficiency. In Nunan, D. (ed.) *Applying second language acquisition research*. Adelaide: National Curriculum Resource Center, Adult Migrant Education Program.

Ravem, R. (1968) Language acquisition in a second language environment. *International Review of Applied Linguistics* 6: pp. 165–185.

Richards, J. (1971) Error analysis and second language strategies. *Language Sciences* 17: pp. 12–22.

Ringbom, H. (1987) *The Role of the First Language in Foreign Language Learning*. Clevedon: Multilingual Matters.

Rivers, W. (1964) *The Psychologist and the Foreign Language Teacher*. Chicago: University of Chicago.

Roberts, M. (1995) Awareness and the efficacy of error correction. In Schmidt. R. (ed.) (1995)

Rubin, J. (1975) What the 'good language learner' can teach us. *TESOL Quarterly* 9: pp. 41–51.

Rumelhart, D., McClelland, J. and the PDP Research Group (1986) *Parallel Distributed Processing*. Vol. 1 & 2, Cambridge, MA: MIT Press.

Rutherford, W. and Sharwood Smith, M. (1985) Consciousness raising and universal grammar. *Applied Linguistics* 6, pp. 274–282.

Sasaki, Y. (1991) English and Japanese interlanguage comprehension strategies: An analysis based on the competition model. *Applied Psycholinguistics* 12: pp. 47–73.

_____(1994) Paths of processing strategy transfers in learning Japanese and English as foreign languages. *Studies in Second Language Acquisition* 16: pp. 43–72.

_____(1997a) Individual Variation in a Japanese Sentence Comprehension Task: Form, Functions, and Strategies. *Applied Linguistics* 18: pp. 508–537.

_____(1997b) Material and Presentation Condition Effects on Sentence Interpretation Task Performance: Methodological Examinations of the Competition Experiment. *Second Language Research 13*: pp. 66–91.

Sato, C. (1988) Origins of complex syntax in interlanguage development. *Studies in Second Language Acquisition* 10: pp. 371–395.

Schachter, J. (1974) An error in error analysis. *Language Learning* 24: pp. 204–214.

_____(1988) Second language acquisition and its relationship to Universal Grammar. *Applied Linguistics* 9: pp. 219–235.

_____(1989) Testing a proposed universal. In Gass, S. and Schachter, J. (eds.) (1989)

Schmidt, R. (1983) Interaction, acculturation and the acquisition of communication competence in M. Wolfson and E. Judd (eds.) *Socio Linguistics and Second Language Acquisition*. Rowley, Mass.: Newbury House.

_____ (ed.) (1995) *Attention and awareness in Foreign Language Learning*. Hawaii: Second Language Teaching and Curriculum Center.

Schumann, J. (1975) Affective factors and the problem of age in second language acquisition. *Language Learning* 25: pp. 209–235.

_____(1978) *The Pidginization Process*: A Model for Second Language Acquisition. Rowley, MA: Newbury House.

_____(1979) The acquisition of English negation by speakers of Spanish: a review of the literature. In Andersen, R. (ed.) *The Acquisition and Use of Spanish and English as First and Second Languages*. Washington, D.C.: TESOL.

_____(1987) The expression temporality in basilang speech. *Studies in Second Language Acquisition* 9: pp. 21–41.

Seliger, H. (1979) On the nature and function of language rules in language teaching. *TESOL Quarterly* 13: pp. 359–370.

_____(1983) The language learner as linguist: of metaphors and realities. *Applied Linguistics* 4: pp. 179–191.

Selinker, L. (1972) Interlanguage, International Review of Applied Linguistics 10: pp. 209–231.

_____(1992) *Rediscovering Interlanguage*. New York: Longman.

Sharwood-Smith, M. (1981) Consciousness-raising and the second language learner. *Applied Linguistics* 2: pp. 159–168.

_____(1994) *Second Language Learning: Theoretical Foundations*. London: Harlow.

Shirai, Y. (1992) Conditions on transfer: a connectionist approach. *Issues in Applied Linguistics* 3: pp. 91–120.

Skinner, B. (1957) *Verbal Behavior*. New York: Appleton-Century-Crofts.

Spolsky, B. (1989) *Conditions for Second Language Learning*. Oxford: Oxford University Press.

Stern, H. (1983) *Fundamental Concepts of Language Teaching*. Oxford: Oxford University Press.

Stevick, E. (1980) *Teaching Languages: A Way and Ways*. Rowley, MA: Newbury House.

Sugaya, N. and Shirai, Y. (2007) The acquisition of progressive and resultative meanings of the imperfective aspect marker by L2 learners of Japanese: Transfer, universals or multiple factors? *Studies in Second Language Acquisition* 29, 1: pp. 1–38.

Swain, M. (1985) Communicative competence: some roles of comprehensible input and comprehensible output in its development. In Gass, S. and Madden, C. (eds.) (1985) *Input in Second Language Acquisition*. Rowley, MA: Newbury House.

Takahashi, T. (1984) A study on lexico-semantic transfer. Ph.D. dissertation, Teachers College, Columbia University.

Tarone, E. (1980) Communication strategies, foreigner talk and repair in interlanguage. *Language Learning* 30: pp. 417–431.

_____(1983) On the variability of interlanguage systems. *Applied Linguistics* 4: pp. 143–163.

Thomas, M. (1991) Universal Grammar and the interpretation of reflexives in a second language. *Language* 67: pp. 211–239.

Tomasello, M. (1992) *First Verbs: A Case Study of Early Grammatical Development*. Cambridge University Press.

_____(1999) *The Cultural Origins of Human Cognition*. Cambridge, MA: Harvard University Press.

_____(2003) *Construction a language*. Cambridge, MA: Harvard University Press.

_____(2008) *Origins of Human Communications*. Cambridge, MA: Harvard University Press.

Thomasello, M. and Herron, C. (1989) Feedback for language transfer errors: The garden path technique. *Studies in Second Language Acquisition* 11: pp. 385–395.

Towell, R. and Hawkins, R. (1994) *Approaches to Second Language Acquisition*. Clevedon: Multilingual Matters.

Wagner-Gough, J. (1975) *Comparative Studies in Second Language Learning*. CAL. ERIC/CLL Series on Language Linguistics 26

Wagner-Gough, J. and Hatch, E. (1975) The importance of input data in second language acquisition studies. *Language Learning* 25: pp. 297–308.

White, L. (1985a) The acquisition of parameterized grammars: subjacency in second language acquisition. *Second Language Research* 1, 1: pp. 1–17.

_____(1985b) The"pro-drop"parameter in adult language acquisition. *Language Learning* 35: pp. 47–62.

_____(1989) *Universal Grammar and Second Language Acquisition*. Amsterdam: John Benjamins［千葉修司・ケビン・クレッグ・平川眞規子（共訳）（1992）『普遍文法と第二言語獲得 —原理とパラメータのアプローチ』リーベル出版］

_____(2003) *Second Language Acquisition and Universal Grammar*. Cambridge University Press.

Whong, M., Gil, K. and Marsden, H.（2013）*Universal Grammar and the Second Language Classroom*. The Netherlands: Springer.

Winitz, H (ed.) (1981) *Native Language and Foreign Language Acquisition*. Annals of the New York Academy of Sciences 379

Wode, H. (1976) Developmental sequences in naturalistic L2 acquisition. *Working papers on Bilingualism* 11: pp. 1–31.

_____(1978) Developmental sequences in naturalistic L2 acquisition. In Hatch, E. (ed.) *Second Language Acquisition*. Rowley, MA: Newbury House.

Yagi, K. (1992) The accuracy order of Japanese particles. *Japanese Language Education around the Globe*. 2: pp. 15–25.

Yoshioka, K. (1991a) Elicited imitation test for oral production assessment. *Working Papers*: pp. 127–140. International University of Japan.

_____(1991b) The acquisition of Japanese particles: an effort to test the Pienemann-Johnston Model with three measurements. MA thesis. University of Hawaii at Manoa.

Zobl, H. (1980) Developmental and transfer errors: their common bases and (possibly) differential effects on subsequent learning. *TESOL Quarterly* 14: pp. 469–479.

_____(1983) Markedness and the projection problem. *Language Learning* 33: pp. 293–313.

青木直子・尾崎明人・土岐哲（共編）（2001）『日本語教育学を学ぶ人のために』世界思想社

青木直子・脇坂真彩子・小林浩明（2013）「日本語教育と芸術学のコラボレーション：大阪大学文学部におけるCLILの試み（特集第二言語習得・言語教育からみた「タスク中心の教授法（TBLT）」）」『第二言語としての日本語の習得研究』第16号 pp.91-106 第二言語習得研究会

浅井美恵子（2002）「日本語作文における文の構造の分析—日本語母語話者と中国語母語話者の上級日本語学習者の作文比較—」『日本語教育』115号 pp.51-60.

安達幸子・市川薫・品田潤子（1987）「教師に望む—学習者の立場から—」『AJALT』10号 pp.6-19 国際日本語普及協会

甘利俊一（1989）『神経回路モデルとコネクショニズム（認知科学選書22）』東京大学出版会

庵功雄（2010）「中国語話者の漢語サ変動詞の習得に関わる一要因—非対格自動詞の場合を中心に」『日本語教育』第146号 pp.174-181.

アンダーソン、J.（1982）『認知心理学概論』（富田達彦（訳）） 誠信書房 [Anderson, J. (1980) *Cognitive psychology and its implications.* San Francisco: W.H. Freeman Company.]

生田裕子（2006）「ブラジル人中学生の「書く力」の発達 ─第1言語と第2言語による作文の観察から─」『日本語教育』128号 pp.70–79.

池上摩希子（1994）「「中国帰国生徒」に対する日本語教育の役割と課題 ─第二言語教育としての日本語教育の視点から─」『日本語教育』83号 pp.16–28.

池上摩希子・小川珠子（2006）「年少者日本語教育における『書くこと』の意味 ─中国帰国者定着促進センターでの取り組みから─」『日本教育』128号 pp.36–45.

池田玲子・舘岡洋子（2007）『ピア・ラーニング入門 ─創造的な学びのデザインのために』ひつじ書房

生駒知子・志村明彦（1993）「英語から日本語へのプラグマティック・トランスファー：「断り」という発話について」『日本語教育』79号 pp.41–52.

石井恵理子（2006）「年少者日本語教育の構築に向けて ─子どもの成長を支える言語教育として─」『日本語教育』128号 pp.3–12.

石川慎一郎（2017）『ベーシック応用言語学 ─L2の習得・処理・学習・教授・評価─』ひつじ書房

石崎晶子（1999）「学習者の言語行動に対する母語話者の評価 ─主観的評価と客観的評価の関係─」『第二言語としての日本語の習得研究』第3号 pp.19–35.

石田敏子（1986）「英語・中国語・韓国語圏別日本語力の分析」『日本語教育』58号 pp.162–194.

＿＿＿＿＿＿（1991）「フランス語話者の日本語習得過程」『日本語教育』75号 pp.64–77.

石橋玲子（2000）「日本語学習者の作文におけるモニター能力 ─産出作文の自己訂正から─」『日本語教育』106号 pp.56–65.

和泉伸一（2016 a）『第2言語習得と母語習得から「言葉の学び」を考える（アルク選書）』アルク

＿＿＿＿＿＿（2016 b）『フォーカスオンフォームとCLILの英語授業（アルク選書）』アルク

市川保子（1993）「中級レベル学習者の誤用とその分析 ─複文構造習得過程を中心に─」『日本語教育』81号 pp.55–66.

＿＿＿＿＿＿（1997）『日本語誤用例文小辞典』凡人社

伊藤恵美子（2002）「マレー語母語話者の語用的能力と滞日期間の関係について ─勧誘に対する「断り」行為に見られる工学系ブミプトラのポライトネス」『日本語教育』第115号 pp.61–70.

伊藤嘉一（1989）『英語教授法のすべて』大修館書店

伊東祐朗（1999）「外国人児童生徒に対する日本語教育の現状と課題」『日本語教育』100号 pp.33–44.

稲葉みどり（1991）「日本語条件文の意味領域と中間言語構造」『日本語教育』75号 pp.87–99.

犬飼康弘（1996）「入国児童の異文化「環境」に関する研究 ─小学校における日系人児童のネットワークを中心に─」『教育学研究紀要』第42巻 第2部 pp.471–476.

井内麻矢子（1995）「初級日本語学習者を対象とした助詞の縦断的習得研究」お茶の水女子大学大学院人文科学研究科日本言語文化専攻修士論文

岩崎順子（2013）「Processability Theory (PT)を用いた形態素と統語構造の習得の分析：特別集中日本語コースに参加した英語を母国語とする成人学習者の場合」『Second Language』12号 pp.21–42 日本第二言語習得学会

岩下倫子（2006）「母語話者 (NS)との会話練習でみられるフィードバックの第二言語習得における役割」『第二言語としての日本語の習得研究』第9号 pp.42–62.

烏日哲（2010）「中国人日本語学習者と日本語母語話者の語りにおける説明と描写について ─「絵本との一致度」の観点から」『日本語教育』第145号 pp.1–12.

ウェイ諸石万里子（2002）「言い直し、気付きとエラータイプ：日本語学習者のフィードバックに対する認識」『第二言語としての日本語の習得研究』第5号 pp.24–41 第二言語習得研究会

植村研一（2009）「脳科学から見た効果的多言語習得のコツ」『認知神経科学』11巻1号 pp.23–39.

エリス、ロッド（1988）著 牧野高吉（訳）『第2言語習得の基礎』ニューカレントインターナショナル

大神智春（1999）「タスク形式の違いによる中間言語の可変性」『第二言語としての日本語の習得研究』第3号 pp.94–110.

_____（2017）「多義動詞を中心語とするコロケーションの習得」『日本語教育』第166号 pp.47–61.

大北葉子（1995）「漢字学習ストラテジーと学生の漢字学習に対する信念」『世界の日本語教育』第5号 pp.105–124.

_____（1998）「初級教科書の漢字学習ストラテジー使用および漢字学習信念」『世界の日本語教育』第8号 pp.31–46.

大島弥生（1993）「中国語・韓国語話者における日本語のモダリティ習得に関する研究」『日本語教育』81号 pp.93–103.

大関浩美（2004）「日本語学習者の連体修飾構造習得過程―修飾節の状態性の観点から」『日本語教育』121号 pp.36–45.

_____（2005）「第二言語における日本語名詞修飾節の産出は普遍的習得難易度階層に従うか」『第二言語としての日本語の習得研究』第8号 pp.64–82 第二言語習得研究会

_____（2008）「学習者は形式と意味機能をいかに結びつけていくか―初級学習者の条件表現の習得プロセスに関する事例研究」『第二言語としての日本語の習得研究』第11号 pp.122–140 第二言語習得研究会

大塚薫・林翠芳（2010）「中級レベルの日本語学習者の作文教育―意見文にみる語彙・漢字使用及び誤用の分析結果を踏まえて―」『高知大学総合教育センター修学・留学生支援部門紀要』(4) pp.47–66 高知大学総合教育センター修学・留学生支援部門紀要編集委員会

岡崎敏雄（1995）「年少者言語教育研究の再構築 ―年少者日本語教育の視点から―」『日本語教育』86号 pp.1–12.

岡崎敏雄・中條和光（1989）「文章理解過程の研究に基づく読解指導 ―Stanovich Modelに基づくプロトコール分析の指導への統合―」『留学生日本語教育に関する理論的・実践的研究』pp.63–72 広島大学教育学部

岡崎智己（2001）「母語話者教師と非母語話者教師のＢＥＬＩＥＦＳ比較 －日本と中国の日本語教師の場合―」『日本語教育』110号 pp.110–119.

岡田久美（1997）「授受動詞の使用状況の分析 ―視点表現における問題点の考察―」『平成9年度日本語教育学会春季大会予稿集』pp.81–86.

岡田美穂・林田実（2016）「中国語を母語とする中級レベルの日本語学習者の移動先を表す「に」と動作場所を表す「で」の習得」『日本語教育』第163号 pp.48–63.

岡本能里子・吉野文（1997）「電話会話における談話管理：日本語母語話者と日本語非母語話者の交互行為の比較分析」『世界の日本語教育』第7号 pp.45–60.

奥野由紀子（2000）「第二言語習得における言語転移の認証 ―先行研究からの課題―」『教育学研究紀要』第46巻 第二部 pp.384–389.

_____（2003）「上級日本語学習者における言語転移の可能性 ―「の」の過剰使用に関する文法性判断テストに基づいて―」『日本語教育』116号 pp.79–88.

尾崎明人（1993）「接触場面の訂正ストラテジー ―「聞き返し」の発話交換をめぐって―」『日本語教育』81号 pp.19–30.

小田恵子・柳町智治（1998）「英語母語話者の日本語および英語談話の発話に共起するジェスチャーの一考察」第二言語習得研究会全国大会口頭発表 名古屋大学 12月

オックスフォード、R.（1994）『言語学習ストラテジー ―外国語教師が知っておかねばならないこと―』(宍戸通庸・伴紀子（訳）) 凡人社 [Oxford, R.（1990）_Language Learning Strategies: What Every Teacher Should Know._ Rowley, Mass.: Newbury House]

金澤裕之編（2014）『日本語教育のためのタスク別書き言葉コーパス』ひつじ書房

門脇薫 (1999)「初級における作文指導 ―談話展開を考慮した作文教材の試みー」『日本語教育』102号 pp.50-59.

カノックワン・ラオハブラナキット (1997)「日本語学習者に見られる「断り」の表現―日本語母語話者と比べてー」『世界の日本語教育』第7号 pp.97-112.

鎌田修 (1990)「Proficiencyのための日本語教育 ―アメリカにおける「上級」の指導」『日本語教育』71号 pp.44-55.

_____ (2000)『日本語の引用』ひつじ書房.

鎌田修・川口義一・鈴木睦 (共編著) (2000)『日本語教授法ワークショップ (増補版)』凡人社

家村伸子 (1999)「日本語学習者における否定の習得に関する研究 ―横断的な発話調査に基づいてー」『広島大学教育学部紀要』第二部48号 pp.305-314.

家村 (宮岸) 伸子 (2000a)「日本語学習者における否定表現の習得に関する研究」広島大学大学院教育学研究科日本語教育学専攻博士論文.

_____ (2000b)「否定形の発達過程における「じゃない」と「ない」―第一言語習得と第二言語習得の比較を通してー」『教育学研究紀要』第46巻 pp.390-395.

_____ (2001)「日本語の否定形の習得 ―中国語母語話者に対する縦断的な発話調査に基づいてー」『第二言語としての日本語の習得研究』第4号 pp.63-81.

家村伸子・迫田久美子 (2001)「学習者の誤用を産み出す言語処理のストラテジー (2) ―否定形「じゃない」の場合ー」『広島大学教育学部日本語教育学講座紀要』11号 pp.43-48.

川口智美 (1998)「第二言語としての日本語の文法の習得 ―Processability Theoryの日本語への応用」MS. University of Western Sydney Macarthur.

川口義一・横溝 紳一郎 (2005a)『成長する教師のための日本語教育ガイドブック (上)』ひつじ書房

_____ (2005b)『成長する教師のための日本語教育ガイドブック (下)』ひつじ書房

顏幸月 (2000)「台湾人日本語教師の母語使用に関する基礎研究 ―会話授業を対象にー」『平成11年度広島大学大学院教育学研究科修士論文抄』pp.321-324.

菊岡由夏・神吉宇一 (2010)「就労現場の言語活動を通した第二言語習得過程の研究 ―「一次的ことばと二次的ことば」の観点による言語発達の限界と可能性ー」『日本語教育』146号 pp.129-143.

許夏珮 (2000)「自然発話における日本語学習者による「テイル」の習得研究 ―OPIデータの分析結果からー」『日本語教育』104号 pp.20-29.

_____ (2002)「日本語学習者によるテイタの習得に関する研究」『日本語教育』第115号 pp.41-50.

金慶珠 (2001)「談話構成における母語話者と学習者の視点 ―日韓両言語における主語と動詞の用い方を中心にー」『日本語教育』109号 pp.60-69.

金孝卿 (2017)「人をつなぎ、社会をつくる―日本語教育の現代的可能性を拓く: 人工知能との対話― 2017年度春季大会特別プログラム発表要旨」『日本語教育』168号 pp.28-39.

百済正和 (2013)「TBLTの日本語教育への応用と実践 ―タスク統合型の言語教育デザインに向けてー」『第二言語としての日本語の習得研究』16号 pp.74-90.

クック, V. (1990)『チョムスキーの言語理論』(須賀哲夫 (訳)) 新曜社 [Cook, V. (1988) *Chomsky's Universal Grammar: An Introduction.* Oxford: Basil Blackwell]

_____ (1993)『第2言語の学習と教授』(米山朝二 (訳)) 研究社 [Cook, V. (1991) *Second Language Learning and Language Teaching.* London: Edward Arnold]

久保田美子 (1994)「第二言語としての日本語の縦断的習得研究―格助詞「を」「に」「へ」「で」の習得過程についてー」『日本語教育』82号 pp.72-85.

_____ (2017)「ノンネイティブ日本語教師のビリーフと学習経験―2004・2005年度と2014・2015年度の量的調査結果の比較」『国際交流基金日本語教育紀要』13号 pp.7-22.

黒野敦子 (1995)「初級日本語学習者における「―テイル」の習得について」『日本語教育』87号 pp.153-164.

_____ (1998)「就労を目的として滞在している外国人のテンス・アスペクトの習得について」『就労を目的として滞在する外国人の日本語習得過程と習得に関わる要因の多角的研究』pp.32-40 平成6年度～平成8年度科学研究費補助金（基盤研究 (A)）研究成果報告書

『月刊日本語』編集部 (1993)「日本語が必要な子どもたち―外国人子女への日本語教育」『月刊日本語』1月号 pp.3-31 アルク

胡君平 (2016)「台湾人学習者による日本語使役文の用法別の使用実態: LARPatSCUの分析結果から」『日本語教育』第163号 pp.95-103.

呉佳穎 (1999)「台湾人日本語学習者の聴解力に関する研究 ―漢語と和語の聞き取りを中心に―」『平成10年度広島大学大学院教育学研究科修士論文抄』pp.289-292.

黄明淑 (2016)「「誘い」談話における再勧誘の言語行動の特徴: 中国語母語話者と日本語母語話者の比較」『日本語教育』第164号 pp.64-78.

小池生夫 (監) SLA研究会 (編) (1994)『第二言語習得研究に基づく最新の英語教育』大修館書店.

_____ (監) 寺内正典・木下耕児・成田真澄 (編) (2004)『第二言語習得研究の現在―これからの外国語教育への視点―』大修館書店.

小口悠紀子 (2017)「上級日本語学習者の談話における「は」と「が」の知識と運用: 未出か既出かによる使い分けに着目して」『日本語教育』第166号 pp.77-92.

_____ (2018)「日本語教育におけるTask Based Language Teachingの実践に向けた試み―タスクの設計に焦点をあてて―」『人文学報』第514-7号 pp.1-10.

小林典子 (2001)「第9章 文法の習得とカリキュラム」野田尚史ほか『日本語学習者の文法習得』pp.159-176 大修館書店

小林典子・フォード丹羽順子・山元啓史 (1996)「日本語能力の新しい測定法 [SPOT]」『世界の日本語教育』第6号 pp.201-218.

小林典子・フォード丹羽順子・高橋純子・梅田泉・三宅和子 (2017)『新わくわく文法リスニング100 ―耳で学ぶ日本語 (1)』凡人社

小森早江子・坂野永理 (1988)「集団テストによる初級文法の習得について」『日本語教育』65号 pp.126-128.

小柳かおる (1998a)「米国における第二言語習得研究の動向: 日本語教育へ示唆するもの」『日本語教育』97号 pp.37-47.

_____ (1998b)「条件文習得におけるインストラクションの効果」『第二言語としての日本語の習得研究』第2号 pp.1-26.

_____ (2001)「第二言語習得過程における認知の役割」『日本語教育』109号 pp.10-19.

_____ (2002)「Focus on Formと日本語習得研究」『第二言語としての日本語の習得研究』第5号 pp.62-96.

_____ (2016)「第二言語習得における暗示的学習のメカニズム: 用法基盤的アプローチと記憶のプロセス」『第二言語としての日本語の習得研究』第19号 pp.42-60.

小山悟 (2008)「第二言語習得研究の成果を生かした教材開発 ―日本語の初級テキストを考える (特集 第二言語習得研究と教材開発)」『第二言語としての日本語の習得研究』11号 pp.62-80.

近藤ブラウン妃美 (2001)「授与動詞指導における三タイプの練習の効果」『第二言語としての日本語の習得研究』第4号 pp.82-115 第二言語習得研究会

サウェットアイヤラム・テーウィット (2009)「受身文の談話機能の習得 ―タイ人日本語学習者を対象に」『第二言語としての日本語の習得研究』第12号 pp.107-126.

斎藤ひろみ (1997)「中国帰国者子女の母語喪失の実態 ―母語保持教室に通う4名のケースを通して―」『言語文化と日本語教育』第14号 pp.26-40 お茶の水女子大学日本言語文化学研究会

_____ (2009)「外国人児童の就学時における日本語会話力 ―インタビュータスク時の発話資料の分析を通して―」『日本語教育』142号 pp.156-162.

坂本正（1993）「英語話者における「て形」形成規則の習得について」『日本語教育』80号 pp.125-135.

＿＿＿＿（2001）「第6章第二言語習得研究の歴史」青木直子ほか（共編）『日本語教育学を学ぶ人のために』pp.136-157 世界思想社

迫田久美子（1997a）「中国語話者における指示詞コ・ソ・アの言語転移」『広島大学日本語教育学科紀要』第7号 pp.63-72 広島大学教育学部日本語教育学科

＿＿＿＿＿＿（1997b）「日本語学習者における指示詞ソとアの使い分けに関する研究」『第二言語としての日本語の習得研究』第1号 pp.57-70 第二言語習得研究会

＿＿＿＿＿＿（1998）『中間言語研究―日本語学習者による指示詞コ・ソ・アの習得』渓水社

＿＿＿＿＿＿（2001a）「学習者の誤用を産み出す言語処理のストラテジー（1）―場所を表す「に」と「で」の場合―」『広島大学教育学部日本語教育学講座紀要』pp.17-22.

＿＿＿＿＿＿（2001b）「第1章 学習者独自の文法」「第2章 学習者の文法処理方法」「第11章 母語の習得と外国語の習得」野田尚史ほか『日本語学習者の文法習得』pp.3-43 大修館書店

＿＿＿＿＿＿（2001c）「第一言語と第二言語の習得過程」南雅彦・アラム佐々木幸子（共編）『言語学と日本語教育2：New Directions in Applied Linguistics of Japanese』pp.253-269 くろしお出版

＿＿＿＿＿＿（2012）「非母語話者の日本語コミュニケーションの工夫」野田尚史（編）『日本語教育のためのコミュニケーション研究』pp.105-124 くろしお出版

迫田久美子・小西円・佐々木藍子・須賀和香子・細井陽子（2016）「多言語母語の日本語学習者横断コーパスInternational corpus of Japanese as a second language」『国語研プロジェクトレビュー』6巻3号 pp.93-110.

迫田久美子・蘇鷹・張佩霞（2017）「中国語母語話者のロールプレイに見られる依頼表現―日本語学習者の「念押し」表現への言語転移の可能性―」『日中言語研究と日本語教育』10号 pp.50-63 日中言語研究と日本語教育研究会

迫田久美子・細井陽子（2018）「International Corpus of Japanese as a Second Language (I-JAS): 日本語学習者の言語研究と指導のために」『英語コーパス研究』25号 pp133-149.

佐治圭三（1993）『外国人が間違えやすい日本語の表現の研究』ひつじ書房

＿＿＿＿（1997）『類義語表現の使い分けと指導法』アルク

澤邉裕子、安井朱美（2008）「韓国人学習者の日本語漢語動詞の習得に関する一考察―韓国で学ぶ学習者と日本で学ぶ学習者を対象に―」『第二言語としての日本語習得』11号 pp.141-158.

塩川絵里子（2007）「日本語学習者によるアスペクト形式「テイル」の習得―文末と連体修飾節との関係を中心に」『日本語教育』第134号 pp.100-109.

志村明彦（1989）「日本語のForeigner Talkと日本語教育」『日本語教育』68号 pp.204-215.

白畑知彦（2001）「第5章 普遍文法の視点」青木直子ほか（編）『日本語教育学を学ぶ人のために』pp.120-135 世界思想社

渋谷勝己（1988）「中間言語研究の現状」『日本語教育』64号 pp.176-190.

申惠璟（1985）「第二言語としての日本語習得における『コソア』の問題」『言語の世界』2-2 pp.97-111 言語研究学会

陣内正敬（1992）「第五章 言語接触」真田信治ほか（編著）『社会言語学』pp.68-90 おうふう

菅谷奈津恵（2003）「日本語学習者のアスペクト習得に関する縦断的研究 ―「動作の持続」と「結果の状態」のテイルを中心に―」『日本語教育』119号 pp.65-74.

＿＿＿＿＿＿（2004）「文法テストによる日本語学習者のアスペクト習得研究―L1の役割の検討」『日本語教育』第123号 pp.56-65.

＿＿＿＿＿＿（2010）「日本語学習者による動詞活用の習得について ―造語動詞と実在動詞による調査結果から」『日本語教育』第145号 pp.37-48.

杉山ますよ・田代ひとみ・西由美子（1997）「読解における日本語母語話者・日本語学習者の予測能力」『日本語教育』92号 pp.36-47.

瀬尾匡輝 (2008)「Task Based Language Teaching を用いた地域化の試み —香港での実践—」『日本学刊』第13号 pp.146-159 香港日本語教育研究会

関口明子 (1994)「日本定住児童の日本語教育—インドシナ難民児童の多様な言語背景と日本語習得」『日本語教育』83号 pp.1-15.

宋晩翼・迫田久美子 (2004)「指示詞コソアの指導の現状と運用能力調査—韓国における日本語学習者を対象として—」『日本文化学報』21 pp.75-86.

副島健作・李郁蕙・武藤彩加 (2015)「日本語力と学習ストラテジーおよび動機づけとの関係—中国とロシアの大学における日本語学習者の比較—」『東北大学高度教養教育・学生支援機構紀要』1号 pp.37-47.

高木裕子 (1995)「非漢字系日本語学習者における漢字パターン認識能力と漢字習得に関する研究」『世界の日本語教育』第5号 pp.125-138.

田川麻央 (2012)「中級日本語学習者の読解における要点と構造の気づき: 要点探索活動と構造探索活動の統合と順序の影響を考慮して」『日本語教育』第151号 pp.34-47.

田代ひとみ (1995)「中上級日本語学習者の文章表現の問題点—不自然さ・わかりにくさの原因をさぐる—」『日本語教育』85号 pp.25-37.

舘岡洋子 (1996)「文章構造の違いが読解に及ぼす影響—英語母語話者による日本語評論文の読解」『日本語教育』88号 pp.74-90.

田中幸子 (1994)「第10章 ピジンとクレオール」田中春美ほか (編)『入門ことばの科学』pp.183-202 大修館書店

田中茂範・阿部一 (1989)「外国語学習における言語転移の問題 (3)」『英語教育』1月号 pp.78-81.

田中春美・樋口時弘・家村睦夫・五十嵐康男・下宮忠雄・田中幸子 (1994)『入門ことばの科学』大修館書店

田中真理 (1997)「視点・ボイス・複文の習得要因」『日本語教育』92号 pp.107-118.

谷口すみこ (1991)「思考過程を出し合う読解授業: 学習ストラテジーの観察」『日本語教育』75号 pp.37-50.

沈建興 (1997)「台湾人日本語学習者の無声破裂音・有声破裂音の習得について」『平成9年度広島大学大学院教育学研究科修士論文抄』pp.333-336.

椿由紀子 (2010)「コミュニケーション・ストラテジーとしての「聞き返し」教育」『日本語教育』147号 pp.97-111.

寺村秀夫 (1982)『日本語のシンタクスと意味I』くろしお出版

_____ (1990)『外国人学習者の日本語誤用例集 (資料集)』(1985-1989年度文部省科学研究費特別推進研究「日本語の普遍性と個別性に関する理論的及び実証的研究」の分担研究)

土井利幸・吉岡薫 (1990)「助詞の習得における言語運用上の制約 —ピーネマン・ジョンストンモデルの日本語習得研究への応用」『平成2年度日本語教育学会秋季大会予稿集』pp.27-32.

當作靖彦 (監)・李在鎬 (編) (2019)『ICT×日本語教育 —情報通信技術を利用した日本語教育の理論と実践』ひつじ書房

土岐哲 (1998)『就労を目的として滞在する外国人の日本語習得過程と習得に関わる要因の多角的研究』平成6年度〜平成8年度科学研究費補助金 (基盤研究 (A)) 研究成果報告書

戸坂弥寿美・寺嶋弘道・井上桂子・高橋まり子 (2016)「学外での日本語母語話者へのインタビュー活動に関する一考察」『日本語教育』164号 pp.79-93.

戸田貴子・大久保雅子・千仙永・趙氷清 (2018)「グローバルMOOCsの相互評価における継続参加: 日本語発音オンライン講座の分析を通して」『日本語教育』第170号 pp.32-46.

富田英夫 (1997)「L2日本語学習者における「は」と「が」の習得 —キューの対立が引き起こす難しさ—」『世界の日本語教育』第7号 pp.157-174.

永井絢子 (2015)「スリランカ人日本語学習者の格助詞の習得：シンハラ語母語話者の作文に見られる「ガ」を中心に」『日本語教育』第161号 pp.31–41.

中石ゆうこ (2005)「対のある自動詞・他動詞の第二言語習得研究 ―「つく–つける」、「きまる–きめる」、「かわる–かえる」の使用状況をもとに」『日本語教育』第124号 pp.23–32.

中上亜樹 (2012)「理解中心の指導法「処理指導」と産出中心の指導との比較研究 ―形容詞の比較の指導を通して―」『日本語教育』151号 pp.48–62.

中島和子 (2010)『マルチリンガルへの招待 ―言語資源としての外国人・日本人年少者―』ひつじ書房

中島和子・田中順子・森下淳也 (2011)「継承語教育文献データベースの構築 ―中間報告―」『母語・継承語・バイリンガル教育研究』第7号 pp.1–23.

長友和彦 (1990)「誤用分析研究 日本語の中間言語の解明に向けて」細田和雅 (編)『第2言語としての日本語の教授・学習過程の研究』平成元年度科学研究費補助金一般研究 (B) 研究成果報告書 pp.1–53.

_____ (1993)「日本語の中間言語研究」『日本語教育』81号 pp.1–81.

_____ (1995)「第二言語習得における意識化の役割とその教育的意義」『言語文化と日本語教育』第9号 pp.161–177 お茶の水女子大学日本言語文化学研究会

_____ (1998)「第4章 第二言語としての日本語の習得研究」橋口英俊ほか (編)『児童心理学の進歩』pp.79–110 金子書房

長友和彦・迫田久美子 (1987)「誤用分析の基礎研究 (1)」『教育学研究紀要』33巻 pp.144–149 中国四国教育学会

_____ (1989)「誤用分析の基礎研究 (2)」『教育学研究紀要』34巻 pp.147–158 中国四国教育学会

_____ (1990)「誤用分析の基礎研究 (3)」『教育学研究紀要』35巻 pp.173–183 中国四国教育学会

長友和彦・法貴則子・初鹿野阿れ (1993)「縦断的第2言語習得研究：初級日本語学習者の中間言語」『平成5年度日本語教育学会春季大会予稿集』pp.149–159.

永野賢 (1986)『文章論総説』朝倉書店

中浜優子 (2013)「タスクの複雑さと言語運用 (正確さ, 複雑さ, 談話の視点設定) との関連性」(特集 第二言語習得・言語教育からみた「タスク中心の教授法 (TBLT)」)『第二言語としての日本語の習得研究』16号 pp.38–55 第二言語習得研究会

滑川恵理子 (2015)「言語少数派の子どもの生活体験に裏打ちされた概念学習 ―身近な大人との母語と日本語のやりとりから―」『日本語教育』160号 pp.49–63.

新村朋美 (1992)「指示詞の習得 ―日英語の指示詞の習得の対照研究」『早稲田大学日本語研究教育センター紀要』第4巻 pp.36–59.

西川朋美・青木由香・細野尚子・樋口万喜子 (2015)「日本生まれ・育ちのJSLの子どもの日本語力 ―和語動詞の産出におけるモノリンガルとの差異―」『日本語教育』160号 pp.64–78.

西原鈴子 (1996)「外国人児童生徒のための日本語教育のあり方」『日本語学』15巻 2月号 pp.67–74 明治書院

ニャンジャロンスック、スニーラット (1999)「タイ語母語話者による条件節「と・ば・たら・なら」の習得」『言語文化と日本語教育』第18号 pp.25–35 お茶の水女子大学日本言語文化学研究会

縫部義憲 (1993)「児童日本語教育学の構築に向けて (1) ―現状と課題・広島県を中心に―」『広島大学教育学部紀要』第二部 42号 pp.191–198.

_____ (1999)『入国児童のための日本語教育』スリーエーネットワーク

野田尚史 (2001)「第6章 文法項目の難易度」野田尚史ほか『日本語学習者の文法習得』pp.101–120 大修館書店

野田尚史・迫田久美子・渋谷勝己・小林典子 (2001)『日本語学習者の文法習得』大修館書店

野田尚史・花田敦子・藤原未雪 (2017)「上級日本語学習者は学術論文をどのように読み誤るか：中国語を母語とする大学院生の調査から」『日本語教育』第167号 pp.15-30.

野中真紀 (1998)「日本語の授業におけるTeacher Talkに関する研究―初級クラスと上級クラスのTeacher Talkの比較から―」平成9年度広島大学教育学部日本語教育学科卒業論文

野山広 (2000)「第五章 地域社会における年少者への日本語教育の現状と課題」山本雅代 (編)『日本のバイリンガル教育』pp.165-212 明石書店

白春花・向山陽子 (2014)「モノリンガルおよびバイリンガル日本語学習者の文処理：競合モデルに基づく類型論的観点からの分析」『第二言語としての日本語の習得研究』第17号 pp.23-40 第二言語習得研究会

橋本ゆかり (2006a)「調査報告日本語を第二言語とする英語母語幼児のテンス・アスペクトの習得プロセス―タ形・テイ形の使用について」『日本語教育』第131号 pp.13-22.

＿＿＿＿＿＿＿ (2006b)「幼児の第二言語としての動詞形の習得プロセス―スキーマ生成に基づく言語構造の発達」『第二言語としての日本語の習得研究』第9号 pp.23-41 第二言語習得研究会

＿＿＿＿＿＿＿ (2008)「英語母語幼児の日本語におけるテンス・アスペクトの習得―タ形・テイ形の習得状況からみたアスペクト仮説の傾向」『日本語科学』24号 pp.77-97 国立国語研究所『日本語科学』編集委員会編

＿＿＿＿＿＿＿ (2009)「日本語を第二言語とする幼児の言語構造の構築―助詞「の」と「が」のスキーマ生成に注目して」『第二言語としての日本語の習得研究』第12号 pp.46-65.

＿＿＿＿＿＿＿ (2011)「日本語を第二言語とする英語・仏語母語幼児の否定形の習得プロセス：スキーマ生成に基づく言語構造の発達」『第二言語としての日本語の習得研究』第14号 pp.60-79.

畑佐由紀子 (2006)「フォーム・フォーカスト・インストラクション研究の現状と動向」『第二言語としての日本語の習得研究』9号 pp.63-90.

服部明子 (2008)「ビジネス場面における電話会話終結部の分析 ―中国語を母語とする日本語学習者 (JFL) のクレームへの対応を中心に―」『日本語教育』138号 pp.63-72.

馬場今日子・新多了 (2016)『はじめての第二言語習得論講義 ―英語学習への複眼的アプローチ―』大修館書店

羽生義正 (1999)『パースペクティブ学習心理学』北大路書房

平高史也・稲葉圭子 (1998)「外国人就労者における時間概念の習得について」『就労を目的として滞在する外国人の日本語習得過程と習得に関わる要因の多角的研究』pp.41-67 平成6年度～平成8年度科学研究費補助金 (基盤研究 (A)) 研究成果報告書

廣森友人 (2015)『英語学習のメカニズム：第二言語習得研究にもとづく効果的な勉強法』 大修館書店

フォード丹羽順子・小林典子・山元啓史 (1995)「『日本語能力簡易試験 (SPOT)』は何を測定しているか ―音声テープ要因の解析」『日本語教育』86号 pp.93-102.

福田純也・稲垣俊史 (2013)「上級日本語学習者による目的を表す「ために」と「ように」の習得―「ために」の過剰般化は中国語話者に特有か―」『日本語教育』156号 pp.31-44.

福間康子 (1997)「作文からみた初級学習者の格助詞「に」の誤用」『九州大学留学生センター紀要』第8号 pp.61-74 九州大学留学生センター

藤森弘子 (1994)「日本語学習者にみられるプラグマティック・トランスファー ―「断り」行為の場合―」『名古屋学院大学日本語学・日本語教育論集』1, pp.1-19.

文化庁 (1995)『言葉に関する問答集 総集編』pp.615-616 大蔵省印刷局

ベーカー, C. (1996)『バイリンガル教育と第二言語習得』(岡秀夫 (訳)) 大修館書店 [Baker, C. (1993) *Foundations of Bilingual Education and Bilingualism.* Clevedon: Multilingual Matters]

堀歌子・村野良子・深谷久美子 (1995)「「日本語がじょうず」を決める基準を知る」『月刊日本語』10月号 pp.26-33 アルク

堀口純子 (1997)『日本語教育と会話分析』くろしお出版

堀口和吉(1990)「指示詞コ・ソ・アの表現」『日本語学』9巻3月号 pp.59–70.

牧野成一・鎌田修・山内博之・齊藤眞理子・荻原稚佳子・伊藤とく美・池崎美代子・中島和子(2001)『ACTFL OPI入門―日本語学習者の「話す力」を客観的に測る』アルク

真嶋潤子(2019)『母語をなくさない日本語教育は可能か―定住二世児の二言語能力―』大阪大学出版会

町田健(2000)『生成文法がわかる本』研究社

町田延代(1998)「電話におけるフォリナー・トーク・ディスコースの違い―日本語非母語話者の言語能力と交渉―」『第二言語としての日本語の習得研究』第1号 pp.83–100.

松尾馨(1991)「非漢字圏日本語学習者の漢字形態認知」『平成3年度広島大学大学院教育学研究科修士論文抄』pp.186–189.

松本恭子(1999)「ある中国人児童の来日1年間の語彙習得―発話資料のケーススタディ：形態素レベルの分析」『日本語教育』102号 pp.68–77.

＿＿＿＿＿＿(2000)「ある中国人児童の来日2年目の語彙習得―『取り出し授業』での発話と作文の縦断調査(形態素レベルの分析)―」『第二言語としての日本語の習得研究』第3号 pp.36–56.

松本スタート洋子(2003)「日本語学習者によるワープロ文書の誤用漢字は「同音漢字の誤変換」なのか―非漢字圏日本語学習者の誤用表記分析―」『日本語教育』118号 pp.17–26.

三浦昭・坂本正(1997)『日本語中級用　速読用の文化エピソード』凡人社

水田澄子(1995)「日本語母語話者と日本語学習者(中国人)に見られる独話聞き取りのストラテジー」『日本語教育』87号 pp.66–78.

水谷信子(1985)『日英比較　話しことばの文法』くろしお出版

＿＿＿＿＿＿(1994)『実例から学ぶ誤用分析の方法』アルク

水野光晴(2000)『中間言語分析』開拓社

南之園博美(1997)「読解ストラテジーの使用と読解力との関係に関する調査研究―外国語としての日本語テキスト読解の場合―」『世界の日本語教育』第7号 pp.31–44.

峯布由紀(2007)「認知的な側面からみた第二言語の発達過程について―学習者の使用する接続辞表現の分析結果をもとに」『日本語教育』134号 pp.90–99.

宮崎里司・J. V. ネウストプニー(共編)(1999)『日本語教育と日本語学習―学習ストラテジー論にむけて―』くろしお出版

宮崎茂子(1978)「誤用例をヒントに教授法を考える」『日本語教育』34号 pp.47–56.

村上かおり(1998)「日本語母語話者の「意味交渉」にタスクの種類が及ぼす影響―母語話者と非母語話者とのインターアクションにおいて―」『第二言語としての日本語の習得研究』第1号 pp.119–136.

守一雄(1996)『やさしいPDPモデルの話』新曜社

守一雄・都築誉史・楠見孝(2001)『コネクショニストモデルと心理学―脳のシミュレーションによる心の理解』北大路書房

森敏昭・吉田寿夫(共編著)(1990)『心理学のためのデータ解析テクニカルブック』北大路書房

森田良行(1985)『誤用文の分析と研究―日本語学への提言―』くろしお出版

森本智子(1998)「異なった学習環境における日本語習得の違いに関する研究―教室環境と自然環境の学習者を対象として―」平成9年度広島大学教育学部日本語教育学科卒業論文

森山新(2002)「認知的観点から見た格助詞デの意味構造」『日本語教育』115号 pp.1–10.

八木公子(1996)「初級学習者の作文に見られる日本語の助詞の正用順序―助詞別，助詞の機能別，機能グループ別に―」『世界の日本語教育』第6号 pp.65–81.

＿＿＿＿＿＿(1998)「中間言語における主題の普遍的卓越―「は」と「が」の習得研究からの考察」『第二言語としての日本語の習得研究』第2号 pp.57–66.

柳沢好昭・石井恵理子(監)(1998)『日本語教育重要用語1000』バベル・プレス

柳町智治(2000)「日本語学習者のジェスチャーが母語話者による評価に与える影響」『北海道大学留学生センター紀要』4号 pp.102–114.

山岡俊比古（1997）『第2言語習得研究〈新装改訂版〉』桐原ユニ

_____（2004）「第2章　認知から見た言語習得」小池生夫（編主幹）『第二言語習得研究の現在―これからの外国語教育への視点―』pp.23–42　大修館書店

山田智久（2017）『ICTの活用 第2版（日本語教師のためのTIPS 77）』くろしお出版

山本雅代（1991）『バイリンガル―その実像と問題点―』大修館書店

_____（編）（2000）『日本のバイリンガル教育』明石書店

湯川笑子（2006）「年少者教育における母語保持・伸長を考える」『日本語教育』128号 pp.13–23.

尹喜貞（2006）「授受補助動詞の習得に日本語能力，及び学習環境が与える要因―韓国人学習者を対象に―」『日本語教育』130号 pp.120–129.

尹智鉉（2011）「日本語学習者の第二言語習得と学習ストラテジー」『研究紀要』(81) pp.17–40日本大学文理学部人文科学研究所

楊 虹（2015）「初対面会話における話題上の聞き手行動の中日比較（特集日本語教育の研究手法：「会話・談話の分析」という切り口から）」『日本語教育』第162号 pp.66–81.

楊 晶（2001）「電話会話で使用される中国人学習者の日本語の相づちについて ―機能に着目した日本人との比較―」『日本語教育』111号 pp.46–55.

横瀬智美（2001）「異なった言語環境における日本語の習得 ―自然習得と教室環境での習得の比較から―」平成12年度広島大学大学院教育学研究科言語文化教育学専攻修士論文

横林宙世（1994）「中級・上級日本語学習者の中間言語―助詞習得を中心に」『平成6年度日本語教育学会春季大会予稿集』pp.7–12.

横溝紳一郎（2000）『日本語教師のためのアクション・リサーチ』凡人社

_____（2001a）「アクション・リサーチ」青木直子・尾崎明人・土岐哲（共編）『日本語教育学を学ぶ人のために』pp.210–231　世界思想社

_____（2001b）「アクション・リサーチ ―日本語教師の自己成長のために」『日本語教育通信 日本語・日本語教育を研究する』15号 pp.14–15　国際交流基金

横溝紳一郎・山田智久（2019）『日本語教師のためのアクティブ・ラーニング』くろしお出版

横山紀子（2005）「「過程」重視の聴解指導の効果―対面場面における聴解過程の分析から」『第二言語としての日本語の習得研究』第8号 pp.44–63　第二言語習得研究会

吉岡薫（1999）「第2言語としての日本語習得研究 ―現状と課題―」『日本語教育』100号 pp.19–32.

_____（2001）「第二言語習得研究の現状」『日本語教育学を学ぶ人のために』pp.158–178世界思想社

吉本優子（2001）「定住ベトナム難民における相づち習得の研究 ―談話展開の観点から―」『日本語教育』110号 pp.92–100.

ラーセン-フリーマン、D. ＆ ロング、M.（1995）『第2言語習得への招待』(牧野高吉（訳)) 鷹書房弓プレス [Larsen-Freeman, D. and Long, M.（1991）*An Introduction to Second Language Acquisition Research.* London: Longman]

李善姫（2004）「韓国人日本語学習者の「不満表明」について」『日本語教育』123号 pp.27–36.

リヴァース、W.（1967）『外国語教育と心理学』(五十嵐二郎（訳)) 紀伊国屋書店 [Rivers, W.（1964）*The Psychologist and the Foreign Language Teacher.* Chicago: University of Chicago]

劉瑞利（2017）「日本語学習者の「名詞＋動詞」コロケーションの使用と日本語能力の関係」『日本語教育』166号 pp.62–76.

_____（2018）「中国語を母語とする上級日本語学習者の「名詞＋動詞」コロケーションの使用：日本語母語話者との使用上の違い及び母語の影響」『日本語教育』169号 pp.31–45.

梁婷絢（2016）「韓国人日本語学習者の条件表現「～と」の使用実態：主節末の推量のモダリティを中心に」『日本語教育』第163号 pp.32–47.

渡邊亜子（1992）「日本語学習者の談話における視点―ストーリーテリングによる調査の分析―」『日本語教育学会創立30周年・法人設立15周年記念大会予稿集』pp.73–78.

_____(1996)『中・上級日本語学習者の談話展開』くろしお出版

渡辺いずみ(1998)「使用教材のインプットと日本語学習者の「の」の使用に関する研究」平成10年度広島大学教育学部日本語教育学科卒業論文

渡辺恵美子(1994)「日本語学習者のあいづちの分析―電話での会話において使用された言語的あいづち」『日本語教育』82号 pp.110–122.

渡邊宗孝・寺見春恵(1990)『ビギナーのための統計学』共立出版

ワンウイモン・ルンティーラ(2004)「タイ人日本語学習者の「提案に対する断り」表現における語用論的転移―タイ語と日本語の発話パターンの比較から―」『日本語教育』121号 pp.46–55.

参考資料

『英語学事典』大修館書店1986年

『言語学大辞典　第1巻［世界言語編］』第2刷三省堂1989年

『多文化共生の日本語教育』大阪府在日外国人教育研究協議会1998年

『日本語能力試験出題基準』国際交流基金・日本国際教育協会(著作・編集) 凡人社1994年

『AJALT』No.10「特集　教師に望む―学習者の立場から―」国際日本語普及協会1987年

『「日本語指導が必要な児童生徒の受入状況等に関する調査(平成30年度)」の結果について』文部科学省(2019年9月)

http://www.mext.go.jp/b_menu/houdou/31/09/1421569.htm

「日本語指導が必要な児童生徒に対する指導の在り方について(審議のまとめ)」日本語指導が必要な児童生徒を対象とした指導の在り方に関する検討会議・文部科学省(2013年5月)

http://www.mext.go.jp/b_menu/houdou/25/05/__icsFiles/afieldfile/2013/07/02/1335783_1_1.pdf

「外国人児童生徒受入れの手引き」文部科学省総合教育政策局(2019年3月)

http://www.mext.go.jp/a_menu/shotou/clarinet/002/1304668.htm

索 引

●人名

迫田久美子（さこだ　くみこ）
広島大学森戸国際高等教育学院 特任教授・副理事
国立国語研究所日本語教育研究領域　客員教授

広島県生まれ。広島大学大学院教育学研究科博士後期課程修了。博士（教育学）。
広島YMCA日本語学校、広島大学教育学部講師、助教授、広島大学大学院教育学研究科教授を経て、現職。専門は第二言語習得および日本語教育。主な著書は『中間言語研究―日本語学習者による指示詞コ・ソ・アの習得―』（渓水社1998）、『日本語学習者の文法習得』（共著 大修館2001）、『プロフィシェンシーを育てる』（共編著 凡人社 2008）、『日本語教育のためのコミュニケーション研究』（共著 くろしお出版 2012）、『学習者コーパスと日本語教育研究』（共編著 くろしお出版 2019）、『日本語学習者コーパスI-JAS入門―研究・教育にどう使うか―』（共編著 くろしお出版 2020）ほか。

改訂版　日本語教育に生かす　第二言語習得研究

発 行 日　2002年2月1日（初版）
　　　　　2020年3月19日（改訂版）
　　　　　2023年1月11日（改訂版第3刷）

著　　者　迫田久美子
編　　集　株式会社アルク日本語編集部、堀田 弓
校　　正　岡田英夫
デザイン・DTP　株式会社ポイントライン
印刷・製本　萩原印刷株式会社

発 行 者　天野智之
発 行 所　株式会社アルク
　　　　　〒102-0073　東京都千代田区九段北4-2-6 市ヶ谷ビル
　　　　　Website：https://www.alc.co.jp/

地球人ネットワークを創る

アルクのシンボル
「地球人マーク」です。